LAS HABILIDADES DEL ABOGADO

51 HABILIDADES, COMPETENCIAS Y VALORES PARA CRECER PROFESIONALMENTE

ÓSCAR FERNÁNDEZ LEÓN

Abogado

LAS HABILIDADES DEL ABOGADO

51 HABILIDADES, COMPETENCIAS Y VALORES PARA CRECER PROFESIONALMENTE

THOMSON REUTERS

ARANZADI

Primera edición, 2021

THOMSON REUTERS PROVIEW™ eBOOKS
Incluye versión en digital

Editorial Aranzadi, S.A.U.
Camino de Galar, 15
31190 Cizur Menor (Navarra)
ISBN: 978-84-1390-578-5
DL NA 1125-2021
Printed in Spain. Impreso en España
Fotocomposición: Editorial Aranzadi, S.A.U.
Impresión: Rodona Industria Gráfica, SL
Polígono Agustinos, Calle A, Nave D-11
31013 – Pamplona

Dedico esta obra a las abogadas y abogados que, en el triste escenario que les ha tocado vivir durante la pandemia, se han esforzado, dando lo máximo de si, para salir adelante.

Índice General

HABILIDADES PROFESIONALES

HABILIDADES DEONTOLÓGICAS

HABILIDADES SOCIALES

HABILIDADES COMERCIALES

HABILIDADES EMOCIONALES

HABILIDADES EMPRESARIALES

Prólogo

El libro que tienes en tus manos nace como consecuencia de un proyecto que empezó a rondarme en la cabeza hace unos quince años, cuando tuve la suerte de conocer las obras de Bernabé Tierno, y sumergirme en dos de sus mejores obras: Elegir Éxito (triunfa sin traicionar tus principios) y la colección de Valores Humanos. Dichas obras, en las que se sistematizaban brillantemente numerosos principios y valores de todo ser humano tanto en lo personal como en lo profesional, llamó mi atención y me hizo pensar en la importancia que para todo abogado tiene el incorporar a su patrimonio una serie de valores, habilidades, principios, etc.

De hecho, en los diversos libros que he publicado a raíz de aquellas lecturas, no he dudado de incorporar apartados en los que se examinaban y analizaban estos valores, pues todos ellos siempre han sido necesarios para el desarrollo de nuestras complejas funciones de asesoramiento, intermediación y defensa. Efectivamente, la amplitud y dificultad de las actividades que desarrollamos los abogados, unida a la complejidad de los vínculos humanos que se crean durante nuestra prestación, hacen que el abogado, como humanista y hombre renacentista que es, venga obligado a disponer de múltiples valores y habilidades que le permitan, si se me permite la expresión, "sobrevivir" en su quehacer diario. Estos valores representan el modelo de profesión al que todos debemos aspirar y que dotan de verdadero significado y contenido a nuestro ejercicio profesional, porque cada abogado tiene la obligación de convertirse en medio ejecutor del imperativo categórico de su investidura, por lo cual es esencial disciplinar sus actuaciones técnicas y científicas, perfeccionar su carácter y fortalecer su conducta dentro de las normas éticas.

Con esta idea en mente, esta obra sistematiza cincuenta y un valores, principios, competencias y habilidades (que llamaremos en lo sucesivo habilidades) que he considerado fundamentales para todo abogado en los tiempos que corren, no desconociendo que quedan muchas otras habilidades en el tintero, pero que, ciertamente, superarían el objetivo del libro.

En cuanto al tratamiento de las diversas habilidades, he optado por el siguiente formato igual para cada una de ellas:

1.– Concepto

2.– Características

3.– ¿Por qué es importante esta habilidad para el abogado?

4.– El abogado con esta habilidad

5.– El abogado que carece de esta habilidad

6.– Ejemplos prácticos

7.– ¿Cómo se adquiere o mejora?

8.– Anécdota

9.– Preguntas para el debate

10.– Lecturas recomendadas

11.– Sabiduría popular

La idea de emplear esta estructura reside en que de esta forma la lectura es mucho más sencilla, tanto de la habilidad en concreto, como a la hora de afrontar las siguientes. Igualmente, tratando todos estos aspectos entiendo que se enriquece el conocimiento y comprensión de la misma al abordarse desde perspectivas muy diferentes.

En cuanto a su lectura, no es necesario seguir determinado orden, pudiendo empezarse por la habilidad en la que se desee profundizar, si bien yo recomendaría la lectura de las habilidades por grupo (sociales, emocionales, etc.), pues así dispondremos de una mejor visión de conjunto.

Y, ¿qué nos puede aportar el libro? Honestamente, creo que una lectura del mismo nos puede ayudar a concienciarnos de la multitud de habilidades que demanda nuestra profesión, y de la necesidad de que, poco a poco, vayamos implementándolas en nuestra vida personal y profesional, pues estoy seguro que dicho proceder redundará positivamente tanto en la sociedad como en el colectivo de nuestra profesión.

Mi especial agradecimiento a las abogadas Marián Lora Márquez y M.ª del Carmen Quintero Piña cuya paciencia al revisar el texto y sabiduría al sugerir diversas ideas han contribuido a mejorar el presente trabajo.

En Sevilla, 20 de abril de 2020.

Introducción

1. ¿QUÉ SON LAS HABILIDADES?

¿Qué entendemos por habilidad? Nuestros diccionarios suelen definirla como la capacidad de una persona para hacer una cosa bien y fácilmente, o como aptitud, competencia capacidad de hacer algo correctamente, con facilidad, destreza e inteligencia. Sin embargo, en esta colaboración, cuando hablemos de habilidades, vamos a referirnos no solo a dicho significado, sino que además vamos a incluir algunos valores, virtudes y principios que social y culturalmente vienen aceptados como esenciales para el desarrollo íntegro de la persona y que, por su contenido, son plenamente aplicables a la actividad del abogado.

2. EL ABOGADO COMO HOMBRE RENACENTISTA

En la antigüedad se acuñó el término "Hombre Renacentista" para referirse a aquel que dominaba varias disciplinas y que le hacían ser el modelo a seguir, el más completo. También fue denominado *Polímata* y su máximo exponente fue Leonardo da Vinci, ser humano realmente excepcional en varios campos: pintor, arquitecto, anatomista, ingeniero, inventor, lo cual le convirtió en un auténtico generalista-especialista.

Es muy habitual que cuando se hable de las habilidades del abogado caigamos en la tentación de limitarnos a identificar unas pocas que normalmente se antojan extremadamente insuficientes. Ello es así, dado que la amplitud y dificultad de las actividades que desarrollamos los abogados, unida a la complejidad de los vínculos humanos que se crean durante nuestra prestación, hacen que el abogado, como hombre renacentista que es, venga obligado a disponer de múltiples conocimientos y habilidades que le permitan, si se me permite la expresión, "sobrevivir" en su quehacer diario.

Por lo tanto, si me preguntaran cuales son las habilidades que deben constituir prenda del buen abogado, yo diría un número quizás inabarcable, puesto que si reflexionamos sobre esta cuestión, toda habilidad necesaria para vivir adecuadamente en sociedad, es decir, para el ocio y el negocio, va a ser necesaria para el abogado debido a la especial naturaleza y características de su trabajo. No obstante, es preciso sistematizar y señalar las que consideramos más importantes desde nuestra perspectiva, quedando por tanto abierta la inclusión de cualquiera otras que se consideren necesarias.

Expuesto lo anterior, a continuación vamos a establecer una clasificación de las habilidades del abogado teniendo en cuenta tanto el carácter profesional de nuestro trabajo como los tres pilares que conforman la actividad del abogado en representación de su cliente: el consejo jurídico, la mediación y negociación y, finalmente, la defensa ante los tribunales.

3. CLASIFICACIÓN DE LAS HABILIDADES DEL ABOGADO

Las habilidades del abogado podrían clasificarse en los siguientes grupos:

Habilidades
- Generales
- Profesionales
- Deontológicas
- Sociales
- Empresariales
- Comerciales
- Emocionales

Habilidades generales: Consideramos habilidades generales como aquellas destrezas que se consideran recomendables para toda persona y que su posesión se entiende socialmente como un componente de la persona de carácter positivo y conveniente, pues facilitará el crecimiento tanto personal como profesional de su titular.

Para ello, el abogado deberá estar revestido de habilidades como la constancia y la disciplina y laboriosidad (esenciales para el trabajo diario); la prudencia, paciencia, serenidad y autocontrol (necesarias para la interacción con terceros) y, finalmente, como un principio informador de los anteriores, la honestidad y sinceridad.

Habilidades profesionales: Las habilidades profesionales serán aquellas que empleamos activamente en nuestra profesión como una herramienta directa para el desarrollo de nuestra actividad y que sin ellas no se puede concebir la figura del abogado. Por lo tanto, son habilidades indispensables para nuestro ejercicio.

Entre estas se encontrarían las habilidades que son necesarias para el desarrollo de las ya citadas actividades que realiza el abogado en su actividad: el consejo jurídico, la mediación y negociación y, finalmente, la defensa ante los tribunales.

a) Generales: Competencia técnica, comunicación oral y escrita, inteligencia, imaginación, capacidad de estudio, comprensión lectora, habilidad para utilizar las tecnologías de la información y las comunicaciones más avanzadas, capacidad de análisis y síntesis, capacidad de abstracción, flexibilidad y adaptación mental.

b) Asesoramiento: Saber escuchar, empatía, cortesía, concentración.

c) Negociación: Capacidad de negociación, vocación conciliadora, alta resistencia a la frustración.

d) Intervención en el Foro: Oratoria en su más amplio sentido, y derivada de la misma, dominio del lenguaje verbal y no verbal, argumentación, memoria, imaginación, claridad de ideas, previsión, naturalidad.

Habilidades deontológicas: Son esenciales para la propia conceptualización del profesional. Estas habilidades podríamos dividirlas en dos clases, las derivadas del estatuto privilegiado que informa el desempeño de nuestra función y las obligaciones principales en su desempeño, reglas éstas que constituyen fiel reflejo de la tradición y cultura profesional y que nutren nuestro Código Deontológico.

Respecto a las primeras, debemos señalar que tras siglos de experiencia, nuestros códigos profesionales han entendido que nuestra profesión se rija de acuerdo con determinados postulados, lo que ha sido precisamente pensando en garantizar que nuestra función se desarrolle a satisfacción de los intereses del cliente y de la sociedad, por lo que el abogado deberá dar cumplimiento a los mismos. Entre estas habilidades o principios rectores de nuestra actividad se encuentra la independencia, diligencia, lealtad, responsabilidad y cualquier otro que derive de nuestro estatuto profesional.

Habilidades sociales: El abogado desempeña su labor en un contexto en el que tiene necesariamente que interactuar con otras personas desde perspectivas bien diferentes. Con los clientes interviene primero para captarlos. Una vez captados, para recorrer el largo camino de la resolución del asunto encomendado y, cómo no, para fidelizarlo. Con los restantes operadores jurídicos actuará bien para persuadirlos y convencerlos de la bondad de nuestra argumentación (jueces) o para negociar o trabajar en equipo (otros abogados).

Consecuentemente, el buen abogado deberá ser una persona sociable que domine las técnicas de comunicación, ser extrovertido y saber relacionarse con los demás en cualquier contexto. Igualmente deberá saber transmitir una imagen adecuada (presencia)

Habilidades empresariales: Los despachos de abogados son empresas de servicios, extremo éste que actualmente resulta incontrovertido. Por ello, nuestros despachos deben gestionarse como verdaderas empresas, adoptando los sistemas, procesos y herramientas propias del mundo empresarial de modo que el abogado pueda liderar, organizar, planificar y controlar su negocio. Para ello es inevitable el acceso y permanente aprendizaje de habilidades de dirección, gestión y organización de empresas.

En este campo, el abogado deberá ser un buen estratega, tener liderazgo, ser proactivo, saber gestionar, organizar y planificar el tiempo, dominar las técnicas de trabajo en equipo, saber delegar, etc.

En este apartado incluimos igualmente el dominio de un segundo idioma, que a nuestro juicio debe ser el inglés, actualmente vinculado estrechamente con el mundo de los negocios, pues debido a la globalización ya más que consolidada, la habilidad del dominio de este idioma será fundamental para nuestro crecimiento.

Habilidades comerciales: Hay que destacar la necesidad que tiene el abogado de disponer de las habilidades que lo conviertan en un verdadero comercial, entendiéndose por comercialidad la capacidad de atraer y captar clientes. Para ello, el abogado deberá concienciarse de la importancia que la actividad comercial tiene para la creación y crecimiento de los despachos profesionales, y el papel que dichas competencias y habilidades jugarán en su propio crecimiento profesional, bien individualmente, bien en la jerarquía profesional de la firma.

A tal efecto, el abogado deberá formarse en técnicas de marketing, y especialmente las materias comerciales, deberán ser un referente continuo, ya que las capacidades comerciales se adquieren a través de su conocimiento y puesta en práctica.

Igualmente, el abogado deberá dominar las técnicas de atención al cliente, indispensables para generar la satisfacción del mismo a través de un servicio excelente y de calidad.

Habilidades emocionales: La profesión de abogado requiere de conocimientos psicológicos, entendiendo por éstos, desde un concepto amplio, todos aquellos que pueden guardar una relación con el comportamiento humano de las personas con las que interactuamos ya citadas.

Efectivamente, el componente humano, aunque a veces se olvide, es un elemento esencial de nuestra actividad que tiene una repercusión constante, consciente o inconsciente, en el devenir de todos y cada uno de nuestros trabajos. Conocer estas habilidades psicológicas es de inestimable ayuda para la interacción diaria con esas otras personas.

Los conocimientos psicológicos en nuestra actividad tienen innumerables aplicaciones, tanto para regular nuestra actuación como para la interacción con terceros. Respecto al empleo para el propio abogado podemos destacar la capacidad del pensamiento positivo, la resistencia a la frustración, el emplear las técnicas de la visualización y el empleo de todas las herramientas que nos permitan estar con nosotros mismos, aprender a conocernos y obtener la tan ansiada relajación mental y corporal. Respecto a los demás, toda técnica que nos ayude a conocer la forma de ser de las personas será bienvenida, destacándose igualmente la empatía, el saber escuchar de forma activa, la atención, etc.

4. CONCLUSIÓN

Estoy seguro de que a medida que el lector haya avanzado por el texto, le habrán surgido numerosas ideas sobre otras herramientas, destrezas, virtudes o principios que son igualmente aplicables. También podrá haber pensado que algunas habilidades no son aplicables a nuestro sector. Todo es posible. Lo importante de esta experiencia es llegar a sorprendernos con la ingente cantidad de habilidades que debemos dominar, lo que nos debe hacer reflexionar sobre cuestiones de suma importancia y que procedo a epigrafiar:

1. Que nuestra actividad es de una riqueza impresionante en todos los aspectos del conocimiento teórico y práctico.

2. Que para el necesario desarrollo de nuestra actividad hemos de estar creciendo constantemente en el conocimiento de nuevas habilidades y destrezas.

3. Que desarrollamos un trabajo muy importante en nuestra sociedad, dotado de una gran complejidad y que requiere de una altísima preparación técnica y humana de quienes lo realizamos.

¡Ahí es nada!

"Todo el mundo tiene talento y es sólo una cuestión de moverse hasta que lo hayas descubierto. Un talento es una combinación de algo que te gusta mucho y es algo en lo que te puedes perder fácilmente. Algo que usted puede comenzar a las 9 de la mañana, alzar la vista y ya son las 10 de la noche. Y no es sólo un talento como tal, sino habilidades de tener una capacidad natural para hacerlo muy bien. Y por lo general esas dos cosas van de la mano".

George Lucas.

Habilidades generales

1

Autoaprendizaje

I. CONCEPTO

Es la habilidad o capacidad de estar permanentemente formándose por uno mismo en aquellos aspectos que consideramos esenciales en nuestra vida personal y profesional. Aquella persona que aprende por sí mismo se le denomina autodidacta, la cual aprende mediante la búsqueda individual de conocimientos y aplicación práctica de los mismos, también de forma individual.

II. CARACTERÍSTICAS

Entre las características del autoaprendizaje destacaremos las siguientes:

- Se alcanza a través de los estudios, la experiencia, la observación o el razonamiento.
- Requiere sentirse aprendiz de forma permanente (el eterno aprendiz).
- Se fundamenta en un deseo permanente de mejorar nuestros conocimientos y habilidades.
- Necesita de entusiasmo.
- La humildad es esencial, puesto que con ella podemos conocer nuestras debilidades y la necesidad de fortalecerlas.
- Carece de edad, pues siempre se está en continua formación.
- Fomenta la curiosidad, la investigación y la autodisciplina.

- Se dispone de mayor capacidad de administrar nuestro tiempo, ya que se puede dedicar más del mismo en lo que se tiene dificultades y menos a lo que resulta más fácil.

- Contribuye a formar nuestra personalidad de forma positiva.

III. ¿POR QUÉ ES IMPORTANTE EL AUTOAPRENDIZAJE PARA EL ABOGADO?

Nadie cuestiona que la formación constituye un elemento fundamental para el buen funcionamiento de la práctica profesional del abogado, ya que a través de la misma se logra el objetivo de proveerlo de nuevas y mejores competencias que permitirán alcanzar sus objetivos.

Esta idea cobra hoy mayor importancia si tenemos en consideración no solo el vertiginoso proceso de creación legislativa y judicial que vivimos y que exige al abogado una actualización continua de conocimientos, sino la también necesidad que tiene de adquirir y desarrollar unas habilidades de gestión empresarial y personales, cuya exigencia hace décadas era impensable.

Por ello, teniendo en consideración los retos y desafíos a los que se enfrenta la abogacía actual, inmersa en un entorno muy competitivo y globalizado, la autoformación debe ser implementada con el fin de lograr una ventaja competitiva respecto a nuestros competidores.

IV. EL ABOGADO AUTODIDACTA

El abogado que aprende constantemente es humilde y, para serlo, lo primero que requerimos es disponer de una autoconciencia clara de nuestras fortalezas y debilidades, ya que a través del conocimiento objetivo de nosotros mismos podremos conocer tanto nuestras capacidades a explotar como las carencias que hemos de fortalecer. De este modo, quien se conoce sabrá donde están sus límites y se ocupará, y preocupará, para superar dichas barreras a través del mejoramiento continuo.

La humildad nos recuerda que somos iguales a los demás y que, por muy preparados que estemos, jamás estaremos por encima de nadie. Esta idea retroalimenta el principio de superación, ya que el abogado humilde buscará no sólo el aprendizaje, sino los consejos y ayuda de los demás a quienes aceptamos y reconocemos como homólogos a nosotros en capacidades intelectuales, emocionales y físicas, pues no podemos olvidar que en materia de aprendizaje los terceros tendrán una intervención decisiva.

Por otro lado, alguien que está constantemente aprendiendo, abarcará materias no sólo limitadas a su actividad profesional, sino que tendrá inquietudes por otras materias que fomenten sus habilidades personales y que, en última instancia, les ayudará a mejorar también en su actividad profesional.

V.   EL ABOGADO QUE NO ES AUTODIDACTA

El abogado que no es aprendiz suele ser poco humilde, no es capaz de conocerse a sí mismo, y tendrá probablemente una idea errónea de su realidad personal e interpersonal, por lo que sufrirá de ignorancia e incompetencia, impidiéndole reconocer sus propios errores o escoger alternativas superiores de crecimiento.

En otros casos, no es cuestión de humildad, sino de dejación y falta de interés por ir creciendo.

El riesgo de estas conductas se resume en la frase de Couture: _"Estudia: El derecho se transforma constantemente. Si no sigues sus pasos, serás cada día un poco menos abogado"._

VI.   EJEMPLOS PRÁCTICOS

La autoformación es necesaria y fundamental para los abogados, bien sean los más jóvenes, necesitados de una formación que les permita adquirir las habilidades necesarias para su desarrollo profesional, como para los más experimentados, que demandan una actualización permanente de sus conocimientos ante un sector cada vez más competitivo.

En el escenario actual, la apuesta deberá contemplar necesidades formativas diferentes a las tradicionales. En tal sentido podríamos distinguir las siguientes áreas:

- **Ejercicio de la abogacía como función social**: Se tratarían los conocimientos vinculados al ejercicio profesional de la abogacía, en cuando a su función social (ética, deontología, etc.).

- **Gestión profesional del despacho**: Toda la materia relacionada con la gestión de los despachos, o lo que es lo mismo, el aprendizaje de habilidades de management en sus distintas áreas (estrategia, recursos humanos, proyectos, calidad de prestación de servicios al cliente, etc.), con el fin de garantizar que los abogados puedan dirigir y gestionar sus despachos como empresas de servicios. Aquí podríamos incluir el dominio de las nuevas tecnologías.

- **Formación jurídica**: Actualización de conocimientos jurídicos (que ha venido siendo la formación tradicional), con especial atención a la formación procesal del abogado.

- **Habilidades complementarias**: Aquí entrarían todas las habilidades conocidas como *"soft skills"* vinculadas al mundo del crecimiento personal y profesional entre las que incluiríamos la oratoria, negociación, inteligencia emocional, psicología, etc.

- **Formación que demanda el mercado internacional fruto de la globalización**: Destacando el aprendizaje de otros idiomas y aspectos culturales de países que disponen de una formación diferente a la nuestra.

VII. ¿CÓMO SE ADQUIERE O MEJORA?

En primer lugar, hemos de sentirnos constantemente aprendices, sin miedo y sin temor al qué dirán. A continuación, hemos de identificar los métodos que mejor funcionan con nuestra singularidad; acto seguido, hemos de decidir en qué materias queremos profundizar y crecer, y ponernos en marcha buscando las fuentes de formación y los tiempos en los que podremos dedicar tiempo a la misma.

Un ejemplo claro para emplear el autoaprendizaje es la lectura diaria sobre el tema que más nos interese y reflexionar sobre ello para pasar a indagar sobre sus diversas cuestiones.

Igualmente, para formarnos disponemos de un abanico amplísimo de medios (conferencias, talleres, libros, videos, visitas, seminarios, etc.).

Finalmente, no podemos olvidar que siempre podemos aprender de otros abogados, pues todo abogado conocido nos será superior en algún sentido del que habrá que aprender. ¿No os parece una idea extraordinaria poder observar diariamente a los profesionales que nos rodean para ir aprovechando aquello que nos puedan enseñar sobre nuestra profesión?

Del mismo modo, lo anterior contempla la otra cara de la moneda: el fomento de la solidaridad[1] entre abogados, entendiéndose por tal las acciones desinteresadas que éstos deben realizar con el fin de orientar a otros compañeros cuando lo requieran. Nos estamos refiriendo por tanto a un dar, a una entrega de conocimientos y experiencias que pueden ayudar a quien los recibe en su crecimiento profesional, solidaridad que ha existido siempre entre los abogados, siendo frecuente que el abogado experto en algún campo del derecho reciba una llamada de otro colega para que le explique cómo preparó aquella demanda o qué perspectivas de éxito ve respecto a tal o cual asunto. Actualmente, y consecuencia del fenómeno de las redes sociales, la solidaridad, a modo de ejemplo, se manifiesta claramente en los distintos foros

---

1. El capítulo 9 se dedica a la solidaridad.

de abogados, en los que la colaboración desinteresada de un elevado número de colegas suele concluir resolviendo la duda de quien solicita ayuda.

VIII. ANÉCDOTA

El autoaprendizaje se encuentra íntimamente vinculado con el autoconocimiento.

El aforismo griego "Conócete a ti mismo" estaba inscrito en el pronaos del templo de Apolo en Delfos, según el periegético Pausanias. El aforismo ha sido atribuido a varios sabios griegos antiguos: Heráclito, Quilón de Esparta, Tales de Mileto, Sócrates, Pitágoras Y Solón de Atenas.

En una discusión acerca de la moderación y el autoconocimiento, el poeta romano Juvenal, cita la frase en griego y declara que el precepto desciende "de cælo" (del cielo).

En latín, el aforismo se presenta como _temet nosce o bien nosce te ipsum._

IX. PREGUNTAS PARA EL DEBATE

– ¿Estás en continuo aprendizaje?

– ¿Te consideras una persona inquieta en materia de aprendizaje?

– ¿Te sientes cómodo sintiéndote un aprendiz?

X. LECTURAS RECOMENDADAS

Técnicas de Estudio y Aprendizaje: Métodos, autoaprendizaje y ejercicios. Dadda, M. (2019) Versión Kindle.

XI. SABIDURÍA POPULAR

"Juzgar a los demás es fácil pero nos aporta poco o nada. Juzgarnos a nosotros mismos es difícil pero podemos aprender grandes lecciones". Álex Rovira.

"La Educación es el pasaporte hacia el futuro, el mañana pertenece a aquellos que se preparan para él en el día de hoy". Malcolm X.

"Lo más terrible se aprende enseguida y lo hermoso nos cuesta la vida". Silvio Rodríguez.

"No es el conocimiento, sino el acto de aprendizaje; y no la posesión, sino el acto de llegar a ella, lo que concede el mayor disfrute". Carl F Gauss.

"He aprendido que los errores pueden ser tan buenos profesores como el éxito". Jack Welch.

"La vida es un aprendizaje de renunciamiento progresivo, de continua limitación de nuestras pretensiones, de nuestras esperanzas, de nuestra fuerza, de nuestra libertad". H-F. Amiel.

"Me gusta ser un eterno aprendiz porque así no se trata de llegar para volver y siempre estoy yendo. Muchas veces doy un paso hacia delante y dos hacia detrás, pero eso me obliga luego a dar un salto prometedor y capaz de romper mi inercia". Ramiro Calle.

2

Entusiasmo

I. CONCEPTO

Según el diccionario de la RAE el entusiasmo es una exaltación y fogo-
sidad del ánimo, excitado por algo que lo admire o cautive (primera acepción), o la adhesión fervorosa que mueve a favorecer una causa o empeño
(segunda acepción). Ambas acepciones nos sirven para conceptualizar esta
virtud, cuya etimología deriva del griego *enzeos* (endiosado) o inspirado por
los dioses.

El entusiasmo es, por tanto, un estado de ánimo positivo y favorable para
la persona que lo vive y está íntimamente relacionado con una motivación
interior asociada a la existencia de un proyecto de vida, personal o profesional, constituido por una serie de objetivos (sueños o ideales) que nos darán
la energía positiva y fuerza para disfrutar nuestras acciones diarias (por muy
cotidianas que estas sean).

Como señala Alberoni, el entusiasmo es energía, empuje y fe; es una fuerza
de tracción que tiende hacia lo que está en lo alto, hacia lo que tiene valor.
Una potencia que impele a ir más allá de sí mismo.

El entusiasmo, como valor, no debe confundirse con la alegría des-
bordante que podemos sentir durante un momento especial, ya que el
entusiasmo no es algo fugaz o exuberante, sino una actitud de confianza,
seguridad y optimismo constante sean cuales sean las dificultades que
encontremos en el camino.

II. CARACTERÍSTICAS

Entre las características del entusiasmo podemos destacar las siguientes:

- Requiere de unos objetivos vitales y profesionales claramente establecidos.
- Surge de la motivación que nace del deseo de alcanzar nuestros objetivos.
- Permite afrontar los problemas con serenidad y confianza en nuestras capacidades.
- Nos orienta a mantener una actitud positiva ("entusiasta").
- Ayuda a que las experiencias más difíciles se lleven a cabo con confianza en la superación.
- Dota a la persona de una energía constante centrada en la consecución de sus objetivos.

III. ¿ES IMPORTANTE EL ENTUSIASMO PARA EL ABOGADO?

El abogado está constantemente alcanzando objetivos de notable importancia para él mismo y para sus clientes, objetivos que van forjando su futuro profesional. El logro de dichos objetivos es, por lo general, un camino repleto de trabajo, esfuerzo y dificultades, y a veces sin recompensa. Si el abogado es capaz de vivir ese trayecto con entusiasmo, es decir, con la confianza, seguridad y energía necesaria para continuar disfrutando del viaje, su vida profesional será muy satisfactoria.

Este entusiasmo estará íntimamente vinculado a la vocación, entendida como la llamada o voz interior que sentimos y nos impulsa hacia una profesión, al ejercicio de una actividad determinada, o una misión personal. Por lo tanto, estamos hablando de una inclinación o preferencia hacia el ejercicio de la abogacía, un querer, un ideal, algo que nos exige una determinada exclusividad hacia algo.

Al derivar de nuestro interior, la vocación, como el entusiasmo que lleva aparejado, logra aunar la fuerza de la elección, materializada en el deseo de hacer algo muy concreto con la realización de un fin o propósito con el que presumiblemente nos sentiremos felices y no dudaremos en llevarlo a cabo con entrega, esfuerzo y pasión. El entusiasmo conlleva ineludiblemente el disfrute de lo que se hace.

IV. EL ABOGADO CON ENTUSIASMO

Un abogado entusiasta es un abogado enamorado de su profesión. Por ello, tendrá claros sus objetivos generales y particulares, y los llevará a cabo con energía y decisión, no lamentándose por los errores o dificultades que inevitablemente surgirán, superándolos rápidamente (a pesar de los ineludibles "bajones" puntuales). Su compromiso y responsabilidad se contagiarán a colegas y otros compañeros de trabajo, transmitiendo seguridad y confianza constante.

En definitiva, un abogado entusiasta estará entregado a su profesión y hará todo lo posible por disfrutarla, albergando un optimismo constante que le ayudará a superar todas las dificultades.

V. EL ABOGADO CON POCO ENTUSIASMO

¿Qué decir del abogado sin entusiasmo? Los abogados estamos sometidos a un desgaste personal y profesional permanente, que va a requerir ineludiblemente de nuestro entusiasmo o, lo que es lo mismo, de nuestra entrega total y absoluta, amando lo que estamos haciendo. Como señala Abelardo Torré: _"(...), aquellos que desempeñen una labor por la que no sientan atracción alguna, llevarán siempre consigo un sedimento de amargura y, más aún, de derrota, al par que no reportarán a la sociedad, la utilidad que hubieran producido en otra actividad que armonice con su vocación"._

Por lo tanto, un abogado sin entusiasmo tendrá el título de abogado, pero difícilmente podrá considerarse como tal.

VI. EJEMPLOS PRÁCTICOS

El entusiasmo se manifiesta tanto en soledad como en nuestras interacciones profesionales. Aislados, nos ayudará a comprender y a entender las dificultades de nuestra actividad y a reforzarnos con un estado de ánimo positivo para seguir adelante con optimismo; es precisamente en aquellos momentos de tristeza (una sentencia desfavorable y sus terribles consecuencias para nuestro representado, un cliente ingrato, la actitud desabrida de un colega o un juez, etc.) cuando el entusiasmo debe surgir y posicionarnos con la energía suficiente para seguir adelante. En nuestras interacciones con terceros, nuestra actitud y conducta debe transmitir y contagiar energía adaptada a cada situación: a la hora de transmitir confianza a un cliente, sabiendo dialogar asertivamente con un compañero, mostrando seguridad y solvencia ante un juez. De lo que se trata es de transmitir esa energía que genera el entusiasmo.

VII. ¿CÓMO SE ADQUIERE O MEJORA?

Hemos de partir de la base de que el entusiasmo surge del interior, se activa desde dentro, pues nace de un sentimiento de amor hacia lo que se hace y de los objetivos que nos va a proporcionar dicha actividad. Por ello, es fundamental:

- Conocerse y, por lo tanto, escucharse y estar seguro de lo que deseamos.
- Conocer nuestras limitaciones y saber gestionarlas en momentos de dificultad.
- Disponer de unos objetivos claros y precisos, un proyecto de vida personal y profesional.
- Buscar constantemente el dominio y control de nosotros mismos, para lo que será clave fortalecer nuestra paciencia, prudencia y calma.
- Ser positivos, optimistas, y tratar de no caer en el desánimo demasiado tiempo. Hay que recuperarse con celeridad.
- Saber priorizar y abordar los problemas de forma organizada.
- Practicar meditación, mindfulness o mediante el ejercicio de visualizaciones se podrá avanzar notablemente en mantener el entusiasmo.

VIII. ANÉCDOTA[1]

"Se estaba construyendo la catedral de Chartres. Los obreros trabajaban afanosamente en las tareas de la costosa y lenta edificación. Un buen día pasó por allí un viandante que se detuvo para observar las obras. El día era en extremo caluroso y, bajo aquel sol de justicia, los obreros trabajaban sudorosos y extenuados. El viandante se dirigió a uno de los trabajadores que, maldiciente y con el rostro contraído por el esfuerzo y la acritud, levantaba una piedra enorme.

– ¿Qué está haciendo, buen hombre?, preguntó el viajero.

– Ya lo ve, levantando esta enorme piedra. Con este sol abrasador el trabajo resulta insoportable. Esto no hay quien lo aguante. Un día tras otro. Un mes tras otro. Un año tras otro. Unos días, como éste, con calor, otros con lluvia, muchos con frío. Maldito el día en que me contrataron para este trabajo.

El viandante camina unos pasos y se dirige a otro trabajador que, después de golpear una enorme piedra con el pico, está levantando con gran esfuerzo para colocarla sobre otra.

– ¿Qué hace usted, buen hombre?, pregunta al esforzado trabajador.

Molesto por la mirada del visitante y malhumorado por el terrible esfuerzo que acaba de realizar, contesta mientras se seca el sudor.

– ¿Es que no lo ve? Estoy levantando este interminable muro que, si Dios no lo remedia, acabará conmigo.

---

1.   Anécdota referida o extraída de la siguiente fuente: *https://mas.laopiniondemalaga.es/blog/eladarve/2010/12/04/construir-una-catedral/.*

El viandante avanza un poco más y se encuentra a un tercer trabajador que está realizando una tarea similar a la de los dos anteriores. Está levantando una enorme piedra para colocarla en el lugar adecuado.

– ¿Qué está haciendo usted, buen hombre?, pregunta por tercera vez el viandante.

El trabajador, sonriente y orgulloso, contesta de manera entusiasta

– Estoy construyendo una catedral".

IX.   PREGUNTAS PARA EL DEBATE

- – ¿Sientes entusiasmo por lo que haces?
- – ¿Qué podrías hacer para sentirte más entusiasmado por lo que haces?
- – ¿Quién de tu círculo cercano se caracteriza por disponer de entusiasmo?

X.   LECTURAS RECOMENDADAS

Valores Humanos. Tercer Volumen. Tierno, B. (1994). Taller de editores.

XI.   SABIDURÍA POPULAR

"Si un hombre se imagina que no es capaz de esto o de aquello, seguirá indeciso o incapaz de realizarlo". Spinoza.

"El entusiasmo es el signo más distintivo de los hombres felices". Bertrand Russell.

"Si tienes entusiasmo, puedes hacerlo todo.

El entusiasmo es la levadura que hace

crecer nuestras esperanzas

hasta alcanzar las estrellas.

El entusiasmo es el brillo de nuestros ojos,

la vivacidad de nuestro andar,

la fuerza de nuestras manos,

el ímpetu irresistible de nuestra voluntad

y de nuestra energía,

que nos lleva a realizar nuestras ideas.

Los entusiastas son los triunfadores,

ellos tienen la fortaleza,

ellos tienen tenacidad.

El entusiasmo es la base de todo progreso.

Con él se consigue crear.

¡Sin él, todo son excusas!".

Henry Ford.

Humildad

I. CONCEPTO

La humildad puede definirse como la virtud que consiste en el conocimiento de las propias limitaciones y debilidades y en obrar de acuerdo con este conocimiento.

Dicho concepto, a los fines de esta obra, hemos alejarlo de las otras dos acepciones que encontramos en el diccionario sobre la palabra humildad: 1.– bajeza de nacimiento o de otra cualquier especie o 2.– sumisión.

II. CARACTERÍSTICAS

Por tanto, de esta definición podemos extraer las características que conforman la virtud de la humildad:

- Es ante todo una conducta, un modo de comportarse y de actuar.
- Se basa en el conocimiento de las propias limitaciones y debilidades.
- Conlleva a actuar de acuerdo con dichas limitaciones.
- No supone que la persona humilde sienta desprecio o vergüenza por dichas limitaciones, sino que se aceptan con serenidad.
- Permite el mejoramiento y el crecimiento a través de la superación continua.

III. ¿ES IMPORTANTE LA HUMILDAD PARA EL ABOGADO?

Ciertamente, hablar sobre humildad y abogados puede llamarnos la atención, pues qué duda cabe que existe una idea generalizada, incluso entre nosotros mismos, sobre la imagen del abogado caracterizada por su actitud segura, desafiante y beligerante que poco casa con la idea de humildad que solemos manejar.

Sin embargo, que nadie se lleve a engaño, la humildad es una de las virtudes esenciales del abogado, ya que como profesional que desarrolla su actividad en un contexto que demanda una formación técnica extraordinaria y unas habilidades de diversa naturaleza, debe partir de la premisa que su práctica profesional es un continuo aprendizaje con el fin de alcanzar un mejoramiento permanente a fin de garantizar a sus clientes un asesoramiento, defensa o mediación de máxima calidad. A través de la humildad no ponemos límites al deseo de mejorar y crecer mediante un proceso de formación y mejoramiento continuo, tan necesario en la profesión. En definitiva, el abogado humilde sabe que para superar sus limitaciones debe aprender, y se ocupa y preocupa de ello.

IV. EL ABOGADO HUMILDE

El abogado humilde es realista y conoce sus limitaciones, de las que jamás se avergonzará, tratando por todos los medios de mejorar y crecer. Este abogado es solidario, ayuda y se deja ayudar, y en sus interacciones con colegas, jueces y otros profesionales forenses actuará con absoluto respeto y sin soberbia. Al abogado humilde, como dice Ossorio, el triunfo y el fracaso no lo alterarán más de lo necesario hallándolo no solo tranquilo, sino emancipado de su imperio.

V. EL ABOGADO SIN HUMILDAD

El abogado carente de humildad será un arrogante, situado en las antípodas de aquél; se considerará superior a los demás al ser el titular absoluto de la verdad, lo que lo hace engreído, bien pagado de sí mismo, actuando normalmente de forma desafiante y descalificadora hacia los demás.

Ni qué decir tiene que el abogado arrogante, desconocedor de sus limitaciones, sufrirá de ignorancia e incompetencia, lo que le impedirá reconocer sus propios errores o escoger alternativas superiores de crecimiento, de manera que, incapaz de pedir consejo o ayuda a "sus inferiores" actuará pobremente, quedándose estancado. Igualmente, su propia conducta los hará poco leales ante sus compañeros y, sin duda alguna, sufrirán enormemente a la hora de regular su grado de frustración ante los inevitables embates de la profesión.

VI. EJEMPLOS PRÁCTICOS

Uno de los principios fundamentales por el que los abogados deben guiarse es la lealtad, especialmente entre compañeros, lo cual enlaza directamente con la humildad, pues ésta nos recuerda que somos iguales a los demás, y que por muy preparados que estemos, jamás estaremos por encima de nadie. Esta idea tiene un doble efecto, pues no solo garantiza una conducta leal, respetuosa y solidaria ante nuestros compañeros, sino que retroalimenta el principio de superación antes expuesto ya que el abogado humilde buscará sin temor los consejos y ayuda de los demás a quienes aceptamos y reconocemos como homólogos a nosotros en capacidades intelectuales, emocionales y físicas, pues no podemos olvidar que en materia de aprendizaje los terceros tendrán una intervención decisiva. Por otro lado, la humildad nos ayudará a no ser soberbios, y ayudar al compañero que lo necesite.

Finalmente, la humildad actuará como moderadora de nuestros sentimientos y emociones, situándonos en una posición objetiva y realista, pues los abogados sabemos de buena tinta cómo el resultado de nuestros trabajos provoca un carrusel de emociones que se produce cuando mudamos de situaciones desagradables y frustrantes a estados de ánimo exultantes. En estos casos, la humildad nos enseñará cómo digerir la derrota o disfrutar el triunfo sin exceso, sabedores que la rueda de lo fortuna no escucha a los arrogantes y engreídos.

VII. ¿CÓMO SE ADQUIERE O MEJORA?

La humildad, como tal virtud, se aprende por autoobservación y por seguir una serie de modelos en los que podemos tratar de reflejarnos. Conociendo en que consiste la humildad, ahora podremos tratar de acercarnos a su esencia mediante un aprendizaje constante.

A continuación expongo una serie de recomendaciones:

- Hemos de valorar a los demás por lo que son más que por lo que tienen o por su posición social.

- A pesar de que te encuentres en una posición jerárquica respecto a otros, trata de actuar en base a unos principios de igualdad.

- No siempre tenemos razón, hemos de desarrollar un espíritu autocrítico que nos permita reflexionar y aceptar las diferencias de opinión. No sólo existe tu verdad.

- Reconoce inmediatamente tus errores, aprende de ellos y procura no culparte por los mismos.

- Sé accesible con los demás, cercano en el trato y disponible para dedicar tiempo a los otros

- Practica la solidaridad con los demás, comparte y practica igualmente la generosidad.
- Observa a tu alrededor y aprende de las personas humildes y sencillas.
- Autoobsérvate y conoce tus limitaciones para transformarlas en fortalezas.

VIII. ANÉCDOTA[1]

La carreta vacía

"Caminaba con mi padre cuando él se detuvo en una curva y después de un pequeño silencio me preguntó: Además del cantar de los pájaros, ¿escuchas alguna cosa más? Agudicé mis oídos y algunos segundos después le respondí: Estoy escuchando el ruido de una carreta. Eso es –dijo mi padre–. Es una carreta vacía. Pregunté a mi padre: ¿Cómo sabes que es una carreta vacía, si aún no la vemos? Entonces mi padre respondió: Es muy fácil saber cuándo una carreta está vacía, por el ruido. Cuanto más vacía la carreta, mayor es el ruido que hace. Me convertí en adulto, y ahora, cuando veo a una persona hablando demasiado, interrumpiendo la conversación de todos, siendo inoportuna o violenta, presumiendo de lo que tiene, sintiéndose prepotente y haciendo de menos a la gente, tengo la impresión de oír la voz de mi padre diciendo: «Cuanto más vacía la carreta, mayor es el ruido que hace». La humildad consiste en callar nuestras virtudes y permitirle a los demás descubrirlas. Nadie está más vacío que aquel que está lleno de sí mismo".

IX. PREGUNTAS PARA EL DEBATE

- ¿Te consideras un abogado humilde?
- ¿Qué rasgo de la humildad ves que destaca en ti?
- ¿Conoces a personas arrogantes? ¿Qué rasgos destacan en ellas?

X. LECTURAS RECOMENDADAS

El triunfador humilde. Tierno, Bernabé.

El placer de bajarse del ego. Armando Arjona.

XI. SABIDURÍA POPULAR

"Un guerrero no dobla su cabeza ante nadie, pero tampoco permite que nadie se humille ante él". Castañeda.

---

1. Anécdota referida o extraída de la siguiente fuente: *http://www.cop.es/colegiados/ m-13106/images/CuentoCarreta.pdf.*

"*La humildad no es pensar menos de ti mismo, es pensar menos en ti mismo*". C. S. Lewis.

"*La humildad es el sólido fundamento de todas las virtudes*". Confucio.

"*La humildad es la única verdadera sabiduría que nos prepara para todos los posibles cambios de la vida*". George Arliss.

"*Nos acercamos a los más grandes cuando somos grandes en humildad*". Rabindranath Tagore.

"*Los principios para vivir bien, incluyen la capacidad de encarar los problemas con coraje, las decepciones con alegría y los logros con humildad*". Thomas S. Monson.

"*No hay grandeza donde no haya sencillez, bondad y verdad*". Leon Tolstoi.

4

Laboriosidad

I. CONCEPTO

Laboriosidad es la tenacidad en el esfuerzo.

Laboriosidad procede del término latino labor (trabajo, tarea, fatiga). De ahí el adjetivo laborioso (difícil, esforzado, complejo), los verbos labrar (conseguir algo con esfuerzo), elaborar, colaborar y los sustantivos labriego, laboratorio[1].

II. CARACTERÍSTICAS

Entre las características de la laboriosidad destacaremos las siguientes:

- La laboriosidad facilita el desarrollo de otras cualidades indispensables como la tenacidad y la superación.

- Nos permite llevar una vida creativa en diversos órdenes.

- Nos permite prestar atención a lo verdaderamente importante.

- Nos ayuda a alcanzar las metas que nos propongamos supliendo nuestras deficiencias.

- Es el mayor antídoto frente al fracaso, pues nos impide desistir cuando las cosas no salen bien.

---

1. *El Libro de los Valores*. Villapalos, G y López Quintas, A. Planeta Testimonio.

- Nos ayuda renunciar a las gratificaciones inmediatas y a perseverar en la consecución de nuestros objetivos.

- Ayuda a conseguir la maestría en una determinada materia o especialidad.

III. ¿POR QUÉ ES IMPORTANTE LA LABORIOSIDAD PARA EL ABOGADO?

Los abogados tenemos que ser laboriosos, no solo porque nuestra actividad conlleve necesariamente la realización de un trabajo, sino porque la laboriosidad entraña un plus sobre el mero cumplimiento de una obligación, transformándose en un verdadero valor o virtud a través del cual el profesional realiza su actividad con esmero, centrado en el detalle, y orientado a la consecución del mejor resultado posible atendiendo a las circunstancias. De este modo, a través de la aplicación constante al trabajo dando lo mejor de sí mismo, el abogado crece, progresa y se transforma día a día.

Y si en otras actividades la laboriosidad puede ser menos ilusionante, en el caso de la práctica de la abogacía, el trabajo constante, serio, ordenado y finalista constituye el mejor motor para el crecimiento profesional basado en la excelencia del trabajo cotidiano, pues todos sabemos que no hay dos casos iguales, que cada cliente es diferente como lo es cada juez que resuelve el caso...Tantos matices, tantas situaciones y emociones en juego, hacen que nuestra aplicación al trabajo constituya un silencioso reto ilusionante en el que siempre aprendemos algo, y ello a pesar de la espada de Damocles de una sentencia desfavorable, que siempre estará acechando a pesar de nuestra confianza y optimismo en nuestra defensa.

Si bien los clientes pueden pasar por alto el duro trabajo que desarrollamos los abogados (lo que se hace extensivo a amigos y familiares), nosotros somos plenamente conscientes del esfuerzo que representa la defensa de sus intereses. Efectivamente, los clientes, cuando nos ven en acción (bien sea en un juicio, negociación o cualquier otra intervención en defensa de sus intereses), ni se plantean el trabajo que hay detrás de nuestra intervención, como tampoco se imaginan nuestros desvelos y la preocupación legítima que sufrimos por su asunto; legítima, pues somos conscientes de que a pesar de darlo todo, es posible que no recibamos nada.

IV. EL ABOGADO LABORIOSO

El abogado laborioso no sólo se verá premiado con la satisfacción del trabajo bien hecho, sino que, además, dispondrá de las siguientes habilidades esenciales para su maduración profesional:

- Será más constante, tenaz y persistente.

- Desarrollará su paciencia.

- Será más resistente al fracaso y más tolerante a la frustración.

- Actuará con una perspectiva a medio y largo plazo desterrando las conductas cortoplacistas que buscan la gratificación inmediata.

- Concederá al trabajo un pleno sentido humano.

- Aprenderá a vivir con la renuncia, sabedor de que el esfuerzo merecerá la pena.

V.   EL ABOGADO POCO LABORIOSO

Un abogado poco laborioso está condenado al fracaso y abandono de la profesión. Es materialmente imposible conducirse en esta profesión sin laboriosidad, pues nuestras actividades, para ser resueltas con la mínima diligencia y responsabilidad, van a requerir ineludiblemente del trabajo constante y persistente.

Pero, ojo, todo abogado, y muy especialmente los jóvenes abogados, deben evitar caer en conductas extremas relacionadas con el trabajo tales como la pereza o la adicción al trabajo. A través de la primera, el profesional ni se esfuerza ni dedica su tiempo al trabajo, perdiendo progresivamente su capacidad de entrega, lo que para un abogado es condena segura que se cumplirá a los pocos meses de comenzar el ejercicio profesional (Jaime Balmes decía con acierto que "un hombre con pereza es como un reloj sin cuerda") Mediante la segunda, el abogado, dedicando todo su tiempo y esfuerzo al trabajo, se arriesga a perder no solo su capacidad laboral por el desgaste en la salud que tal conducta conlleva, sino que se verá rápidamente afectada su vida personal y familiar.

VI.   EJEMPLOS PRÁCTICOS

- En esta ocasión, a la hora de escoger los ejemplos prácticos, me permito señalar algunos ejemplos anónimos de la vida diaria de un abogado en los que, con seguridad, nos veremos identificados.

- María, inclinada ante varios manuales de jurisprudencia que cubren por completo su mesa de trabajo y con la opinión legal a medio concluir, se da un respiro y, cansada, comprueba que se ha quedado sola en el despacho un día más.

- Rafael, encerrado en su oficina, gesticula graciosamente y recita a media voz, una vez más, su informe oral, comprobando que aún queda mucho que hacer para tenerlo dominado.

- Sara, molesta por el alto tono de la conversación telefónica que emplean algunos pasajeros del AVE, vuelve a centrarse en su iPad, analizando los puntos clave de la negociación que va a llevar a cabo en Barcelona.

- Gerardo, ante su primera intervención en el Tribunal Supremo, espera impaciente y nervioso en la puerta de la Sala de Vistas, temeroso de que pueda quedarse en blanco y olvidar algunos de los puntos clave de su casación.

María, Rafael, Sara y Gerardo personalizan un día cualquiera en la vida de un abogado, una jornada en la que llevan a cabo algo que han hecho antes y que, a buen seguro, seguirán haciendo mañana de una u otra forma. Todos están aplicándose al trabajo, esforzándose por dar lo mejor de sí mismos para alcanzar sus objetivos profesionales.

Por todo ello, aunque los clientes, amigos y familiares no puedan percibir adecuadamente nuestra laboriosidad, los abogados tenemos que darnos cuenta, y enorgullecernos del tesoro que, sin saberlo, encontramos cada día a través de nuestro trabajo.

VII. ¿CÓMO SE ADQUIERE O MEJORA?

La laboriosidad se alcanza siguiendo las mismas reglas que la perseverancia analizada en el capítulo 7 por lo que nos reiteramos en lo expuesto en el mismo. No obstante, aprovechamos para reproducir las pautas principales:

- En primer lugar, hay que tener una clara visión de futuro, o lo que es lo mismo, tener claras y bien definidas unas metas que constituyan un propósito positivo y atractivo. La comprensión de estos desafíos, no sólo nos ayudará a visualizar nuestro sueño, sino que además nos permitirá prever las dificultades que encontraremos durante el trayecto.

- Una vez conocida la meta, debemos focalizarnos en la misma de forma positiva, desarrollando nuestro trabajo con la vista puesta en el resultado que pretendemos conseguir, evitando desviarnos de nuestro objetivo. Para ello, debemos trabajar con orden y planificación, de forma constante y evitando interrumpir nuestros planes, siendo exigentes en el cumplimiento de nuestras obligaciones y responsabilidades, y concluyendo todo aquello que nos hemos propuesto.

- Con esta actitud o acción positiva, tendremos que enfrentarnos a las presiones externas e internas, superando los fracasos y adversidades, y, reponiéndonos para volver a empezar.

- De todo ello se infiere que si somos perseverantes en nuestro esfuerzo diario y creamos el hábito mediante la repetición de este tipo de actos (incluso el sacrificio voluntario en los más pequeños detalles), conseguiremos arraigar la laboriosidad en nuestra actividad diaria.

VIII. ANÉCDOTA[2]

El labrador, a punto de morir, quería que sus hijos tuvieran experiencia de agricultura. Un día los llamó a su lado y les dijo "Hijos míos, en una de mis viñas hay guardado un tesoro" Éstos, después de morir el padre, tomaron las rejas y layas y excavaron todo el labrantío, pero no encontraron el tesoro; en cambio, la viña les dio una cosecha excelente.

Esopo.

Un carretero conducía a sus animales por un camino fangoso completamente cargados, y las ruedas de la carreta se hundieron tanto en el lodo que los caballos no podían moverla.

El carretero miraba desesperado alrededor suyo, llamando a Hércules a gritos para pedirle ayuda.

Al fin el dios se presentó, y le dijo: "Apoya el hombro en la rueda, hombre, y azuza tus caballos, y luego pide auxilio a Hércules, porque si no alzas un dedo para ayudarte a ti mismo, no esperes socorro de Hércules ni de nadie".

Esopo.

"La profesión más difícil de todas es la de abogado de la parte demandante, porque estudiar el caso con objetividad a partir de la versión subjetiva del cliente, decidir si se promueve o no el procedimiento, prever los argumentos que pueda esgrimir la parte contraria, valorar con qué prueba se cuenta, hacer acopio de materiales y de argumentos, plantear bien la demanda, saber qué se dice y cómo, qué no se dice y por qué, cómo se articula la pretensión, de qué manera se fundamenta y cómo se concreta la petición en el suplico, requiere de una gran formación, rigor y destreza, y es algo de lo que depende, no ya la precisa delimitación de lo que será el objeto del proceso, sino también, en buena medida, el éxito mismo del pleito que se entabla. Le sigue en dificultad la de abogado de la parte demandada quien, en el corto plazo para contestar a la demanda, debe estudiarla, contrastar su contenido con lo que le ha contado su cliente, plantearse con objetividad la situación, decidir si conviene allanarse u oponerse, resolver cómo contesta, qué excepciones aduce, qué hechos admite o niega y cómo delimita con sus alegaciones lo que conformará el objeto del debate, todo lo cual requiere no menos habilidad, preparación y experiencia que la de su colega y oponente.

En tercer lugar se encuentra la del juez de primera instancia, quien, partiendo de aquellos escritos de demanda y de contestación, debe fijar el verdadero objeto de la controversia, interpretar y valorar la prueba producida, y dirimir la contienda dictando una

---

2. *Fábulas.* Esopo. Biblioteca Clásica. Gredos.

sentencia ajustada a derecho que dé respuesta exhaustiva y congruente a las cuestiones planteadas por las partes, para lo que hace falta no sólo una adecuada preparación jurídica, sino también gran sensatez y formación humana.

Después, tal vez a cierta distancia de las anteriores, se hallaría la posición del magistrado de la Audiencia Provincial, pues siendo, como es, muy importante su función, cuenta con varios y precisos elementos para desempeñarla con acierto, como son una sentencia de primera instancia que ha resuelto motivadamente el debate planteado en la demanda y en la contestación, un razonado escrito de interposición del recurso de apelación el que se concreta la disconformidad de la parte recurrente con el contenido de aquella sentencia, y otro escrito, también fundado, de impugnación de ese recurso, quedando, en fin, reducida su actuación jurisdiccional a la adopción de una decisión que está delimitada por el conocido brocardo tantum appellatum quantum devolutum.

Y ya por último, para más altas instancias, casi podría servir cualquiera…".

Sarmiento[3].

IX. PREGUNTAS PARA EL DEBATE

– ¿Te consideras un abogado laborioso?
– ¿Qué cualidades te ha ayudado a alcanzar el trabajo constante?
– ¿Percibes en el resultado de tus trabajos el no haber sido lo suficientemente laborioso?

X. LECTURAS RECOMENDADAS

El Libro de los Valores. Villapalos, G y López Quintas, A. Planeta Testimonio.

XI. SABIDURÍA POPULAR

"Más se estima lo que con más trabajo se gana". Aristóteles.

"Dar a un hijo mil onzas de oro no es comparable a enseñarle un buen oficio". Proverbio chino.

"El pan más sabroso y las comodidades más gratas son las que se ganan con el propio sudor". Honoré de Balzac.

"Ningún día es demasiado largo para el que trabaja". Séneca.

"El mejor remedio contra todos los males es el trabajo". Charles Baudelaire.

---

3. Citado por Arturo Majada en su obra Técnicas del informe ante juzgados y tribunales (Bosch).

Optimismo

I. CONCEPTO

El optimismo es la propensión de las personas de ver y juzgar cosas y circunstancias en su aspecto más favorable.

II. CARACTERÍSTICAS

Entre las características del optimismo destacamos las siguientes:

- Nos hace ver los fracasos como oportunidades de crecimiento.
- Fomenta la sinceridad con uno mismo.
- Nos hace ser realistas.
- Nos hace valorar positivamente todo lo que afecta a nuestra vida.
- Es un factor de automotivación.
- Nos hace vivir el aquí y ahora y disfrutarlo.
- Nos hace ver las críticas de forma positiva.

III. ¿POR QUÉ ES IMPORTANTE EL OPTIMISMO PARA EL ABOGADO?

En un artículo publicado en la revista digital Legaltoday, José Enebral Fernández, cita el trabajo de Seligman titulado *"Authentic Happines"*, destacando diversas variables que concurren en la actividad de los abogados:

- Los abogados han de ser pesimistas, y esta es su actitud más prudente; deben anticipar toda suerte de argucias e incidencias negativas posibles en sus casos.

- Son dependientes de normas y procedimientos, disponen de muy estrechos márgenes de decisión en su ejercicio.

- También por la mecánica funcional, los abogados podrían estar perdiendo información que aportaría significado, luz y certidumbres.

- Se ven rodeados de conflictos y tensión, y en mucha menor medida de emociones positivas que, si se dan, duran poco.

- Una importante parte de su actividad se produce (típicamente aislados) consultando información y preparando escritos ajustados a formatos establecidos.

- Soportan una excesiva dilación en la resolución de sus casos, y han de dedicarse a varios asuntos concurrentes, normalmente diversos y complejos.

- Pertenecen a un mundo sometido a la dinámica victoria-derrota, lo que conlleva una sensible erosión emocional.

- Actúan en el marco singular de dignidades y jerarquías de la Justicia, sometidos por tanto al criterio aplicativo de los jueces.

Como consecuencia de los datos anteriores, podría pensarse que el abogado es, por naturaleza, pesimista. Sin embargo, consideramos que para el abogado es clave ser optimista y disponer de una visión positiva de todo lo que acaece en su quehacer diario, optimismo que hemos de asociar a un realismo moderado, que le permita saber gestionar las diversas situaciones disfrutando de su trabajo y superando las dificultades que antes hemos citado y que nos pueden suponer un alto coste emocional. Para el abogado, el optimismo es un seguro de vida como veremos en el próximo apartado al definir al abogado optimista.

IV. EL ABOGADO OPTIMISTA

Se caracteriza por disponer de la creencia de que puede controlar lo que le sucede atendiendo a aquellas circunstancias en las que puede influir, por lo que se nutre de una fe y esperanza inquebrantable en que las cosas saldrán bien, y de salir mal, aprenderá la lección. Es realista y acepta el mundo tal y como es, no lamentándose de las circunstancias adversas.

Conoce sus limitaciones y por ello se preocupa de mejorarlas y potenciarlas.

Un abogado optimista será proactivo y tendrá una visión muy realista de lo que ocurre a su alrededor y, al gestionar mejor su estrés, padecerá menos problemas psíquicos y físicos.

Finalmente, el abogado optimista tendrá mayores y más provechosas relaciones sociales. Dispone de una visión de uno mismo equilibrada, con fortalezas y debilidades, conociendo nuestros límites y capacidades; conoce y acepta que la vida implica alegrías y decepciones y es consciente de su capacidad para modificar ciertos aspectos de nuestra vida y aceptar aquello que no podemos modificar. No espera automáticamente lo negativo de los demás o del mundo, pero tampoco piensa que lo bueno vendrá solo y buscar activamente soluciones a los problemas.

Es preciso significar que no estamos hablando de una persona idealista, sino de una persona que sabe lo que quiere y, a pesar de los factores desfavorables con los que se encuentra, hace lo posible por cambiarlo porque confía en la posibilidad de mejorar.

V. EL ABOGADO PESIMISTA

El abogado pesimista tiene una tendencia a ver todo lo que ocurre en su actividad profesional de una forma escéptica y negativa, siendo este un pensamiento asociado a un estado negativo del mundo que nos rodea (lo bueno es algo excepcional). Interioriza la culpa de todo lo que sale mal, lo que hace que se sienta más frustrado. El pesimista se resigna y se convierte en un observador pasivo de todo lo que ocurre a su alrededor.

Por otro lado, no acepta la realidad, y si lo hace, lo hará desde una perspectiva negativa.

Generalmente, debido al alto estrés que soportamos los abogados, el pesimista goza de peor salud física y psíquica que el optimista, pues la situación de frustración en que vive acaba pasándole factura.

VI. EJEMPLOS PRÁCTICOS

A continuación vamos a examinar diversas situaciones en las que, a pesar de la dificultad que entrañan, el posicionamiento puede y debe ser positivo.

La primera, es el mérito que conlleva nuestro trabajo, se gane o se pierda, siempre, claro está, que hayamos aceptado el encargo honesta y responsablemente y luego lo hayamos preparado a conciencia. Nadie puede quitar el valor que conlleva el trabajo realizado por un abogado en defensa de su cliente. Para ello, basta con que miremos atrás y comprobemos el tiempo que, en la soledad de nuestro despacho, hemos dedicado a la preparación concienzuda del mismo.

La segunda, el valor que tiene la capacidad de soportar este tipo de experiencia, complejísima desde una perspectiva emocional, pues en ella el abogado pone en juego todas sus habilidades personales y profesionales bajo una presión nada desdeñable, en un contexto en el que, no olvidemos, el porcentaje de éxito "de salida" es de un 50 % o, lo que es lo mismo, una opción muy difícil. Imaginemos a un médico, arquitecto o ingeniero que se la jugara siempre al 50 %... Este valor se retroalimenta cada vez que intervenimos, pues la riqueza que se adquiere tras cada una de estas experiencias es importantísima para el futuro.

La tercera, la valía de la victoria, pues el éxito alcanzado tras un juicio merece ser celebrado al menos en nuestro fuero interno ya que, insisto, ganar no es nada fácil, y constituye un premio notable tras una "lucha" en la que intervienen múltiples factores que pueden dar al traste con años de trabajo. Desde la pericia de un compañero hasta el criterio, cierto o erróneo del juez, pasando por circunstancias e imprevistos incontrolables por el abogado.

Finalmente, el valor de la derrota. Hemos perdido el caso, y probablemente el cliente se encuentre disgustado y contrariado, pero nadie nos puede quitar nuestro trabajo, esfuerzo, dedicación y nuestra fe, por muy complejo que sea el caso, en conseguir una victoria excepcional (que como todos sabemos, existen). La derrota del abogado puede ser derrota para el cliente, pero para nosotros debe ser acicate para seguir adelante y hacerlo mejor, buscando nuevas fórmulas o aprovechar otras circunstancias más favorables para conseguir la tan ansiada victoria. Transformar el fallo adverso en energía para mejorar es uno de los secretos que hacen más grandes a los abogados.

Seamos conscientes del mérito que conlleva nuestra intervención diaria, mensual o quizás anual en el foro, no importa la asiduidad con que litiguemos, lo importante es valorarnos adecuadamente, es decir, reconocer la importancia de lo que hacemos, pues la complejidad, dificultad y el valor de nuestro trabajo es nuestra propia grandeza.

VII. ¿CÓMO SE ADQUIERE O MEJORA?

Ciertamente, aunque se nace con una predisposición más o menos optimista, puede adquirirse o mejorarse con la práctica. Algunas recomendaciones son las siguientes:

1. Hay que escucharse y, en su caso, reconocer nuestra negatividad.

2. Ante un pensamiento negativo, disponer inmediatamente de otras alternativas más optimistas y analizar si están sustentados con las correspondientes evidencias.

3. Localizar y ver el lado positivo de las situaciones que no te gusten.

4. No te contagies con personas pesimistas; rodéate de gente positiva y úsalas como modelo cuando sea necesario.

5. Lánzate mensajes positivos para motivarte; no minimices tus logros.

6. Sé consciente de que el pesimismo no te ayuda a nada.

7. Siéntete optimista.

8. Cuidar mucho nuestro diálogo interno y eliminar frases negativas o "pesimistas" (no lo conseguiré, soy un desastre, me lo merezco, esto va a salir mal) y cambiarlas por frases más positivas.

VIII. ANÉCDOTA[1]

"Hay una brevísima fábula de Esopo que siempre he considerado la mejor ilustración de este optimismo por exclusión, la refutación más poderosa de la idea de que no pensar en nada es el mejor remedio contra la desesperación y la muerte. "Un anciano cortó en cierta ocasión leña, cargó con ella y emprendió un largo trecho. El camino le agotaba. Arrojó la carga y llamó a la muerte. Ésta apareció al instante y preguntó por qué le había llamado. El anciano contestó: Para que me coloques de nuevo la carga encima".

El anciano había perdido la fuerza y la esperanza, por lo que debió parecerle que era el momento de poner punto final a aquel esfuerzo. Al caer en la cuenta de que había sacado demasiadas conclusiones de su cansancio, retiró su precipitada desesperación y se puso de nuevo en camino".

IX. PREGUNTAS PARA EL DEBATE

– ¿Crees que ser optimista es ser ingenuo?

– ¿Se puede ser optimista y tener el colmillo bien afilado?

– ¿Te aporta algo ser pesimista?

X. LECTURAS RECOMENDADAS

Vademécum del optimista. Tierno, Bernabé. Booket.

XI. SABIDURÍA POPULAR

"Un optimista es el que cree que todo tiene arreglo. Un pesimista es el que piensa lo mismo, pero sabe que nadie va a intentarlo". Jaume Perich.

"El optimista cree en los demás y el pesimista sólo cree en sí mismo". Gilbert Keith Chesterton.

---

1. Anécdota referida o extraída de la siguiente fuente: https://enpositivo.com/2013/07/la-justificacion-del-optimismo/.

"*Un optimista ve una oportunidad en toda calamidad, un pesimista ve una calamidad en toda oportunidad*". Winston Churchill.

"*El pesimista se queja del viento; el optimista espera que cambie; el realista ajusta las velas*". William George Ward.

"*El optimista tiene siempre un proyecto; el pesimista, una excusa*". Anónimo.

"*No soy pesimista. Soy un optimista bien informado*". Antonio Gala.

"*Señor, concédeme serenidad para aceptar todo aquello que no puedo cambiar, fortaleza para cambiar lo que soy capaz de cambiar y sabiduría para entender la diferencia*". Reinhold Niebuhr.

Paciencia

I. CONCEPTO

Según el diccionario ideológico de la lengua española Julio Casares, el término paciencia tiene cinco acepciones, siendo las dos primeras las que nos interesan a efectos de este post:

- Virtud que consiste en soportar con entereza los infortunios y trabajos, y
- Espera y sosiego.

Ambas acepciones, a mi juicio, deben concurrir en todo abogado y son indispensables para una mejor y más eficaz práctica profesional.

II. CARACTERÍSTICAS

Entre las características de la paciencia destacaremos las siguientes:

- Dispone de una doble vertiente: el soportar con entereza situaciones difíciles y complicadas que entrañan grandes dificultades y la capacidad de actuar de forma perseverante y sin alterarnos por las contrariedades que podemos encontrarnos por el camino.
- Implica tanto fortaleza para enfrentarnos a los problemas con calma, como perseverancia para esperar y conseguir nuestros objetivos a pesar de dichas situaciones.
- No puede confundirse con la pasividad, puesto que la paciencia supone una plena implicación de la persona en la aceptación de la situación y

en la búsqueda de soluciones alejadas de extremos innecesarios, mientras que la pasividad, por el contrario, supone la rendición del sujeto y el sufrimiento asegurado.

• Se encuentra íntimamente vinculada a virtudes como la perseverancia, constancia, calma, serenidad, prudencia y tolerancia a la frustración.

III. ¿POR QUÉ ES IMPORTANTE LA PACIENCIA PARA EL ABOGADO?

Qué duda cabe que el abogado, el buen abogado, debe estar revestido de esta virtud, ya que si analizamos el trabajo que desarrollamos concluiremos que existen innumerables situaciones en las que necesitamos del auxilio de la paciencia.

IV. EL ABOGADO PACIENTE

El abogado paciente no suele perder la calma ni alterarse ante escenarios que supongan desgracias, aflicciones o infortunios; igualmente, quien es paciente, tiene la perseverancia para llevar a cabo una misión con constancia y serenidad, sin que las contrariedades puedan impedirle alcanzar el objetivo.

Por otro lado, el abogado paciente dispone de una comprensión más realista de la vida, reconociendo que esta tiene sus contradicciones, sus crisis y sus múltiples facetas entre las que se encuentran los acontecimientos favorables y desagradables; buenos y malos; catastróficos y benditos. Igualmente, acepta que las cosas nunca estarán completamente bajo nuestro control y que todo es transitorio y, por tanto, cambiante. En definitiva, que la vida sigue su curso aunque nos resulte muy desfavorable.

V. EL ABOGADO IMPACIENTE

El abogado impaciente tendrá poca tolerancia a la frustración, se alterará fácilmente ante las dificultades, estará permanentemente inquieto y ansioso, y a las primeras de cambio se alejará del problema, se rendirá y, en el peor de los casos, empleará la agresividad.

VI. EJEMPLOS PRÁCTICOS

Para ilustrar esta idea, podemos distinguir diversos bloques de la actividad del abogado en los que la paciencia es vital:

1.º– Paciencia para llevar a cabo nuestros encargos y asuntos: Qué duda cabe que la llevanza de un asunto, por la propia naturaleza contenciosa de nuestra actividad, conlleva la existencia de innumerables dificultades que vive el abogado en primera persona y que unas veces hay que superar y otras que soportar y, para ello, qué mejor que ser paciente.

2.º– Paciencia para soportar las contrariedades que se producen durante la tramitación del encargo: Una resolución desfavorable inesperada, una negociación fallida, un cambio de criterio de última hora de quien interviene en un negocio y que echa por tierra meses de trabajo. ¿De qué otra manera podemos reaccionar ante estas situaciones si no actuamos con paciencia?

3.º– Paciencia para soportar conductas, comportamientos y actitudes desagradables: La injusta llamada de atención o las malas formas de un juez o de un compañero, la desgana de un funcionario, la incomprensión del cliente desconfiado, etc. Ante estas situaciones, solo la templanza y el justo equilibrio en el actuar nos permitirán evitar aquellas que supongan una falta de control, así como disponer de la serenidad para actuar contundentemente en defensa de nuestros derechos.

4.º– Y paciencia para atravesar los contextos de crisis que pueden franquear nuestros despachos: Las dificultades de llegar a fin de mes, el retraso o impago de nuestros honorarios, la pérdida de un cliente. ¿Cómo vamos a liderar y gestionar adecuadamente nuestros despachos si no tenemos la claridad y el discernimiento de la paciencia?

VII. ¿CÓMO SE ADQUIERE O MEJORA?

¿Es por tanto necesario que los abogados cultivemos la virtud de la paciencia?

Lógicamente, habrá abogados más pacientes que otros, pero si queremos mejorar esta virtud, ahí van algunas ideas:

- La única forma de desarrollar la paciencia es ejercitándola, y para ello hay que observarse continuamente.

- Empecemos por la previsión. Considero muy importante que nuestro ánimo se anticipe mentalmente a todo acontecimiento antes de experimentarlo, pensando en todo lo que nos puede suceder y sopesando abiertamente todas las posibilidades. De esta forma nos fortaleceremos frente a aquellos acontecimientos que nos sobrevengan.

- Otro remedio es el ocuparse de las cosas, o lo que es lo mismo, desarrollar conductas de evitación de aquello que nos produzca o infunda temor, preocupación o que de una u otra forma pueda perjudicarnos.

- Es una disposición excelente aprender a discernir cuándo se puede cambiar algo, cuándo hay que esperar para cambiarlo y, finalmente, cuando algo no puede enmendarse. En este último supuesto es cuando debemos aceptar conscientemente la realidad, que no es otra cosa que nuestra propia suerte y no descartar lo inevitable.

- También es importante educarnos para aceptar que el azar se rige por unas leyes desconocidas que acontecen porque han debido acontecer, leyes que son iguales para todos. Igual te afectan como afectan a cualquier persona. ¿No te agrada? Haz lo que quieras, indígnate, grita..., pero no podrás cambiar los acontecimientos.

VIII. ANÉCDOTA[1]

"En un lugar de la China, un mandarín recibió la noticia de que pronto iba a ser nombrado magistrado. Está muy contento e impaciente por estrenar el cargo.

Entonces, un amigo suyo, un hombre mayor y muy sabio, fue a hacerle una visita.

– Recuerda bien este consejo le dijo– No pierdas jamás la paciencia. Porque si eres capaz de ser paciente con todos en tu nuevo puesto, todos te apreciarán.

– Sí, sí, lo haré– respondió feliz el mandarín.

Pero cada día su amigo acudía a su casa para darle el mismo consejo. Un día, y otro, y así hasta cinco veces. Entonces, el mandarín se cansó y dijo enfadado:

– ¿Te crees que soy tonto? ¡Ya te oí! ¡Es la quinta vez que me lo repites!

Y el amigo, sereno, le miró y le dijo:

– ¿Ves cómo no es nada fácil ser paciente? Ya te lo advertí".

IX. PREGUNTAS PARA EL DEBATE

- ¿Eres un abogado impaciente? ¿Por qué?
- ¿Te ha jugado alguna mala pasada la impaciencia?
- ¿Has visto los resultados de la paciencia al negociar?

X. LECTURAS RECOMENDADAS

El arte de mantener la calma. Séneca, L.A. (2020). Koan.

---

1. Anécdota referida o extraída de la siguiente fuente: *https://tucuentofavorito.com/el-mandarin-impaciente-fabula-china-sobre-la-paciencia/*.

XI.   SABIDURÍA POPULAR

"Todos los infortunios frente a los cuales gemimos, por los cuales nos atemorizamos son tributos a la vida; no esperes ni pidas verte libre de ellos". Séneca.

"Ten paciencia, el tiempo se venga de las cosas que se hacen sin su colaboración". Couture.

7

Perseverancia

I. CONCEPTO

La perseverancia o constancia es la habilidad que nos lleva a que una vez tomada una determinación o decisión concreta, se lleve a cabo lo necesario para alcanzar las metas aunque surjan dificultades externas o internas o dis-minuya la motivación personal, y ello gracias a un esfuerzo continuado para pasar a la acción venciendo las dificultades y venciéndonos a nosotros mismos. De forma más sencilla, y como enseña el Diccionario de la Real Academia de la Lengua Española, la perseverancia es mantenerse constante en la prosecución de lo comenzado, en una actitud o en una opción.

II. CARACTERÍSTICAS

La perseverancia se caracteriza por los siguientes elementos:

- Fortalece la voluntad: El esfuerzo sostenido que alimenta la constancia fortalece nuestra voluntad.

- Genera seguridad: La constancia nos hace sentirnos más seguros de nosotros mismos y capaces de conseguir nuestros propósitos.

- Responsabilidad: Terminadas nuestras tareas y conseguidos los propó-sitos, nuestra responsabilidad se refuerza, y obtenemos una convicción que nos permitirá conseguir nuevos objetivos a pesar de las dificultades.

- Perspectiva a largo plazo: Nos enseña a buscar siempre lo más conve-niente a largo plazo, evitando con ello la frustración resultante de no conseguir nuestros objetivos de forma inmediata.

- Pensamiento positivo: Y, cómo no, alcanzamos unas sensaciones inmediatas de alegría al ser conscientes de que, venciendo las dificultades, hemos dado lo mejor de nosotros mismos.

III. ¿POR QUÉ ES IMPORTANTE LA PERSEVERANCIA PARA EL ABOGADO?

La constancia, al igual que la fortaleza, es una virtud imprescindible para nuestra profesión, ya que la voluntad perseverante es necesaria tanto en el estudio y preparación de los asuntos como a la hora de defenderlos ante un Tribunal. Si conseguimos adquirir retos concretos y cumplirlos en el momento adecuado; si terminamos lo que empezamos tal y como habíamos previsto; si no nos desalentamos ante las adversidades; si aprendemos a esperar y mantener el esfuerzo de principio a fin, qué duda cabe que habremos desarrollado una habilidad esencial para cumplir con nuestros sueños.

IV. EL ABOGADO PERSEVERANTE

Todo abogado es tenaz y constante ya que, como he anticipado, quien no lo es no podrá tenerse en tal caso por abogado. Sin embargo, dados los distintos niveles de perseverancia, es conveniente destacar algunas conductas que podrían favorecer en nosotros el desarrollo de esta habilidad:

1.º– Tener los objetivos claros: Tener unos objetivos perfectamente delimitados, que puedan identificarse con un propósito bien definido.

2.º– Motivación: Disponer de motivación, entendida como entusiasmo e ilusión de hacer realidad nuestros objetivos.

3.º– Responsabilidad: Comprometerse con la tarea, y comenzar de inmediato a dar los pasos para la consecución de los objetivos.

4.º– Esfuerzo: Aplicarse con el mayor esfuerzo, tesón, ilusión, tiempo y medios para el logro.

5.º– Perspectiva a largo plazo: Posponer el placer y las gratificaciones inmediatas por la ambición de futuro que perseguimos. Tenemos que vencer a los estímulos inmediatos que nos atraen, pero nos apartan de la tarea comenzada.

6.º– Resistencia: No rendirse ante las dificultades y adversidades, sino superarlas con la vista siempre puesta en los beneficios que nos reportará el alcanzar nuestros objetivos.

7.º– Reiteración en el esfuerzo: Repetir, repetir y repetir acciones en donde luchemos, con independencia de que ganemos o perdamos, pues hay que continuar o volver a empezar pero, por encima de todas las cosas, crear el hábito de la constancia.

Para ello, será fundamental disponer o, en su caso, aprender aquellas habilidades que nos hacen más eficaces, como son las relacionadas con la mejor gestión del tiempo y todas aquellas vinculadas a una mejora de las capacidades de organización.

V. EL ABOGADO INCONSTANTE

La inconstancia, entendida como la contradicción entre acciones y propósitos, se manifiesta claramente cuando abandonamos lo comenzado o vamos postergando para después lo que tenemos que concluir. Esta realidad, muy habitual en los seres humanos, tiene su causa en numerosas situaciones de desánimo, cansancio y aburrimiento derivadas de las dificultades que encontramos en el camino, de la falta de resultados inmediatos, de la falta de objetivos claros a alcanzar, objetivos variados y dispersos e incluso en la creencia de que las cosas deben ser más fáciles. La inconstancia hace que no perseveremos en nuestro empeño, pasando a otra cosa y retrocediendo y reincidiendo en los defectos que abandonamos y rechazamos.

De este modo, los abogados inconstantes son personas:

- Con faltas de voluntad,
- Caprichosas,
- Impacientes e indecisas,
- Que se desalientan fácilmente ante los imprevistos de cada día en la errónea creencia de que tras el primer esfuerzo deben llegar las gratificaciones y resultados inmediatos.
- Que huye del sacrificio, por lo que se dirige directo al fracaso.

VI. EJEMPLOS PRÁCTICOS

La persistencia del abogado podemos verla reflejada a la hora de realizar las siguientes actividades:

- Actualizar el conocimiento de las normas de derecho existentes.
- Actualizar el conocimiento de las novedades del sector (diarios, revistas, etc.).
- Preparar el asunto encomendado.
- Redactar los escritos rectores, recursos y analizar documentación en general.

- Gestionar tu despacho.
- Llevar a cabo una negociación.

VII. ¿CÓMO SE ADQUIERE O MEJORA LA PERSEVERANCIA?

En principio, la perseverancia debe ser aprendida desde pequeños, puesto que todo hábito que requiere un esfuerzo precisa un aprendizaje continuado. De hecho, y volviendo a nuestra profesión, todos somos perseverantes en mayor o menor medida.

Sin embargo, ¿quién de nosotros, en ocasiones, no es consciente de que no está siendo lo suficientemente tenaz en determinada actividad? Precisamente por esa razón es por la que debemos mejorar este hábito de forma permanente. Pero, ¿cómo se alcanza o mejora esta habilidad?

- En primer lugar, hay que tener una clara visión de futuro, o lo que es lo mismo, tener claras y bien definidas unas metas que constituyan un propósito positivo y atractivo. La comprensión de estos desafíos no solo nos ayudará a visualizar nuestro sueño sino que, además, nos permitirá prever las dificultades que encontraremos durante el trayecto.

- Una vez conocida la meta, debemos focalizarnos en la misma de forma positiva, desarrollando nuestro trabajo con la vista puesta en el resultado que pretendemos conseguir, evitando desviarnos de nuestro objetivo. Para ello, debemos trabajar con orden y planificación, de forma constante y evitando interrumpir nuestros planes, siendo exigentes en el cumplimiento de nuestras obligaciones y responsabilidades, y concluyendo todo aquello que nos hemos propuesto.

Con esta actitud o acción positiva, tendremos que enfrentarnos a las presiones externas e internas, superando los fracasos y adversidades, y, reponiéndonos para volver a empezar.

De todo ello se infiere que si somos perseverantes en nuestro esfuerzo diario y creamos el hábito mediante la repetición de este tipo de actos (incluso el sacrificio voluntario en los más pequeños detalles), conseguiremos arraigar la constancia en nuestra actividad diaria.

VIII. ANÉCDOTA

Replantar los cedros de inmediato[1]

"Cuando llegó a oídos del Maestro la noticia de que un bosque cercano había sido devastado por el fuego, movilizó inmediatamente a sus discípulos: "Debemos replantar los cedros" les dijo.

¿Los cedros?, exclamó incrédulo un discípulo. "¡Pero si tardan dos mil años en crecer...! "Entonces tenemos que comenzar de inmediato" dijo el maestro ¡No hay ni un minuto que perder!"

Las enseñanzas de Confucio[2]

"Ran Qiu era un discípulo de Confucio en la antigua China. Un día, Ran Qiu le dijo a Confucio, "Me gusta la filosofía del Maestro, pero no tengo habilidades".

Confucio pensó un momento y le contestó a su discípulo, "Una persona sin suficiente habilidad se detendrá a mitad de camino, pero tú ni siquiera empezaste. Estás dibujando un círculo en el suelo y encerrándote a ti mismo".

Liang Qiuju, ministro del estado de Qi del Rey Jinggong (547– 490 a.C.), habló una vez con Yang Yin, reconocido pensador político quien fue consejero de tres emperadores del Estado de Qi.

"Yo no podría alcanzarte en lo que haces ni siquiera al final del día", reflexionó Liang Qiuju, a lo que Yan Ying le respondió: "Oí que quien dé lo mejor de sí al hacer las cosas, al final tendrá éxito. Una persona que persiste en continuar sin sentirse cansado llegará finalmente a su destino. No hay diferencia entre otros y yo. Yo sólo trato de hacer las cosas sin rendirme. ¿Por qué no podrías alcanzarme?"

Estas enseñanzas de los sabios chinos nos dicen que cualquier cosa que uno realice, si uno da lo mejor de sí, con persistencia, e insiste en seguir adelante hacia su destino, será recompensado con tanto como lo que dio. Si uno dibuja un círculo en el suelo y se encierra, entonces nunca obtendrá nada.

IX. PREGUNTAS PARA EL DEBATE

– ¿Crees que es suficiente terminar los estudios con una buena capacidad técnica para triunfar como abogado?

– ¿Consideras que la perseverancia es una habilidad esencial o secundaria para el abogado?

– Para ser constante en algo, ¿es necesario que ese algo te guste?

---

1. Anécdota referida o extraída de la siguiente fuente: _Obra Completa. Volumen I._ Anthony de Mello, S.J. (2003). Sal Terrae.
2. Anécdota referida o extraída de la siguiente fuente: _https://hombresapiens.blogspot. com/2010/05/breves-historias-sobre-la-perseverancia.html?m=1._

X. LECTURAS RECOMENDADAS

El Libro de los Valores. Villapalos, G., y López Quintas, A. (1997). Planeta Testimonio.

Abogados: Gestión y Servicio. Fernández León, O. (2012). Aranzadi.

XI. SABIDURÍA POPULAR

"No sé a qué horas sucedió todo. Sólo sé que desde que tenía 17 años y hasta la mañana de hoy, no he hecho cosa distinta que levantarme temprano todos los días, sentarme frente a un teclado, para llenar una página en blanco o una pantalla vacía de un computador, con la única misión de escribir una historia no contada por nadie, que le haga más feliz la vida a un lector inexistente". Gabriel García Márquez.

Prudencia

I. CONCEPTO

La prudencia se conoce principalmente por la capacidad de analizar de forma reflexiva y atenta el tipo de acción que vamos a emprender, antes de llevarla a cabo. En este caso, el acto de analizar debe identificarse con visualizar nuestra acción y todo lo que puede suceder cuando llevemos a cabo la misma, es decir, lo que viene en primer lugar (la acción propiamente dicha) y lo que vendrá después (las consecuencias de la misma). Una vez efectuado el análisis, hay que actuar.

Desde la perspectiva de la denominada inteligencia emocional, la prudencia está íntimamente vinculada con la autogestión. Si la autoconciencia se corresponde con la capacidad del individuo de comprensión de las emociones, los puntos fuertes, las debilidades, las necesidades y los impulsos de uno mismo, la autogestión representa la capacidad de controlarlos y canalizarlos de forma útil. Por lo tanto, a través de la primera, comprendemos y reconocemos lo que ocurre en nuestro interior y exterior; por la segunda, gestionamos dichas emociones de forma adecuada.

La manifestación más conocida de la autogestión es el denominado autocontrol, es decir, ante la aparición repentina de las emociones e impulsos, surge la capacidad del individuo de mantener una conversación consigo mismo que le permita controlar sus impulsos y ajustarlos (canalizarlos) a los objetivos personales y profesionales. De ello se deriva que las personas que disfrutan de esta capacidad son reflexivas, meditativas y, por tanto, poco impulsivas. Ojo, no estamos diciendo con ello que sean personas racionales, frías y calculadoras sino que, a través de su capacidad de control, saben gestionar adecuadamente sus emociones, canalizándolas y transmitiéndolas de forma adecuada, evitando situaciones inconvenientes resultantes de un nulo proceso de control del impulso.

II. CARACTERÍSTICAS

La prudencia es una virtud caracterizada por los siguientes elementos:

1.º– Es una habilidad vinculada a la toma de una decisión previa a un acto de acción u omisión.

2.º– Requiere de un proceso previo de información objetiva sobre los hechos vinculados a la decisión que se pretende adoptar.

3.º– Una vez obtenida la información, requiere de un proceso de reflexión y ponderación de las consecuencias favorables o desfavorables de sus actos.

4.º– Es una habilidad coherente y auténtica, en el sentido de que la persona que se ha informado y ha reflexionado, tomando una decisión, actúa o no de acuerdo con dicha decisión.

III. ¿POR QUÉ ES IMPORTANTE LA PRUDENCIA PARA EL ABOGADO?

El abogado es un profesional revestido de numerosas virtudes, entre las que destaca por encima de todas, la prudencia. Así es, y bastan pocas explicaciones para demostrar tal aserto, pues repugna a nuestro entendimiento que un abogado sea imprudente.

La especial naturaleza de nuestra profesión, en la que intervenimos para solucionar conflictos jurídicos entre seres humanos que disputan por bienes y derechos, hace que la prudencia, conformada por destrezas como la reflexión, la previsión, la discreción y el buen consejo sea una virtud esencial para nuestra actividad profesional. A diario, el abogado tiene que encarar situaciones complejas en las que están en juego los intereses de su cliente y, a su vez, debe adoptar decisiones en nombre de aquel con la necesaria calma y seguridad, por lo que dicha virtud se erige, antes que en necesidad, en verdadera obligación.

Visto así, podemos comprender la utilidad de la misma para un abogado, ya que estamos adoptando decisiones continuamente. Hay que decidir el consejo o dictamen a evacuar, la línea de defensa a seguir, la palabra adecuada a pronunciar, y otras muchas acciones que tendrán trascendencia para los intereses que defendemos que, como hemos indicado, no están precisamente huérfanos de importancia y entidad.

Por otro lado, la capacidad de autogestión es fundamental en el abogado, pues interviene en un escenario en el que la manifestación visible de las emociones y sentimientos son el pan de cada día. Los intereses en conflicto, fuente de controversia perpetua, es un condicionante esencial para reconocer la difícil tarea del abogado cuando interacciona con su cliente, con la otra parte y su abogado y con los jueces. En todos estos casos, el abogado debe controlar sus emociones y, huyendo de la manifestación del propio impulso (lo que supondría un suicidio profesional), deberá, en todo momento, pensar las cosas dos veces antes de hablar y de actuar impulsivamente. En conclusión, la prudencia debe impregnar la actuación del abogado, bien en su actuación en el foro como abogado litigante, bien como abogado preventivo pues, en ambos casos, se exige con serenidad y discreción, la práctica de la escucha activa, la reflexión serena, el análisis de las consecuencias y la toma final de la decisión, proceso este que en ocasiones, y especialmente en las vistas, se desarrolla en escasos segundos, exigiendo una sagacidad e ingenio notables, elementos éstos que también forman parte de la prudencia.

Ni qué decir tiene que la discreción que integra la prudencia es un elemento fundamental para preservar el secreto profesional del abogado.

IV. EL ABOGADO PRUDENTE

El abogado prudente sabrá actuar con prevención y proactividad adelantándose a las circunstancias y tomando así mejores decisiones y manteniendo la compostura y discreción en todas las circunstancias. El abogado prudente siempre afrontará con mayor seguridad y sin frustración los obstáculos que surjan en el camino.

El abogado prudente se caracteriza por disponer de las siguientes cualidades:

- **Es observador:** Deberá ser un agudo observador de todos los hechos y circunstancias que se produzcan en su entorno inmediato.

- **Confía en su criterio:** No confiará en lo que le digan hasta que personalmente no se haya cerciorado de la verdad objetiva que revisten los hechos expuestos a su consideración.

- **Discierne:** Sabrá discernir entre las cosas que dependan de él de las que no, ya que estas últimas están sujetas a la voluntad de los otros y, por tanto, será consciente de las limitaciones de cualquier decisión que adopte. Igualmente, deberá saber distinguir lo importante de lo secundario.

- **Se informa:** Antes de tomar una decisión se informará adecuadamente, empleando todas las fuentes de conocimiento necesario.

- **Reflexiona:** Analizará las consecuencias jurídicas de sus acciones previamente a la adopción de una decisión. Para ello, deberá discernir sobre acontecimientos inciertos que desconoce.

- **Autocontrol emocional:** Mantendrá un comportamiento sereno y calmado ante situaciones que puedan enojarlo y provocar una reacción desmedida que, a la postre, podrá causarle perjuicios irreparables. Hay que pensar y conservar la calma cuando se presentan los problemas.

- **Discreción:** Cauteloso, deberá ser reservado. Un abogado genera confianza y aprecio entre clientes y compañeros evitando hablar más de lo necesario en cualquier contexto, siempre con la vista puesta en no perjudicar los intereses que le han confiado.

Y es precisamente esta capacidad de reflexionar la que hace que quienes se autogestionan sean personas sumamente adaptables, transparentes, grandes motivadoras, optimistas y proactivas. Efectivamente, quien domina sus emociones:

- Sabe adaptarse a los cambios.

- Fomenta la integridad, ya que la reflexión le impedirá adoptar soluciones impulsivas habitualmente erróneas.

- Moviliza sus emociones positivas y las de los demás para alcanzar los objetivos.

- Dispone de gran capacidad de iniciativa.

V. EL ABOGADO IMPRUDENTE

Dado que la prudencia nos enseña a saber lo que debemos hacer y lo que debemos evitar, la actuación imprudente conlleva al desacierto, la irreflexión, la torpeza, y a la indiscreción, males estos que finalmente menoscabarán el prestigio del profesional.

Por ello, el abogado imprudente adolece de los siguientes defectos:

- La precipitación o, lo que es lo mismo, la decisión tomada sin reflexionar por la prisa o la dejadez.

- La falta de una voluntad firme y decidida, siempre sometida al péndulo de los estados de ánimo.

- Emociones o pasiones como la ira, el enojo, la angustia o el miedo, que impedirán reflexionar adecuadamente.

- Una percepción equivocada de la realidad o no de disponer de la información necesaria para la toma de una decisión.

- La falta de independencia, que provoca un actuar alejado de una decisión honesta y coherente.

VI. EJEMPLOS PRÁCTICOS

La prudencia del abogado deberá, sobre todo, relucir a la hora de:

- Dar consejo legal.
- Plantear una acción judicial o contestar.
- Hablar de honorarios con el cliente por primera vez.
- Hablar sobre asuntos de tu cliente a terceros.
- Captar a un cliente (no precipitarse).
- Tratar con un juez o funcionario que actúe descortésmente.
- Tratar con el abogado contrario en un proceso de negociación.
- Liderar su despacho.

En todos estos casos, el buen abogado debe controlar sus impulsos y actuar conforme a sus valores y objetivos. Ante una actitud desafortunada del juez, el abogado, sabedor de las reglas de deontología profesional y de la conducta que es exigible a los jueces, sabrá si callar y no darle la mayor importancia al comentario, o emplear los medios que la ley procesal establece para la protección de sus derechos. Lo que no debe hacer nunca es, dejándose llevar por el impulso, emplear un lenguaje verbal y no verbal que suponga abierta contrariedad, provocación o una respuesta desproporcionada (que es lo primero que se nos viene a la cabeza). Ante el cliente, el abogado debe saber de la importancia de aquél para el despacho y, como buen conocedor de los mismos, saber que en ocasiones estos adoptan actitudes imprudentes, inconvenientes o incluso irrespetuosas. Aquí, la labor del abogado será la de convencer al cliente del error de su expectativa y ser objetivo y realista en cuanto a sus pretensiones. Finalmente, ante un compañero beligerante, hay que tratar de entender las tensiones que acarrea la defensa de los asuntos y, cuando el entendimiento no cabe, puede emplearse la asertividad para transmitir nuestra oposición a su actitud y sentar las bases para una conversación en la que reine el respeto y la cordialidad. Nunca, colgar el teléfono o emplear términos agresivos.

Por otro lado, el abogado, como empresario de su propio negocio y como probable líder de su organización obtendrá un rédito importante como consecuencia de su capacidad de autogestión. Efectivamente, su autocontrol creará un entorno de confianza e imparcialidad entre los integrantes del despacho en el que nadie querrá parecer un exaltado. Es el llamado efecto contagio, el cual se extiende a través de la motivación e iniciativa que desprenderá en su quehacer diario, pues quienes se autogestionan disponen de una elevada energía para motivar y hacer que los demás alcancen las metas y objetivos de la organización. En este elenco de actividades no podemos olvidar la transparencia, pues el buen abogado líder sabrá comunicar a sus empleados los objetivos y las reglas de juego del despacho y, cuando sea preciso, sabrá transmitir sus emociones adecuadamente.

Finalmente, quien reflexiona sabe adaptarse perfectamente a los cambios. Este factor es esencial para el abogado pues, en una profesión en permanente cambio, sabrá defenderse en escenarios de ambigüedad y superar los obstáculos que puedan presentarse.

VII.   ¿CÓMO SE ADQUIERE O MEJORA?

El abogado que desee cultivar esta virtud deberá profundizar en la realización de diversas acciones para fortalecerla:

1.   Auto-observación.
2.   Toma de conciencia.
3.   Implementar hábitos asociados a la prudencia.

VIII.   ANÉCDOTA[1]

"Un perro y un gallo se hicieron muy amigos. Tal es así, que decidieron formar un equipo y recorrer el mundo juntos. Después de andar durante un trecho largo, comenzaron a sentirse cansados y al entrar en un bosque, buscaron un lugar donde dormir.

El gallo se subió a las ramas de un árbol hueco y el perro aprovechó el agujero del tronco para resguardarse dentro.

Pasaron las horas y se quedaron dormidos, pero antes del amanecer, el gallo, que es muy madrugador, comenzó a cantar. Entonces llegó una zorra, alertada por el canto del gallo y al verlo, comenzó a relamerse:

– Vaya, muchas gracias por esa dulce canción– le dijo zalamera la zorra.

– No hay de qué– contestó el gallo.

– Baja, baja, y te daré las gracias como es debido– dijo entonces con astucia la zorra.

Pero el gallo, que no se olía nada bueno, respondió:

– Yo que tú no intentaría nada. Mi amigo descansa dentro del árbol y como se entere de que intentas hacerme daño, te molerá a palos.

– ¡Ja,ja,ja! ¿Tu amigo, dices?– preguntó incrédula la zorra.

---

1.   Fábulas. Esopo. Biblioteca Clásica Gredos.

Entonces, sin pensar, se asomó al agujero del tronco. El perro entonces se despertó y, muy enfadado, comenzó a golpear a la zorra con una rama grande. El animal salió corriendo muerto de miedo mientras el gallo le gritaba:

– ¿Ves? ¡Te lo advertí y no me hiciste caso!"

Esopo.

IX.   PREGUNTAS PARA EL DEBATE

– ¿En qué situación que recuerdes has actuado prudentemente como abogado?

– ¿En qué situación que recuerdes has actuado imprudentemente como abogado?

– Explica algún caso en el que, durante tu actividad como abogado, hayas percibido que alguien es imprudente.

X.   LECTURAS RECOMENDADAS

El arte de la Prudencia. Gracián, B. (2007). Temas de Hoy.

XI.   SABIDURÍA POPULAR

"Reflexionar a fondo sobre una cosa antes de emprenderla, pero, una vez que se ha llevado a cabo y se pueden esperar los resultados, no angustiarse con repetidas consideraciones de los posibles peligros, sino desprenderse del todo del asunto, mantener el cajón del mismo cerrado en el pensamiento y tranquilizarse con la convicción de que en su momento se ha ponderado todo exhaustivamente. Si el resultado, no obstante, llega a ser malo, ello se debe a que todas las cosas están expuestas al azar y al error". Schopenhauer.

"La habilidad de hacer una pausa y no actuar por el primer impulso se ha vuelto aprendizaje crucial en la vida diaria". Daniel Goleman.

Solidaridad

I.   CONCEPTO

El término solidaridad alude a una realidad firme, sólida, potente, valiosa, lograda mediante el ensamblaje (soldadura) de seres diversos. Dicho ensamblaje es una estructura que es fuente de solidez.

Cuando esta vinculación se produce entre compañeros de profesión, nos encontraríamos ante vínculos de colaboración, auxilio y ayuda, entendiéndose por tales las acciones desinteresadas que éstos deben realizar con el fin de orientar a otros compañeros cuando lo requieran. Nos estamos refiriendo por tanto a un dar, a una entrega de conocimientos y experiencias que pueden ayudar a quien los recibe en su crecimiento profesional.

II.   CARACTERÍSTICAS

Destacamos como características de la solidaridad las siguientes:

- Se basa en acciones desinteresadas.
- Implica generosidad, desprendimiento de espíritu de cooperación y participación.
- Busca el auxilio y la colaboración.
- Fortalece al colectivo.
- Desarrolla a la persona a través de la creación de vínculos.
- Está basado en un compromiso a un valor o idea común.

III.   ¿POR QUÉ ES IMPORTANTE LA SOLIDARIDAD PARA EL ABOGADO?

La solidaridad ha existido siempre entre los abogados, siendo frecuente que el abogado experto en algún campo del derecho reciba una llamada de otro colega para que le explique cómo preparó aquella demanda o qué perspectivas de éxito ve respecto a tal o cual asunto. Actualmente, y consecuencia del fenómeno de las redes sociales, la solidaridad, a modo de ejemplo, se manifiesta claramente en los distintos foros de abogados, en los que la colaboración desinteresada de un elevado número de profesionales suele concluir resolviendo la duda de quien solicita ayuda.

La solidaridad es, por tanto, una faceta esencial de nuestra profesión, que se manifiesta como compañerismo, y éste, encuentra su máxima expresión en las acciones desinteresadas que los abogados hemos de realizar con el fin de orientar a otros cuando lo requieran. Nos estamos refiriendo por tanto a un dar, a una entrega de conocimientos y experiencias que pueden ayudar a quien los recibe en su crecimiento profesional.

De hecho, el abogado de mayor antigüedad en el ejercicio profesional debe prestar desinteresadamente orientación, guía y consejo de modo amplio y eficaz a los de reciente incorporación que lo soliciten, y, recíprocamente, éstos tienen el derecho de requerir consejo y orientación a los abogados experimentados, en la medida que sea necesaria para cumplir cabalmente con sus deberes.

IV.   EL ABOGADO SOLIDARIO

El abogado solidario comparte sus conocimientos con sus compañeros, y lo hace sobre la base del compromiso que mantiene con el ideal de nuestra profesión, ayuda que se centrará no sólo en conocimientos jurídicos, sino a cuestiones de comportamiento, forma de llevar y superar la difícil carga de la profesión, llegando a tratarse hasta aspectos de la denominada autoayuda.

V.   EL ABOGADO CARENTE DE SOLIDARIDAD

El abogado carente de solidaridad será muy individualista y estará poco comprometido con el colectivo en el que se integra.

VI.   EJEMPLOS PRÁCTICOS

En mi experiencia personal, he tenido ocasiones de emplear las dos caras de la moneda de la solidaridad: he dado y he recibo consejos valiosos sobre nuestra actividad profesional, encontrando en ello, especialmente en ofrecer ayuda, una verdadera satisfacción. Y me refiero no solo a la que puedo prestar a los abogados que trabajan en nuestro despacho, sino a aquellos abogados desconocidos cuyo contacto es precisamente esa primera llamada o correo electrónico. Es más, creo que a través de la solidaridad entre compañeros reforzamos no solo la lealtad y el compañerismo que debemos profesarnos, sino igualmente el vínculo que une al colectivo y a la hermandad de abogados.

Pero, con independencia de los efectos sobre la colectividad, hay otros, y muy beneficiosos, para el abogado que orienta, guía y da consejo a otros compañeros.

En definitiva, esto de la solidaridad es como la moneda que la representa, pues la miremos como la miremos, siempre nos toparemos con el lado bueno de la misma, dar y recibir, algo que los abogados, por nuestro bien y el de nuestro colectivo, no debemos olvidar jamás.

VII. ¿CÓMO SE ADQUIERE O MEJORA?

Si bien los comportamientos solidarios se van aprendiendo desde nuestra infancia, el compañerismo se va adquiriendo a través de la pertenencia y compromiso con el colectivo y sus valores. Como toda virtud, mejorará con la práctica.

VIII. ANÉCDOTA

Lope de Vega. Fuente Ovejuna[1]

"JUEZ: Decid la verdad, buen viejo.

FRONDOSO: Un viejo, Laurencia mía, atormentan.

LAURENCIA: ¡Qué porfía!

ESTEBAN: Déjenme un poco.

JUEZ: Ya os dejo.

Decid: ¿quién mató a Fernando?

ESTEBAN: Fuenteovejuna lo hizo.

LAURENCIA: Tu nombre, padre, eternizo;

[a todos vas animando].

FRONDOSO: ¡Bravo caso!

JUEZ: Ese muchacho aprieta. Perro, yo sé

---

1.   Anécdota referida o extraída de la siguiente fuente: *http://lenguayliteratura.org/ proyectoaula/fuenteovejuna/*.

que lo sabes. Di quién fue.

¿Callas? Aprieta, borracho.

NIÑO: Fuenteovejuna, señor.

JUEZ: ¡Por vida del rey, villanos,

que os ahorque con mis manos!

¿Quién mató al comendador?

FRONDOSO: ¡Que a un niño le den tormento

y niegue de aquesta suerte!

LAURENCIA: ¡Bravo pueblo!

FRONDOSO: Bravo y fuerte.

JUEZ: Esa mujer al momento

en ese potro tened.

Dale esa mancuerda luego.

LAURENCIA: Ya está de cólera ciego.

JUEZ: Que os he de matar, creed,

en este potro, villanos.

¿Quién mató al comendador?

PASCUALA: Fuenteovejuna, señor.

JUEZ: ¡Dale!

FRONDOSO: Pensamientos vanos.

LAURENCIA: Pascuala niega, Frondoso.

FRONDOSO: Niegan niños. ¿Qué te espanta?

JUEZ: Parece que los encantas.

¡Aprieta!

PASCUALA: ¡Ay, cielo piadoso!

JUEZ: ¡Aprieta, infame! ¿Estás sordo?

PASCUALA: Fuenteovejuna lo hizo.

JUEZ: Traedme aquel más rollizo,

ese desnudo, ese gordo.

LAURENCIA: ¡Pobre Mengo! Él es, sin duda.

FRONDOSO: Temo que ha de confesar.

MENGO: ¡Ay, ay!

JUEZ: Comienza a apretar.

MENGO: ¡Ay!

JUEZ: ¿Es menester ayuda?

MENGO: ¡Ay, ay!

JUEZ: ¿Quién mató, villano,

al señor comendador?

MENGO: ¡Ay, yo lo diré, señor!

JUEZ: Afloja un poco la mano.

FRONDOSO: Él confiesa.

JUEZ: Al palo aplica

la espalda.

MENGO: Quedo; que yo lo diré.

JUEZ: ¿Quién lo mató?

MENGO: Señor, ¡Fuenteovejunica!

JUEZ: ¿Hay tan gran bellaquería?

Del dolor se están burlando.

En quien estaba esperando,

niego con mayor porfía.

Dejadlos; que estoy cansado.

FRONDOSO: ¡Oh, Mengo, bien te haga Dios!

Temor que tuve de dos,

el tuyo me le ha quitado".

IX. PREGUNTAS PARA EL DEBATE

- ¿Has tenido oportunidad de beneficiarte de la solidaridad de tus colegas?

- ¿Has ayudado a tus compañeros en alguna ocasión?
- ¿Has presenciado comportamientos insolidarios?

X. LECTURAS RECOMENDADAS

El Libro de los Valores. Villapalos, G., y López Quintas, A. (1997). Planeta Testimonio.

XI. SABIDURÍA POPULAR

Dice el Dalái Lama que *"el conocimiento, si no se comparte, se pudre como el agua estancada".* Siendo el conocimiento producto de una serie de contribuciones anteriores al que lo posee, este deberá continuar transmitiendo dicho conocimiento como una nueva contribución a modo de agradecimiento por lo recibido.

Deepak Chopra nos manifiesta que *dar y recibir proceden de la misma energía, y para que recibas, tendrás antes que dar, de manera que la abundancia "de lo que sea" se obtiene gracias al desprendimiento previo.* Para recibir conocimientos tendrás antes que darlos. Esta aproximación recuerda a la de Will Smith para quien *el significado de una vida plena requiere una verdadera aportación al bien común, lo que se obtiene ayudando a los demás.*

Para Og Mandino, *la generosidad nos ayuda a sentirnos bien con nosotros mismos,* extremo éste empíricamente demostrado. La solidaridad es buena para el estado de ánimo de la persona, que tras la acción realizada se siente más feliz.

Finalmente, Zig Ziglar nos habla de una ley de la compensación universal, por la cual *cada vez que das algo, el universo está en deuda contigo, de manera que tarde o temprano la deuda quedará saldada.*

Habilidades profesionales

Competencia técnica

SUMARIO: I. CONCEPTO. II. CARACTERÍSTICAS. III. ¿POR QUÉ ES IMPORTANTE LA COMPETENCIA PARA EL ABOGADO? IV. EL ABOGADO DOTADO DE COMPETENCIA. V. EL ABOGADO SIN COMPETENCIA. VI. EJEMPLOS PRÁCTICOS. VII. ¿CÓMO SE ADQUIERE O MEJORA? VIII. ANÉCDOTA. IX. PREGUNTAS PARA EL DEBATE. X. LECTURAS RECOMENDADAS. XI. SABIDURÍA POPULAR.

I. CONCEPTO

De conformidad con el diccionario de la Real Academia Española, competencia es la pericia, aptitud e idoneidad para hacer algo o intervenir en un asunto determinado. También puede definirse como el conjunto de conocimientos que autorizan a uno para entender en determinada materia (diccionario ideológico Julio Casares).

II. CARACTERÍSTICAS

Si bien en nuestra legislación no se encuentra claramente definida (tan sólo se incluye una referencia a este concepto integrado en el deber de diligencia), podemos considerar como elementos característicos de la competencia profesional de un abogado los siguientes:

- Conocimiento de las normas de derecho existente (derecho positivo, doctrina y jurisprudencia).

- Actualización permanente en el conocimiento de las normas de derecho existente.

- Preparación y estudio eficaz del asunto encomendado, que incluye el análisis de los hechos, la aplicación adecuada del derecho y el empleo correcto de los procedimientos necesarios para la resolución del caso.

- Capacidad de captar el problema jurídico que implica una situación controvertida.
- Habilidad para defender los intereses del cliente.

III. ¿POR QUÉ ES IMPORTANTE LA COMPETENCIA PARA EL ABOGADO?

La competencia técnica viene integrada por un conjunto de técnicas y conocimientos que son necesarias para que el asunto que el cliente pone en nuestras manos llegue a buen puerto, competencia que en una profesión como la nuestra en la que entra en juego la defensa de bienes esenciales como la libertad, la propiedad, etc., constituye un elemento esencial de la relación abogado-cliente.

Efectivamente, si bien el cliente siempre da por hecha nuestra habilidad técnica, lo cierto es que cuando decide la contratación de un determinado abogado, aquel valora positivamente los conocimientos jurídicos del profesional, percepción esta que aumentará de forma proporcional al *expertise* del profesional.

Por lo tanto, el cliente, al inicio de la relación profesional, asumirá que el abogado que contrata es un experto en la materia y por ello deposita su confianza en él. Posteriormente, el cliente irá percibiendo su verdadera competencia técnica, creándose un juicio de valor sobre sus habilidades técnicas juicio que, unido a otros factores, determinarán el grado de confianza y valor añadido de nuestros servicios.

IV. EL ABOGADO DOTADO DE COMPETENCIA

El abogado competente, bien por su formación, bien por su pericia natural, será experto en la disciplina de la que se trate y tendrá la adecuada capacidad y aptitudes para encargarse de la misma, y ello debido tanto a su preparación en la materia como a su capacidad de manejar competentemente el asunto a través del examen de los hechos y fundamentos jurídicos aplicables.

V. EL ABOGADO SIN COMPETENCIA

Decía Couture que el abogado que no estudia será cada día menos abogado. Un abogado carente de la adecuada competencia por falta de preparación terminará abandonando la profesión, pues el fracaso en la adecuada defensa de los casos le obligará a ello.

VI. EJEMPLOS PRÁCTICOS

Entendemos que este apartado ya ha sido respondido a través de las consideraciones expuestas en los precedentes, pues la práctica de la competencia no será otra que formarse continuamente y, ante el encargo, desarrollar todas aquellas aptitudes que conlleva la competencia.

VII. ¿CÓMO SE ADQUIERE O MEJORA?

Los elementos que integran la competencia de un profesional requieren no sólo unos conocimientos, sino igualmente la capacidad para, a través del estudio y la formación, mantenerse al día en los cambios que continuamente se producen en la normativa y jurisprudencia. Un abogado que obvie su formación jurídica, por mucha experiencia que pueda tener, será cada día menos abogado. Por otro lado, aunque entremos en la frontera del deber de diligencia (distinto, pero vinculado al de competencia), la habilidad de ejercitar las acciones adecuadas, es decir, el aspecto práctico, es esencial para la determinación de la capacidad técnica del abogado.

VIII. ANÉCDOTA[1]

"Henry Ford contrató a un experto en eficiencia para que echara un vistazo por la fábrica y descubriera qué empleados no eran productivos.

El experto hizo un recorrido y finalmente regresó a la oficina de Henry Ford con su informe. «He encontrado una persona improductiva. Cada vez que paso cerca de él, lo veo sentado sin hacer nada. Creo que usted debería considerar deshacerse de él».

Cuando Henry Ford oyó el nombre al que se refería el experto, negó con la cabeza y dijo: «Imposible. A ese hombre le pago para pensar y eso es precisamente lo que está haciendo»".

IX. PREGUNTAS PARA EL DEBATE

- ¿Contratarías a un abogado carente de competencia?
- ¿Cuál es la aptitud más importante de la competencia?
- ¿Conoces a algún abogado incompetente?

---

1. Anécdota referida o extraída de la siguiente fuente: _http://elblogdelmandointermedio. com/2015/03/09/anecdotas-henry-ford-sobre-liderazgo-y–gestion/._

X. LECTURAS RECOMENDADAS

Deontología del abogado: el profesional y su confiabilidad. Garrido, Suárez, H, M.ª (2011). Edisofer.

XI. SABIDURÍA POPULAR

"La técnica es el esfuerzo para ahorrar esfuerzo". José Ortega y Gasset.

"Estudia. El derecho se transforma constantemente. Si no sigues sus pasos, serás cada día un poco menos abogado". Couture.

Comunicación verbal

51 habilidades, competencias y valores para crecer profesionalmente

SUMARIO: I. CONCEPTO. II. CARACTERÍSTICAS. III. ¿POR QUÉ ES IMPORTANTE LA EXPRESIÓN LINGÜÍSTICA PARA EL ABOGADO? IV. EL ABOGADO QUE DISPONE DE UNA BUENA EXPRESIÓN LINGÜÍSTICA. V. EL ABOGADO QUE NO EMPLEA ADECUADAMENTE LA EXPRESIÓN LINGÜÍSTICA. VI. EJEMPLOS PRÁCTICOS. VII. ¿CÓMO SE ADQUIERE O MEJORA? VIII. ANÉCDOTA. IX. PREGUNTAS PARA EL DEBATE. X. LECTURAS RECOMENDADAS. XI. SABIDURÍA POPULAR.

I. CONCEPTO

La comunicación verbal, también conocida como lenguaje verbal, viene determinada por el contenido, las palabras o los dígitos (letras y números) con los que transmitimos el mensaje, y, como expresión lingüística se entiende la facilidad para convertir con precisión las ideas en frases, ya sean escritas u orales.[1]

II. CARACTERÍSTICAS

A la hora de establecer sus características, nos vamos a permitir la licencia de desglosar las peculiaridades del lenguaje del abogado, que viene conformado por los siguientes elementos:

1.º Claridad: La claridad, entendida como precisión, diafanidad y concreción en el mensaje es fundamental, pues un mensaje claro es aquel que es entendido por el interlocutor con facilidad, de modo que los argumentos del orador se transmiten fácilmente a su destinatario. Para ello bastará el uso de

---

1. *Abogado en ejercicio.* Pérez de la Cruz Blanco, A. (2009).Marcial Pons.

un lenguaje sencillo, bien construido gracias a un léxico y sintaxis apropiados. Lo contrario de la claridad es la oscuridad, la complejidad en el lenguaje y la afectación con su consecuencia más temida: que el auditorio no comprenda la idea del orador.

2.º Sencillez: El estilo forense requiere de sencillez, o lo que es lo mismo, el uso de un lenguaje fácil de entender, conciso, directo, sin omitir los detalles verdaderamente importantes. La más clara evidencia de que el orador está empleando un lenguaje sencillo reside en que el interlocutor va entendiendo el mensaje sin dificultad. Para ello, bastará exponer las ideas con orden, evitando la complejidad de la construcción lingüística, que haga que el orador se pierda en una frondosidad verbal ininteligible.

3.º Brevedad: El mensaje breve será siempre más efectivo, ya que llegará con más intensidad al interlocutor. Para ello, el abogado deberá sintetizar las ideas principales sin más añadidos, evitando caer en la tentación de entrar en detalles innecesarios y que hacen perder la atención del mensaje.

4.º Naturalidad: Entendida como espontaneidad en la exposición, la naturalidad supone un uso del lenguaje adecuado a las circunstancias del caso concreto, siempre huyendo del tono familiar y del afectado, tratando de alcanzar un punto medio natural.

5.º Severidad en la exposición: En este punto, recordar que la función que la ley encomienda a los intervinientes en la Administración de Justicia define con claridad el contexto de gravedad, seriedad y decoro que debe imperar en una audiencia en la que se imparte Justicia. Acorde con ello, la exposición oral, alejada de toda llaneza y ligereza, deberá acomodarse a las normas de respeto y decoro.

6.º Precisión: Asociado a la claridad, la precisión es el uso adecuado de los términos con los que construimos nuestro mensaje. El uso del término, con su significado adecuado, evita ambigüedades y dudas, permitiendo la transmisión cabal del mensaje. Para ello, el orador deberá disponer de una vasta riqueza léxica, lo que le evitará caer en el uso de un lenguaje pobre, y por tanto enemigo de la concisión.

7.º Tecnicidad: El estilo forense está informado por un lenguaje especializado, el lenguaje jurídico, de lógico carácter técnico. Es precisamente prenda de la grandeza (especialmente en la oratoria forense) el combinar las exigencias técnicas de la exposición oral con las características antes reseñadas.

Por lo tanto, el lenguaje del abogado, alejado de la familiaridad y de la ampulosidad, es tributario de la claridad, la sencillez, brevedad, naturalidad y precisión, todo ello en un contexto que invita al respeto, decoro y buenas formas.

III. ¿POR QUÉ ES IMPORTANTE LA EXPRESIÓN LINGÜÍSTICA PARA EL ABOGADO?

Creo que el tema no merece muchas explicaciones, pues de todos es de sobra conocido que las funciones profesionales del abogado requieren, para la consecución de sus objetivos, de la herramienta de la palabra y de su buen uso a través del empleo de la semántica y sintaxis adecuada.

IV. EL ABOGADO QUE DISPONE DE UNA BUENA EXPRESIÓN LINGÜÍSTICA

El abogado que dispone de una buena expresión lingüística comunicará mejor, y realizará su función con más eficacia y éxito.

V. EL ABOGADO QUE NO EMPLEA ADECUADAMENTE LA EXPRESIÓN LINGÜÍSTICA

Un abogado que se exprese con oscuridad y complejidad será superado, al menos en interés y atención, por otro que hable con claridad, precisión y riqueza sintáctica y semántica, y con emoción. Igualmente, un abogado que no se exprese correctamente tendrá problemas de comunicación con los interlocutores habituales (clientes, compañeros, jueces, etc.).

VI. EJEMPLOS PRÁCTICOS

El abogado empleará la comunicación verbal al realizar sus funciones de asesoramiento al cliente, negociación y defensa ante los juzgados y tribunales, a través del uso de la escritura o de la palabra, y ello con las finalidades de asesorar, componer intereses o alegar en defensa de los intereses de su cliente, buscando en todo momento el logro de las finalidades de convencer y persuadir.

Ángel Ossorio y Gallardo afirma que el abogado, por su propia naturaleza, es un escritor y un orador[2] –si no lo es, será un jornalero del derecho, pero no un verdadero defensor de la sociedad y de la justicia–. Así, en el abogado hay tres tipos de escritores (perfectamente aplicable a los oradores) en uno: el historiador, el novelista y el dialéctico.

1.º Hay en el abogado ante todo un historiador porque la primera tarea del abogado es narrar hechos (de narrarlos bien a narrarlos mal hay un gran trecho). Narrar no es fácil –afirma–, hay que exponer lo preciso, sin complicaciones, hay que usar las palabras adecuadas y diáfanas.

---

2.   Ossorio y Gallardo, A. (2008) *El alma de la toga.* Reus.

2.º Después viene el novelista, de ahí que la narración no será completa ni alcanzará eficacia si en los momentos oportunos no va acompañada de unas pinceladas que destaquen el tipo o acentúen el hecho. Si atacamos a un usurero avariento, no nos debemos limitar a explicar el contrato abusivo hecho en su beneficio, será conveniente que saquemos a la luz sus antecedentes y sus modos para hacerlo odioso al tribunal. Si estamos refiriéndonos a un muerto por accidente, no será lo mismo que el muerto sea un soltero de quien nadie depende o que sea un padre da familia con una prole, etc.

3.º Finalmente, el dialéctico: cuando el abogado pasa de la narración del caso al razonamiento jurídico, sus modos literarios han de cambiar en lo absoluto; ya no se trata de explicar una historia ni destacar a sus actores, sino de afrontar una tesis, de interpretar una ley, de defender una solución y esta es patrimonio de la lógica discursiva. Hay que plantear el problema de modo escueto y tajante para encuadrar la atención del juzgador y poner cuadrículas a su pensamiento.

VII.   ¿CÓMO SE ADQUIERE O MEJORA?

Los fundamentos de la expresión lingüística, desde una perspectiva retórica, pueden aprenderse fácilmente. Ahora bien, la práctica nos demostrará hasta qué punto disponemos de los fundamentos lingüísticos adecuados para deleitar a través de la exposición de nuestros argumentos y razones. Por ello, lo más recomendable para mejorar en el estilo es incrementar nuestros conocimientos de gramática, sintaxis y semántica con el fin de dominar el uso de nuestro idioma, y ello sólo se consigue a través de la lectura de las grandes obras de la literatura universal y, cómo no, la lectura de informes o dictámenes judiciales. Este trabajo, realizado a conciencia con el fin de conocer matices tales como el estilo, las palabras empleadas, las figuras, etc. nos dará la información necesaria para ir desarrollando un estilo verdaderamente eficaz.

VIII.   ANÉCDOTA[3]

"Recuerdo a este respecto la jocosa anécdota de un abogado, con fama de utilizar lenguaje ampuloso, que interpuso en una ocasión demanda en juicio declarativo ordinario en nombre de una cliente, al parecer no muy fiel a su marido, del que se hallaba separada. La reclamación dimanaba de haber dispuesto el demandado de bienes presuntamente gananciales, eludiendo, con mayor o menos artería, el imprescindible consentimiento uxorial. Emplazado el esposo con entrega de la correspondiente copia, acudió a

---

3.   Anécdota referida o extraída de la siguiente fuente: Pérez de la Cruz Blanco, A. (2009) *Abogado en ejercicio.* Marcial Pons.

abogado de prestigio a quien expuso la situación, requiriendo sus servicios profesionales. El letrado aceptó el encargo y le preguntó si contaba con procurador de su confianza para que «contestara a la demanda». El cliente expresó su disconformidad con la inocua e intrascendente propuesta, argumentando que la contestación a la demanda debía hacerla él mismo, en persona, y cara a cara con la actora, su esposa, y el abogado de ésta, tan proclive –según ha dicho– a la metáfora grandilocuente.

De nada valieron las protestas de su asesor sobre la anomalía procesal que pretendía su recién estrenado cliente. Para éste la conveniencia de su propuesta estaba fuera de duda. «Vd. Es que todavía no ha leído ese escrito que el Juzgado me ha entregado en casa esta mañana. Cuando lo lea comprenderá mis razones». «Y ¿Qué razones son esas?» «Pues sencillamente que en el llamado Hecho tercero puede leerse la siguiente frase: 'y consciente el demandado de la imposibilidad de obtener el necesario consentimiento de su consorte a la enajenación que proyectaba, ideó, en las cornucopias de su ingenio, una fórmula para superar el insuperable obstáculo...'. Y aunque yo no entiendo muy bien lo que aquí se dice, eso de las cornucopias van a tener que explicármelo despacio mi mujer y su abogado». Con independencia de su mayor o menos felicidad era evidente, dadas las circunstancias, que la rebuscada metáfora se revelaba, dadas las circunstancias, inoportuna".

IX. PREGUNTAS PARA EL DEBATE

- – ¿Cuál es tu estilo de comunicación verbal?
- – ¿Trabajas para mejorar tu forma de comunicación verbal?
- – ¿Crees que el lenguaje del abogado, especialmente el escrito, a veces es demasiado técnico?

X. LECTURAS RECOMENDADAS

Abogacía y abogados. Martínez del Val, J.M. (1990). Bosch.

XI. SABIDURÍA POPULAR

"El abogado debe ser un artista, quizás no lo sea desde su nacimiento, pero ha de prepararse hasta lograr perfeccionar el arte de la escritura y la oratoria. Aparte de esto también necesita adecuar sus capacidades como narrador, historiador, novelista, psicólogo, dramaturgo". Lamiado.

"Quien no fíe en la fuerza del verbo, ¿en qué fiará? El verbo lo es todo: estado de consciencia, emotividad, reflexión, efusión, impulso y freno, estímulo y sedante, decantación y sublimación... Donde no llega la palabra brota la violencia. O los hombres nos entendemos mediante aquella privilegiada emanación de la Divinidad, o caeremos en servidumbre de la brutície.

¿Que podrá suplir a la palabra para narrar el caso controvertido? ¿Con qué elementos se expondrá el problema? ¿De qué instrumental se echará mano para disipar las luces de la razón, para despertar la indignación ante el atropello, para mover la piedad y para excitar el interés?

Por la palabra se enardecen o calman ejércitos y turbas; por la palabra se difunden las religiones, se propagan teorías y negocios, se alienta al abatido, se doma y avergüenza al soberbio, se tonifica al vacilante, se viriliza al desmedrado. Unas palabras, las de Cristo, bastaron para derrumbar una civilización y crear un mundo nuevo. Los hechos tienen, si, más fuerza que las palabras; pero sin las palabras previas los hechos no se producirían.

Abominen de la palabra los tiranos porque les condena, los malvados porque les descubre y los necios porque no la entienden. Pero nosotros, que buscamos la convicción con las armas del razonamiento, ¿Cómo hemos de desconfiar de su eficacia?" Maragall.

12

Comunicación no verbal

51 habilidades, competencias y valores para crecer profesionalmente

SUMARIO: I. CONCEPTO. II. CARACTERÍSTICAS. III. ¿POR QUÉ ES IMPORTANTE LA COMUNICACIÓN NO VERBAL PARA EL ABOGADO? IV. EL ABOGADO QUE EMPLEA LA COMUNICACIÓN NO VERBAL. V. EL ABOGADO QUE NO EMPLEA LA COMUNICACIÓN NO VERBAL. VI. EJEMPLOS PRÁCTICOS. VII. ¿CÓMO SE ADQUIERE O MEJORA? VIII. ANÉCDOTA. IX. PREGUNTAS PARA EL DEBATE. X. LECTURAS RECOMENDADAS. XI. SABIDURÍA POPULAR.

I. CONCEPTO

La comunicación no verbal es la que se lleva a cabo mediante el lenguaje no verbal; es decir, a través de gestos, apariencia, postura, mirada y expresión y de multitud de signos como imágenes sensoriales (visuales, auditivas, olfativas…), sonidos, gestos, movimientos corporales, etc. Con esta comunicación, también llamada analógica, transmitimos la voz y movimientos que acompañan al lenguaje verbal.

II. CARACTERÍSTICAS

Como características del lenguaje no verbal destacamos las siguientes:

- El lenguaje no verbal no se da en forma aislada del lenguaje verbal.
- Dado el grado de involucración del lenguaje no verbal en la comunicación, en caso de incongruencias entre lo que nos dicen ambos mensajes, el lenguaje no verbal será más fidedigno y creíble que el verbal.
- Los componentes que participan en el proceso de comunicación no verbal son los siguientes: La voz, componente en el que influyen otros

elementos como el volumen, el tono, el ritmo, la entonación, etc. (también denominados factores paralingüísticos). Los restantes componentes son la respiración, la postura, los gestos corporales, los movimientos de los ojos, de las manos y brazos, la coloración de la piel e incluso los olores que desprende el cuerpo.

- Cuando interactuamos con otras personas, nuestra conversación se complementa con la producción de mensajes no verbales (movimiento de los ojos, gestos, postura, etc.) que se producen de forma inconsciente, aunque nada impide que podamos realizarlos de forma consciente.

III. ¿POR QUÉ ES IMPORTANTE LA COMUNICACIÓN NO VERBAL PARA EL ABOGADO?

Expuesto lo anterior, qué duda cabe que el abogado, quien se sirve del lenguaje para comunicar su argumentación, deberá dominar sin ningún género de dudas tanto la comunicación verbal como la no verbal, con el fin de hacer llegar a nuestros interlocutores juez su mensaje o pretensión de forma clara y diáfana. Para ello, tendremos que hacer un uso coherente de ambos sistemas de expresión dada la igual trascendencia que tienen ambos en la argumentación y comunicación del jurista.

Acorde con la naturaleza oral de los procesos judiciales, la comunicación verbal juega un papel de primer orden para el abogado, pues de lo que se trata es de transmitir un alegato al auditorio empleando la palabra. Ahora bien, si prescindiéramos del lenguaje no verbal, poco o ningún efecto tendría sobre el auditorio la intervención del orador, ya que como hemos visto en el apartado anterior, ambos lenguajes se encuentran estrechamente vinculados y, durante el alegato, no deben separarse en ningún momento y bajo ningún concepto. Por lo tanto, a pesar de la teórica prevalencia del lenguaje oral en la comunicación forense, el lenguaje analógico, complementario de éste, se integra con el mismo definiendo la propia comunicación oratoria.

La importancia de la comunicación no verbal radica en que, a través de ésta, el abogado complementa el contenido del mensaje con una serie de «informaciones» que ayudarán al interlocutor a comprender aspectos relativos a sentimientos y emociones de todo tipo que no solo pueden ayudar a persuadir al auditorio, sino que van a ser valoradas por este para la toma de la decisión final.

Igualmente, las mismas consideraciones deben extenderse a los procesos de asesoramiento al cliente y negociación con terceros.

IV. EL ABOGADO QUE EMPLEA LA COMUNICACIÓN NO VERBAL

El abogado que use adecuadamente la comunicación no verbal tendrá más facilidad para comunicarse, y concretamente para convencer y persuadir al destinatario de su mensaje, todo ello en los diferentes contextos en los que interviene.

V. EL ABOGADO QUE NO EMPLEA LA COMUNICACIÓN NO VERBAL

El abogado que no hace uso de la comunicación no verbal perderá una gran oportunidad para mejorar exponencialmente su comunicación, la cual se verá mermada en posibilidades de convencer y persuadir.

VI. EJEMPLOS PRÁCTICOS

En tal sentido, todos los abogados, desde que entramos en sala y saludamos al Juez, somos conscientes de la importancia de los gestos, ademanes y miradas, constituyendo una parte importante de nuestros pensamientos los juicios que hacemos como consecuencia del lenguaje no verbal de los intervinientes. A modo de ejemplo podríamos destacar las siguientes evidencias del lenguaje:

- La forma en que la otra parte saluda al Juez.
- El tono empleado por la otra parte para identificarse a petición del juez.
- La forma de articulación, entonación y volumen de voz de la otra parte.
- La manera en la que el juez nos mira y el tono empleado al darnos la palabra.
- Los movimientos corporales del juez mientras interrogamos o informamos.
- El tono, ademán, voz, etc. que el juez emplea cuando se dirige a nosotros.

Igualmente, cualquier persona que entre en una sala de vistas y se limite a observar, podrá comprobar que gran parte de la «estrategia» de las partes se juega a través de silencios, miradas furtivas y movimientos corporales mediante los cuales los abogados sopesan y valoran al adversario mientras que tratan de acercarse emocionalmente al juez, y ello es así dado que el mensaje no se limita a una idea o pensamiento frío y objetivo, sino que es algo comunicado por un ser humano, dotado de su personalidad y características especiales en los que la emoción, sentimiento y pasión son elementos vitales para alcanzar la aprobación que requiere toda persuasión.

Señalar que siendo cierto que en el foro español la posición de los letrados litigantes es muy limitada a efectos de expresión no verbal (sentados con los brazos apoyados en el estrado), ello no obsta que el uso adecuado del lenguaje no verbal contribuya de forma definitiva a la más eficaz transmisión del mensaje, afirmación esta que comprobaremos enseguida al analizar los efectos que los distintos componentes del mismo producen en el auditorio.

Finalmente, extendemos la práctica de este tipo de comunicación a los procesos no forenses, tales como el asesoramiento al cliente, la intervención en negociaciones o la realización de discursos no procesales en los que, sin duda, aprovechará notablemente el uso de un estudiado lenguaje no verbal.

VII. ¿CÓMO SE ADQUIERE O MEJORA?

El abogado debe ser consciente de la importancia que adquiere en la comunicación el lenguaje no verbal de todos los que intervienen en el auditorio y, acorde con dicho valor, tiene que ilustrarse de las técnicas y habilidades esenciales para emplear de la manera más eficiente esta increíble forma de comunicación. De hacerlo así, no dude el orador que disfrutará de una ventaja sobre aquellos adversarios que confíen en su espontaneidad para emplear de forma natural y libre este lenguaje o que, en el peor de los casos, no lo aprecien, puesto que, sin riesgo a equivocarnos, se estará en estos casos en mejor disposición para persuadir al auditorio.

Esta materia, que insistimos es de gran importancia, puede cultivarse a través de la lectura de publicaciones en las que se exponen con detalle las correspondientes técnicas, si bien lo más recomendable es la asistencia a academias y escuelas que imparten cursos y seminarios de oratoria.

VIII. ANÉCDOTA[1]

El idiota y el teólogo

"Un monje zen vivía con su hermano tuerto e idiota. Un día que tenía que conversar con un famoso teólogo, venido de lejos para verle, se vio obligado a ausentarse. Le dijo entonces a su hermano:

—¡Recibe y trata bien a este erudito! ¡Sobre todo no le digas una sola palabra y todo irá bien!

---

1. Anécdota referida o extraída de la siguiente fuente: El dedo y la luna. Alejandro Jodorosky. Books4pocket

El monje abandonó entonces el monasterio. A su regreso, fue a ver rápidamente a su visitante:

–¿Te ha recibido bien mi hermano?– le preguntó.

Lleno de entusiasmo, el teólogo exclamó:

– TTu hermano es una persona muy notable. Es un gran teólogo.

El monje, sorprendido farfulló:

–¿Cómo?... ¿mi hermano, un....teólogo?

– Hemos tenido una conversación apasionante –prosiguió el erudito–, expresándonos sólo mediante gestos. Yo le he enseñado un dedo, él ha replicado mostrándome dos. Entonces yo le he respondido como es lógico, mostrándole tres dedos, y él me ha dejado asombrado mostrándome un puño cerrado que ponía fin al debate... Con un dedo, yo le he indicado la unidad de Buda. Con dos dedos él ha ampliado mi punto de vista recordándome que Buda era inseparable de su doctrina. Encantado por la réplica, con tres dedos, yo le he dado a entender: Buda y su doctrina en el mundo. Entonces él me ha dado esta réplica sublime mostrándome su puño: Buda, su doctrina, el mundo, forman un todo. A esto se llama rizar el rizo.

Algún tiempo más tarde, el monje fue a ver a su hermano tuerto:

– ¡Cuéntame lo que pasó con el teólogo!

– Es muy sencillo –dijo el hermano–. Él me provocó mostrándome un dedo para hacerme observar que yo no tenía más que un ojo. Al no querer ceder a la provocación, yo le repliqué que él tenía la suerte de tener dos. Se obstinó, sarcástico: «De todos modos, sumando los de los dos, hacen tres ojos». Fue la gota que colmó el vaso. Mostrándole mi puño cerrado, le amenacé con dejarle tieso en el acto si no ponía fin a sus malintencionadas insinuaciones".

IX. PREGUNTAS PARA EL DEBATE

– ¿Empleas la comunicación no verbal "a conciencia"?

– ¿Qué elementos de la comunicación no verbal utilizas con mayor frecuencia?

– ¿Crees que la comunicación no verbal sirve de ayuda en juicio?

X. LECTURAS RECOMENDADAS

Técnica del informe ante Juzgados y Tribunales. Majada Planelles, A. (2002). Bosch.

Con la venia, manual de oratoria para abogados. Fernández León, Ó. (2013). Aranzadi.

XI. SABIDURÍA POPULAR

"El consejo esencial, como en toda actitud esencial del orador, es la naturalidad, huyendo del ademán frío y descuidado. Sin embargo, se destaca que los movimientos que nacen del hombro son más graciosos que los del codo; que los oblicuos son preferibles a los rectos y perpendiculares; que no deben ser ni muy pausados ni muy ligeros, sino que han de seguir naturalmente el curso de la expresión; que se han de hacer con cierto orden y compás, y al mismo tiempo con variedad, porque los movimientos desconcertados así como lo que son enteramente uniformes, parecen maquinales y pierden toda su significación". Sainz de Andino.

"El orador ha de tener aplomo y dignidad y no se debe mostrar con aire encogido. La pusilanimidad, el aspecto embarazado debilita la fuerza persuasiva del informe y, sin mengua de la consideración y del respeto debido al Tribunal y a las partes, el orador forense ha de tener presente que no es ni un superior ni un subordinado, en cuanto tal orador, sino el portavoz de un derecho autónomo, el de la libertad de defensa". Vicente Gella.

"Hablar es un acontecimiento psicosomático. La voz es el mensaje directo al oído, la expresión corporal al sentido de la vista y a través de ambos sentidos se conmueven los sentimientos". Ortega Carmona.

13

La improvisación

I. CONCEPTO

La improvisación viene siendo entendida como hacer algo que no estaba previsto o preparado llevado de la acción del momento, es decir, un hacer de pronto, y haciendo uso de los medios que en ese momento tenemos a mano.

II. CARACTERÍSTICAS

Podríamos destacar como características de la improvisación:

- Es una forma de actuar o reaccionar ante una situación no prevista.
- Dicha capacidad de reacción es instantánea, sin tiempo o posibilidad de obtener información para dar respuesta al evento.
- Los recursos que emplearemos durante la improvisación estarán limitados a los disponibles en el momento de improvisar.
- La calidad de la improvisación dependerá de los conocimientos previos y experiencia de quien tiene que improvisar.

III. ¿POR QUÉ LA IMPROVISACIÓN ES IMPORTANTE PARA EL ABOGADO?

Este concepto es plenamente aplicable al abogado (y muy especialmente en sus intervenciones judiciales), ya que en el foro siempre se podrán producir situaciones que exijan del orador que intervenga acuciado por las circunstancias del momento, sin tener preparada previamente su forma de actuación. La razón de esto es obvia: lo que puede acaecer en el desarrollo de las vistas no depende de nosotros, y existen múltiples factores que, debidamente conjugados, pueden derivar en situaciones no previstas. Estas situaciones son las que generan, incluso para el orador más experimentado, el estado de expectación y tensión previa al juicio, puesto que nunca sabemos a ciencia cierta qué nos vamos a encontrar en una vista.

Sin embargo, tal y como está concebida la oratoria forense, considero que la improvisación debe tener escasa cabida durante nuestra intervención, ya que la preparación por parte del orador del asunto en el que va a intervenir y el conocimiento exacto de las reglas procesales, no deben dejar lugar a margen alguno para imprevistos o, mejor dicho, para reaccionar sin capacidad de respuesta ante éstos. Por lo tanto, la regla más importante a seguir no es otra que el estudio y la preparación exhaustiva del caso, no solo para alejar toda opción de fracaso ante un imprevisto sino, igualmente, para saber responder con soltura y solvencia ante cualquier evento inesperado.

No hemos de olvidar que, como afirma Arturo Majada, la intervención del orador en sala constituye una «improvisación preparada», en la que el orador conoce las líneas esenciales de su argumentación, y durante su intervención va a desarrollar su alegato ya preparado anteriormente desarrollando dichos pensamientos. De este modo, con una preparación sólida del asunto, pocas sorpresas deberían producirse.

IV.   EL ABOGADO QUE SABE IMPROVISAR

El abogado que improvisa adecuadamente es aquel que sabe que durante el desarrollo de la vista pueden producirse imprevistos que deberá identificar a priori y preparar una respuesta adecuada a los mismos. Con el conocimiento sólido de la materia procesal y de fondo del asunto dispondrá de las herramientas adecuadas para salir airoso y con solvencia, momento éste en el que se demuestra la experiencia y valía del abogado quien, ante cualquier circunstancia espontánea, sabrá cómo reaccionar con soltura, transmitiendo así una imagen de poderío y solidez que repercutirá favorablemente en el auditorio.

El abogado que sabe improvisar está concienciado de que debe trabajar siempre en condiciones alejadas de lo perfecto e ideal, pero con una entrega y entereza dirigida a alcanzar el mejor resultado posible, asumiendo las consecuencias desfavorables de nuestras decisiones, y con la mente puesta no en los resultados, sino exclusivamente en el buen hacer.

A lo anterior podríamos añadir el correcto uso de todas aquellas recomendaciones que se incluyen en el apartado 7.º.

V. EL ABOGADO QUE NO SABE IMPROVISAR

El abogado que no sabe improvisar suele carecer de un conocimiento completo de la materia (sustantiva y procesal) que está tratando, lo que motivará que cuando se presente la situación actuará con inseguridad, impaciencia e ineficacia para gestionarla.

A modo de ejemplo, nos encontramos con casos en los que el abogado pide a otro que le haga una vista encargándole el caso el día anterior, o el más que habitual proceder de dejar el estudio y preparación del asunto para el día previo a la vista. En estos supuestos, podremos presenciar escenarios en los que el orador deberá afrontar situaciones difíciles, ya que carece de los conocimientos y, con ello, de la fluidez necesaria para responder a cualquier imprevisto (aclaraciones, contestar a refutaciones, responder a ofrecimientos de acuerdo, etc.). También podemos incluir entre estos supuestos el llevar el informe preparado de memoria o tratar de leerlo en su integridad, ya que en tales casos es más que probable que perdamos el hilo del discurso o que el juez acabe por interrumpir el informe.

VI. EJEMPLOS PRÁCTICOS

A continuación, vamos a examinar algunos de los imprevistos que pueden producirse en sala y la posible respuesta del orador.

La interrupción por el juez al letrado durante la exposición oral del informe para realizarle una advertencia (que abrevie la exposición, que le queda tanto tiempo, que se está saliendo de la cuestión, etc.).

En estos casos, ante este proceder que entiendo que sólo puede ser realizado en circunstancias notoriamente excepcionales, el orador debe mantener la calma y, ante el posible desorden de ideas que se producirá durante la interrupción, tomarse unos segundos para reorganizar la exposición y continuarla con las adaptaciones sugeridas. Lo que no puede hacer el orador, bajo ningún concepto, es permitir que el desconcierto le venza y concluir la exposición obviando el resto de la argumentación o resumirla de tal modo que nada importante se diga. Naturalmente, la regla más adecuada es llevar preparado el informe acorde con las circunstancias del auditorio, tiempo y lugar que ya hemos analizado.

Interrupción del adversario durante nuestra exposición.

Esta situación, que nunca he presenciado pero que sí me ha sido referida, es absolutamente improcedente, y ante tal conducta hemos de actuar con la calma y el sosiego que apuntábamos en el número primero. Tras la interrupción veremos cómo el Juez se ocupará de adoptar las medidas correspondientes ante tal proceder o, en su caso, tendremos que pedir al Juez que adopte dichas medidas mediante la admonición oportuna al contrario.

Interrupción del adversario mientras interrogamos.

Esta opción, contemplada en la ley procesal, puede, en ocasiones, emplearse de forma abusiva por el contrario. En tal caso, ante tal situación y ante la respuesta del juez a la misma, informaremos a éste de nuestra discrepancia con dicho proceder y con el uso abusivo que se estuviera realizando de adverso.

Apercibimiento de retirada de la palabra.

Ante tal supuesto, que he tenido ocasión de presenciar, la primera recomendación es evitar que esto ocurra, puesto que cuando se llega a tal extremo es más que probable que nuestra conducta procesal haya sido desafortunada en algún aspecto. De darse el caso, se impone la cordura y deberemos pedir disculpas al tribunal, y continuaremos nuestra intervención corrigiendo aquellos actos que hayan provocado la reconvención.

Durante nuestro informe el juez mantiene una conversación con algún oficial que acaba de acceder a sala para comunicarle algún extremo.

Dejando de lado aquellas situaciones en las que ante un tribunal los magistrados se comunican entre sí (pues es probable que estén comentando algún aspecto de nuestro informe), cuando el orador está informando y entra un funcionario en sala y comenta algo al juez que dura más tiempo del conveniente, se impone suspender el curso del discurso a la espera de que la conversación concluya salvo que, ante dicha detención, el juez nos indique que continuemos. Ello es natural, ya que si consideramos (siempre con sentido común) que el juez no va a poder escuchar nuestro alegato, carece de sentido que sigamos transmitiendo nuestro mensaje a un destinatario momentáneamente inalcanzable.

Interrupción del público o del testigo.

En los supuestos en los que alguien del público increpe al orador o incluso un testigo se enfrente al mismo, la solución vendrá dada por el juez, quien realizará la advertencia oportuna a los mismos. En otro caso, seremos nosotros los que, a través del juez o presidencia, le expongamos la situación y solicitemos la adopción de alguna medida para que la vista transcurra por sus cauces normales.

Concluir señalando que siempre dispondremos del uso de la palabra para dejar constancia de nuestra protesta por lo sucedido en caso de que, a nuestro juicio, no se haya actuado correctamente por el juez para la solución de estas situaciones, remedio que debe suplir en todo caso la pérdida de los papeles que puede producirse ante una reacción desafortunada.

VII. ¿CÓMO SE ADQUIERE O MEJORA?

No está de más disponer de algunas reglas que nos auxilien ante estas difíciles circunstancias:

1.º– Ser conscientes y aceptar que los imprevistos constituyen una realidad en la jornada diaria del abogado, pues admitir dicha idea nos permite estar más preparados para afrontarlos, evitando con ello conductas de frustración, enfado y, en ocasiones, ira ante el malestar que suponen los imprevistos.

2.º– Identificar los imprevistos. Es lógico, ya que luchar contra un enemigo desconocido constituye un gran error. Por ello, hemos de conocerlo antes de que sea demasiado tarde.

3.º– Disponer de herramientas para luchar contra los imprevistos. Este aspecto es fundamental, puesto que si estamos preparados, actuaremos con seguridad, paciencia y eficacia para gestionar la situación. Dicho de otro modo, cuando llegue el imprevisto no nos pondremos nerviosos, impacientes y enfadados, elementos estrechamente vinculados a un comportamiento ineficaz que solo nos reportará insatisfacción y nulos resultados.

4.º– Disponer de un Plan B para prevención de aquellos imprevistos más graves, hemos de tener a mano una planificación alternativa que nos facilite la respuesta a la situación creada. Si conocemos los imprevistos, podremos establecer planes de actuación a medida que nos permitan actuar con rapidez y eficacia, y esto en una intervención en sala puede ser determinante.

En definitiva, la clave está en ser consciente de la existencia de imprevistos y su aceptación, previniéndolos en la medida de lo posible pero, en todo caso, jamás rendirse ante el daño que su repentina aparición haya podido causar en nuestra labor.

VIII. ANÉCDOTA[1]

"El violinista Itzahak Perlman, al comienzo de su actuación en un concierto ofrecido en Nueva York comprobó cómo una de las cuerdas de su violín se rompió.

En lugar de repararlo, y para el asombro de los asistentes, Perlman continuó tocando como si estuviera en las mejores condiciones instrumentales y anímicas, con total entrega y compromiso con su auditorio".

Al concluir, y dirigiéndose a un público entusiasmado, les dijo: "¿Saben lo que ocurre? Hay momentos en los que la tarea del artista es saber cuánto pueden hacer con lo que le queda".

Esta anécdota llamó mi atención porque, con las debidas distancias, recoge una situación que suele ocurrirnos a los abogados a diario, y me refiero con

---

1.   Anécdota referida o extraída de la siguiente fuente: La buena vida. Rovira, Alex (2008). Aguilar.

ello a esas situaciones en las que teniendo completamente preparada nuestra tarea, surge un imprevisto y nos vemos obligados a continuar actuando en un nuevo escenario limitado por aquella incidencia.

IX. PREGUNTAS PARA EL DEBATE

- ¿Te consideras un buen improvisador? ¿Por qué?
- ¿Qué supuestos de improvisación recuerdas?
- ¿Crees que la improvisación es algo innato o se aprende?

X. LECTURAS RECOMENDADAS

Free play: La improvisación en la vida y el arte. Nachmanovitch, S., (2004). Paidós Ibérica.

Flow. Czikszentmihalyi, M. (1998). Kairós.

Tus zonas erróneas. Dyer, W. (2018). Debolsillo.

El arte de improvisar. Miralles, F. (2013) El País. Recuperado de *https://elpais. com/elpais/2013/02/08/eps/1360338053_907722.html.*

XI. SABIDURÍA POPULAR

"La improvisación del abogado no es, como muchos creen, una especie de milagro intelectual espontáneo, comparable al milagro de Moisés que hace brotar un manantial de una roca desnuda. En la improvisación, la fuente no brota sino cuando previamente el abogado ha sabido acumular un oculto tesoro de vocabulario, de imágenes, de ideas, de conocimientos apropiados, en el que no tiene más que escoger en el momento oportuno. En realidad, la improvisación no es más que el resultado de un largo trabajo de acumulación". Henri Robert.

"Haz lo que puedas, con lo que tengas, donde estés". T. Roosevelt.

"El viaje más apasionante es aquel que se emprende sin saber adónde ir". Johann W. Goethe.

"El improvisador es como un soldado. Sus armas están siempre preparadas para el combate, pero estas armas son la inspiración y el estudio; y si la improvisación está vinculada al estudio, requiere haberlo antes practicado y profundizado ". Francisco Barado.

Prevención del conflicto (negociación)

I. CONCEPTO

La prevención del conflicto constituye el empleo de una serie de técnicas orientadas a la anticipación y prevención de problemas y conflictos legales y, en su caso, a la minimización de riesgos legales y maximización de derechos y de salidas negociadas a conflictos ya existentes.

La abogacía preventiva podemos definirla como una forma de ejercer la profesión basada en el empleo de la técnica de la prevención del conflicto.

II. CARACTERÍSTICAS

Entre las características de la prevención del conflicto podemos destacar las siguientes:

- Es un enfoque diferente para la evitación y solución de conflictos.
- El enfoque preventivo es eminentemente proactivo (no reactivo) y orientado a la evitación de conflictos futuros.
- Encuentra su fundamento en que siendo conscientes de que el sistema de resolución judicial de conflictos, a pesar de ser necesario, puede evitarse en numerosas ocasiones empleando otros enfoques que puedan lograr una mayor satisfacción del cliente.

III. ¿POR QUÉ ES IMPORTANTE LA PREVENCIÓN DEL CONFLICTO PARA EL ABOGADO?

La mayoría de las personas acude al médico con una finalidad eminentemente preventiva, para cuidar de su salud. Igualmente, es habitual que aseguremos la casa, el vehículo, la vida… Sin embargo, esta cultura preventiva aún no ha calado en el ámbito de los problemas legales. Si la medicina preventiva promueve la buena salud, ¿por qué razón los ciudadanos, bajo determinadas circunstancias, no están interesados en promover tanto la reducción de futuros problemas legales como la de menores costes legales?

La respuesta a esta cuestión es muy compleja debido a que nos enfrentamos a un problema de percepción social. Es un hecho constatado que la población en general considera que los abogados son profesionales que solo deben ser consultados como último recurso, es decir, cuando algo ya va mal y ya no queda más remedio que buscar su consejo. El abogado es un profesional que sirve para resolver problemas, un "apaga fuegos". Es entonces cuando consultamos a nuestros conocidos para que nos recomienden a un buen abogado, quien aparece en escena quizás demasiado tarde y la llama ya haya prendido…

Ciertamente, es posible que los propios abogados hayamos contribuido a esa visión, ya que nuestra propia cultura profesional nos enseña que los conflictos encuentran su solución en el contexto hostil del litigio basado en el axioma del ganador/perdedor, y esto es lo que siempre ha entendido nuestra sociedad, pero también el ciudadano ha contribuido a ello eludiendo la intervención de un profesional, bien porque sobreestima su propia capacidad y conocimiento para controlar la operación (por ejemplo, una compraventa o un arrendamiento), bien porque decide ahorrar los costes adicionales del abogado.

Sin embargo, todos los abogados somos conscientes de que este modelo no funciona, como lo son la inmensa mayoría de los clientes que han tenido que sufrir un litigio. Vivimos en una sociedad reglamentada en la que el conflicto jurídico puede asomar a la vuelta de la esquina sin que hayamos participado en su causa, situaciones que tienen que resolverse en unos Juzgados y Tribunales que se encuentran colapsados en todos sus niveles y cuya capacidad de respuesta es lenta y limitada y, para colmo, los procesos son costosos y rodeados de una peligrosa incertidumbre que, sea cual sea el resultado, siempre cobran un elevado coste emocional a las partes, por no decir un alto coste económico.

En todo caso, para el abogado, la asesoría preventiva equivale no solo a colaborar con la justicia, sino también a mantener una relación duradera y no ocasional con los clientes, lo que supone una fidelización de los mismos.

IV. EL ABOGADO PREVENTIVO

El abogado preventivo, al amparo de su independencia, sondeará el interés del cliente en el caso y establecerá el denominado interés objetivo del mismo, o interés que a dicha situación atribuye el ordenamiento jurídico, normalmente alejado de la percepción que el cliente tiene de su problema. Hecho esto, al abogado, evaluando y sopesando las dificultades del caso, debe ofrecer el mejor consejo legal, tratando siempre de anticiparse y prevenir los posibles problemas legales que puedan surgir en el futuro o, en su caso, a reducir los perjuicios ya existentes y evitar que el conflicto se instale. Su actividad, por tanto, debe proporcionar al cliente la seguridad que requiere para llevar a cabo el proyecto de que se trate.

V. EL ABOGADO NO PREVENTIVO

El buen abogado debe ser preventivo, puesto que la falta de esta cualidad puede provocar en el profesional conductas agresivas en las que se entienda el proceso judicial como única vía para solucionar el conflicto, llegando en algunos casos a animar al cliente a ir a juicio y a prometerle victoria, todo ello en perjuicio de los intereses de éste.

VI. EJEMPLOS PRÁCTICOS

Lógicamente, para prestar un asesoramiento preventivo hemos de contar con la participación activa del cliente, quien deberá contactar con el abogado en una fase temporal en el que el problema aún no haya surgido. Sin embargo, es previsible que lo haga en el futuro, o quizás cuando el conflicto ya se haya originado, pero aún pueda minimizarse.

La abogacía preventiva puede ejercitarse en todas las ramas del derecho e incluso cuando el cliente se presenta con un emplazamiento para contestar una demanda pues, en tales casos, siempre habrá opciones a medio y largo plazo para solucionar amistosamente el conflicto. Naturalmente, ello no obsta para que en caso, a veces inevitable, del litigio judicial, el abogado emplee su capacidad, astucia y prestigio para defender con éxito los intereses de su cliente.

VII. ¿CÓMO SE ADQUIERE O MEJORA?

Las herramientas con las que debe contar necesariamente el abogado para desarrollar su labor de prevención legal son, entre otras, las siguientes:

- Formarse en una educación basada en un sistema de prevención de las crisis en lugar del sistema de gestión y solución de la misma.

- Familiarizarse con las técnicas de negociación y mediación, tanto para la solución de conflictos con terceros como para convencer al cliente del valor de una solución negociada y disuadirlo de posiciones perjudiciales.

- Conocer al cliente, su filosofía, sus valores y sus necesidades, como los escenarios en los que el cliente suele operar.

- Debe dominar el uso de la cautela y la prudencia en el consejo honesto.

- Finalmente, tiene que usar el pensamiento creativo, abierto y orientado en la búsqueda de alternativas para la solución del conflicto.

VIII. ANÉCDOTA[1]

Bóreas y Helios

"Bóreas y Helios disputaban sobre su fuerza. Resolvieron conceder la victoria a aquel de ellos que lograra despojar de su ropa a un caminante. Y Bóreas comenzó a soplar fuerte, pero, como el hombre se sujetaba la ropa, arreció más. Y el caminante, aún más agobiado por el frío, incluso se puso encima una prenda más gruesa, hasta que Bóreas, cansado, se lo pasó a Helios. Y este en primer lugar brilló moderadamente; cuando el hombre se quitó el más grueso de los mantos, despidió un calor más ardiente, hasta que el hombre, no pudiéndolo soportar, se desnudó y fue a bañarse a un río que fluía cerca".

Es más fácil convencer que obligar…

IX. PREGUNTAS PARA EL DEBATE

- ¿Practicas la abogacía preventiva?
- ¿Crees que el futuro de la abogacía está en la abogacía preventiva?
- ¿Conoces los diversos sistemas de solución de conflictos?

X. LECTURAS RECOMENDADAS

Claves del buen abogado negociador. Marín Gámez, E. (2020). Colex

XI. SABIDURÍA POPULAR

"El buen abogado no anima al cliente a ir a juicio ni le promete victoria alguna… el buen abogado no es agresivo, sino paciente, no busca la pelea, antes al contrario,

---

1. Anécdota referida o extraída de la siguiente fuente: *http://elblogdelasfabulas.blogspot. com/2018/01/boreas-y–helios.html.*

la evita; no está para atacar ni para defender, sino para mediar y prevenir". Alejandro Nieto.

"Una onza de prevención vale una libra de curación". Benjamín Franklin.

"El dinero no viene de los pleitos, sino de los clientes". Alejandro Nieto.

"Guárdate de entrar en pendencia; pero, una vez en ella, obra de modo que sea el contrario quien se guarde de ti ". Shakespeare.

Memoria

I.   CONCEPTO

Podríamos definir la memoria como el sistema de procesamiento de la información que nos permite organizar experiencias pasadas y hacerlas accesibles cuando lo necesitamos, lo que se logra a través de procesos de almacenamiento, codificación, reconstrucción y recuperación de la información.

II.   CARACTERÍSTICAS

A la hora de establecer las características de la memoria, qué mejor que hacerlo a través de la exposición de las diversas leyes que la rigen:

Ley de la atención: Recordamos mejor en la medida en que mostramos mayor atención y concentración en el proceso de observación de la persona u objeto que deseamos memorizar. Se recuerda mejor en la medida que haya mayor atención y concentración.

Ley de la afectividad: Es más fácil recordar aquello que nos resulta más agradable, puesto que mostramos un mayor interés o deseo de conocerlo, lo que facilita su memorización.

Ley de la asociación o asimilación: Es más fácil recordar ideas en la medida que se asocien a otras existentes y consolidadas en la mente, ya que la evocación de estas «ideas base» podrán permitirnos arraigar la nueva idea en nuestra mente. Efectivamente, los recuerdos se reproducen mejor si van asociados a formas visuales o gráficas, determinadas experiencias o vivencias, como los sonidos u olores, o a un lugar frecuentado, una persona, etc. Esta ley, centro de todos los sistemas mnemotécnicos, es quizás la más importante de todas ya que a través de la asociación comprendemos, y mediante la comprensión recordamos.

Ley de la repetición: La memorización de una idea se incrementa a medida que la repetimos, o lo que es lo mismo, la repetición de la percepción facilita que memoricemos más.

Ley del olvido o también conocido como ley de la latencia: Lo aprendido se olvida a un ritmo progresivo, digamos logarítmico. Si bien depende de diversas circunstancias, existe una progresión muy rápida del olvido en las primeras horas, más lenta a medida que transcurre el tiempo y, finalmente, queda un residuo que resiste al tiempo y que será el responsable de la eficacia de la ley de la asociación. Por lo tanto, evocaremos más y mejor una idea en la medida en que menos espacio temporal se produzca entre la percepción y la evocación.

Ley de extensión y de la codificación: Se memoriza más fácilmente si lo hacemos en unidades de elementos más pequeños y espaciados en el tiempo.

III.   ¿POR QUÉ ES IMPORTANTE LA MEMORIA PARA EL ABOGADO?

La memoria constituye una herramienta fundamental para el abogado ya que, a la hora exponer su discurso o interrogar a un testigo deberá evocar datos de diferente naturaleza, necesarios para una exposición fluida del alegato o para formular preguntas adecuadamente, lo que no implica que este deba exponerse de memoria, sino que dicha fluidez requiere que el orador pueda servirse de la misma para evocar aquellas ideas, hechos o argumentos que le permitan construir adecuadamente el discurso.

En el mismo sentido, la memoria ayudará al abogado a suministrar la base de la información requerida por el cliente sin necesidad de consultar en su presencia códigos o manuales. Finalmente, en los procesos de negociación, el abogado deberá estar lo suficientemente ilustrado para evocar, a través de la memoria, aquellos conocimientos necesarios para la mejor ejecución de su función.

IV.   EL ABOGADO QUE EMPLEA ADECUADAMENTE LA MEMORIA

Como antes indicamos, el abogado que utilice la memoria acorde con sus leyes dispondrá de más facilidad para llevar a cabo su trabajo diario pues, obviamente, accederá con más facilidad a ideas y conocimientos para su empleo inmediato, y su discurrir será en todo momento más seguro y confiable.

V. EL ABOGADO QUE NO EMPLEA LA MEMORIA

Por el contrario, el abogado cuya memoria no funcione correctamente se verá en trances muy difíciles durante el ejercicio de su profesión, pues son múltiples las ocasiones en las que el abogado tiene que evocar ideas, datos, conceptos, etc. sin el auxilio de documentos u otros medios de reproducción.

VI. EJEMPLOS PRÁCTICOS

Dos son las cuestiones fundamentales que se plantean para el abogado cuando se dispone a intervenir ante un auditorio para informar oralmente: el empleo de la memoria para exponer el alegato y la forma de asegurarse de que el auditorio recuerde su mensaje.

Respecto al primer aspecto, la memorización completa del discurso palabra por palabra para su posterior exposición en presencia del auditorio es un procedimiento que se utilizaba antaño, cuando el sistema educativo era propicio al empleo de memoria para el aprendizaje de los contenidos. Sin embargo, hoy en día, está más que demostrado el riesgo que entraña tal sistema para el orador, y muy especialmente para el orador forense.

Efectivamente, entre los inconvenientes de dicho sistema podemos considerar los siguientes:

1.º Una vez aprendido de memoria el discurso y durante la fase de su exposición oral, la circunstancia, nada improbable, de que debido al nerviosismo nos quedemos en blanco, puede provocar un auténtico desastre ya que la rigidez de la estructura del discurso así aprendido va a hacer prácticamente imposible que podamos reorientar el curso del mismo. En definitiva, cuando nos quedemos en blanco, no sabremos cómo continuar con la exposición.

2.º El aprendizaje del alegato va a exigir una dedicación en tiempo elevadísima, ya que a nadie escapa que la memorización de un discurso, por muy breve que sea, requiere una proporción altísima de tiempo para su preparación.

3.º Ineludiblemente, la entonación del discurso se verá afectada, ya que la exposición de un discurso memorizado es enemiga de la naturalidad, y esta es fiel a la entonación del discurso. Por ello, el riesgo de que el orador concluya empleando una entonación monocorde o artificial es considerable, lo que repercutirá negativamente en la atención al alegato por el auditorio.

El procedimiento más aceptado consiste en la exposición del informe oral de palabra, sin lectura de texto alguno, y sin menoscabo de la lectura puntual de alguna cita jurisprudencial, fecha o dígito, siguiendo un guion escrito que nos facilite el rumbo de nuestra exposición y aquellos datos cuya lectura sea conveniente para evitar errores de memoria.

Este procedimiento tiene las siguientes ventajas:

1.º El esfuerzo memorístico es muy reducido en comparación con el aprendizaje completo del texto, lo que se dedica en comprensión se reduce en memorización.

2.º El informe será más flexible, pudiendo adaptarse su exposición a los imprevistos que surjan, lo que supone una mayor espontaneidad del mismo.

3.º La entonación y naturalidad de la exposición se encuentra plenamente garantizada.

4.º De esta forma, podremos sacar partido al necesario empleo de la comunicación no verbal para transmitir nuestro mensaje.

5.º Finalmente, esta forma de exposición es la mejor para atraer la atención del auditorio y lograr el efecto persuasivo.

En definitiva, por tradición y por eficacia, el mejor método para que el orador pueda convencer y persuadir al auditorio lo constituye la exposición del informe oral no memorizado ni leído, sino expuesto verbalmente.

En cuanto a la segunda cuestión, referida a la forma de aprovechar el conocimiento de las leyes de la memoria para asegurarnos de que nuestro alegato queda grabado en la memoria del auditorio, es una cuestión compleja, ya que dependerá de múltiples factores: la atención que esté prestando el juez; la hora de celebración del juicio; el momento de nuestra intervención, etc., si bien podemos considerar como técnicas más adecuadas para alcanzar dicho objetivo el aprovechamiento de nuestro conocimiento de las leyes de la memoria:

En relación con la ley de la asociación o asimilación es conveniente realizar un informe bien coordinado en el que las ideas se encuentren muy bien organizadas, de modo que los argumentos estén en coherencia con hechos y pruebas. De esta forma, facilitaremos al auditorio que las ideas se recuerden con mayor facilidad por virtud de esta ordenación y coherencia.

Respecto de la ley de la repetición, debemos preocuparnos de repetir las ideas o argumentos fundamentales de nuestro alegato a lo largo del informe, de forma que por razón de dicha repetición, las ideas queden grabadas en la mente del juez. Por ello es altamente recomendable el empleo del exordio y la peroración, para reiterar las ideas básicas objeto de nuestra alegación.

La ley del olvido nos enseña que tras la exposición una parte considerable de nuestro informe se olvidará, si bien siempre quedará un residuo en la mente del juez de nuestro informe. Es precisamente nuestra labor asegurarnos que este residuo se componga de las ideas y argumentos principales por lo que, además de la repetición señalada anteriormente, deberemos ser breves, precisos y concisos en nuestra exposición.

En cuanto a la ley de extensión y de la codificación, qué duda cabe que nuestra exposición deberá realizarse de forma estructurada en la que se resalten las ideas principales de forma clara y precisa, con el fin de no transmitir un mensaje extenso e indivisible.

En cuanto a los procesos de asesoramiento al cliente y negociación, siempre habrá que realizar un trabajo previo de conocimiento y estudio del caso, tratando de asentar las ideas principales y claves del caso, lo que nos permitirá evocarlas y exponerlas a medida que vayan surgiendo. En tal sentido es muy importante aprovechar los beneficios de las diversas leyes de la memoria, especialmente a la hora de codificar dicha información esencial.

VII. ¿CÓMO SE ADQUIERE O MEJORA?

El mejor contexto para memorizar ideas y conceptos es aquel en el que nos encontremos descansados, relajados y por tanto con la mente libre de otros pensamientos que puedan enturbiar nuestro trabajo, todo ello sin olvidar que deberemos estar interesados y atraídos por una materia que deberá ser comprensible previamente a su memorización.

En definitiva, la puesta en práctica de las leyes de la memoria es esencial.

VIII. ANÉCDOTA[1]

"En el otro extremo de mi coyuntura de olvidaditis se encuentra Brad Williams. William es un estadounidense que lo recuerda todo, cada detalle de su vida. Así recordará sin dificultad alguna qué llevaba puesto, qué desayunó y qué conversación tuvo con su compañero de autobús de la escuela el 25 de octubre de 1990. Brad Williams recuerda cada momento, cada movimiento, cada palabra... de toda su vida. Brad sufre hipermnesia, es decir, exceso de recuerdos, un trastorno de la memoria realmente extraño que le hace tener una memoria autobiográfica prodigiosa.

Las personas que padecen el síndrome de hipermnesia son capaces de recordar cada evento de su pasado, sobre todo los personales, de forma obsesiva. El sistema de memoria de Brad funciona, según ha relatado él, ligando los sucesos, acontecimientos, datos, etcétera con sus recuerdos más personales. Por ejemplo, «esa mañana del 25 de octubre nos visitó el tío Eduard por sorpresa».

---

1. Anécdota referida o extraída de la siguiente fuente: _https://anecdotasydisimulos. com/2016/08/03/memoria-y-olvido-primera-parte/._

James McGaugh, de la Universidad de California, el mayor experto en este síndrome, ha comprobado la existencia de otros 13 casos en todo el mundo. Entre ellos, el de Jill Price –publicado en la revista Neurocase en 2006–, la violinista Louise Owen y la actriz estadounidense Marilu Henner –que confesó recordar toda su vida desde que tenía 11 años en el programa de la CBS 60 minutos–. Del estudio de estas personas se concluye que recuerdan por asociación: un recuerdo personal y distintivo les conduce a un acontecimiento o, mejor dicho, a una multitud de información. Me parece un buen sistema, pero ¿qué ocurre cuando ya se han marchado por la cañería la mayoría de esos recuerdos personales?, ¿cómo se pueden recuperar? ¿En qué evocación ato el hilo para que la cometa no se continúe escapando?".

IX.   PREGUNTAS PARA EL DEBATE

- ¿Cómo empleas la memoria en tu práctica profesional?
- ¿Crees que el uso de la tecnología perjudica a tu memoria?
- ¿Tienes algún método personal para mejorar tu memoria?

X.   LECTURAS RECOMENDADAS

Ayudando a la memoria. Albaigés. J.M.ª (1994). Círculo de lectores.

XI.   SABIDURÍA POPULAR

"El buril o la pluma es el mejor y el más excelente creador del discurso, y esto con toda razón (…). Quien del ejercicio de escribir llega al discurso público, aporta la siguiente capacidad: sabe hablar improvisando; y lo que él dice, suena, no obstante la improvisación, semejante a un discurso que fue fijado ya por escrito". Cicerón.

"La memoria es el tesoro de todas las cosas". Cicerón.

"La memoria es como el mal amigo; cuando más falta te hace, te falla". Anónimo.

"El que no esté seguro de su memoria debe abstenerse de mentir". Michel de Montaigne.

"La memoria es el único paraíso del que no podemos ser expulsados". Jean Paul.

"Cada uno tiene el máximo de memoria para lo que le interesa y el mínimo para lo que no le interesa. Arthur Schopenhauer.

Oratoria

I. CONCEPTO

Proveniente del latín "orare", cuyo significado es "hablar o exponer en
público", el Diccionario de la Real Academia de la Lengua Española define
a la oratoria como el "arte de hablar con elocuencia; de deleitar, persuadir y
conmover por medio de la palabra".

Como podemos concluir, la oratoria se encuentra íntimamente vinculada
al uso de la palabra como medio para persuadir. No obstante, si bien la finalidad de persuadir es la nota esencial de la oratoria, ello no impide que pueda
alcanzar otras finalidades igualmente prácticas como transmitir información,
motivar a la gente para que actúe o simplemente relatar una historia. Por lo
tanto, a través de la oratoria podremos persuadir, convencer, conmover, apa-
sionar, agradar, impactar, enunciar, explicar, instruir, puntualizar, ratificar,
deleitar, refutar y / o denostar.

Tradicionalmente considerada como el género judicial (genus iudicial)
oratorio, centrado en la comunicación oral que se produce frente a los jueces, con la intención de defender o acusar a alguna persona en relación a
asuntos pasados, de justicia e injusticia, la oratoria forense puede definirse
como un género de la oratoria practicada en los actos procesales (audiencias
y vistas) ante los Juzgados y Tribunales de Justicia, a través de la cual las partes,
o con mayor frecuencia sus letrados, resumen ante el juez o los magistrados
los hechos, las pruebas y los fundamentos de derecho que apoyan su tesis y su
petición de un pronunciamiento favorable a los intereses de parte.

Como indica MAJADA[1], para el abogado, la oratoria, a través de sus normas y reglas, será un auxiliar poderoso para que el Tribunal acepte sus ideas y resuelva la controversia, disminuyendo al mismo tiempo con habilidad el valor de los argumentos contrarios. De este modo, el abogado deberá dirigirse con más empeño a la razón que a la imaginación y el sentimiento, sin perder de vista los preceptos legales y las circunstancias del proceso. Con la oratoria forense el abogado aspira más bien a persuadir que a conmover.

II. CARACTERÍSTICAS

La oratoria forense se caracteriza por diversas notas que la hacen un género perfectamente diferenciado:

1.ª– Tiene un carácter eminentemente funcional, puesto que la tarea de persuadir y convencer del orador se lleva a cabo en función de un resultado pretendido que coincide con el fallo de la sentencia postulada. De ahí que el abogado, deberá analizar tanto la prueba de los hechos como los preceptos legales, doctrina y jurisprudencia aplicables, y una vez encauzados al propósito pretendido, comunicar con precisión y eficacia.

2.ª– El auditorio al que se dirige el orador es un Juez o un Tribunal de Justicia, auditorio que lejos de ser un sujeto pasivo de la comunicación, interviene activamente en el proceso al influir y condicionar la actuación oratoria. A mayor abundamiento, es un auditorio difícilmente sugestionable, en el que el conocimiento y la experiencia constituyen un elemento necesario (naturalmente, a excepción de los juicios con jurado).

3.ª– La oratoria forense es un proceso eminentemente dialéctico, en el que predomina la exposición de las tesis y antítesis, argumentaciones y refutaciones, en un debate judicial en el que la oratoria deberá emplear las armas con rigor y eficacia con el fin de lograr hacer prevalecer nuestra tesis en el proceso contradictorio.

III. ¿ES IMPORTANTE LA ORATORIA PARA EL ABOGADO?

Podemos afirmar sin ningún género de dudas que el cultivo de la disciplina de la oratoria forense es imprescindible para el abogado del siglo XXI.

Como afirma Concha Calonje[2], los abogados, como artífices de la argumentación, nos diferenciamos profesionalmente cuando analizamos, dictaminamos y presentamos los casos de nuestros clientes ante el Juez valorando

---

1.   *Técnica del informe oral ante juzgados y tribunales.* Majada, A (2002). Bosch.
2.   *Técnica de argumentación jurídica.* Calonge, C (2014). Thomson Aranzadi.

los hechos y defendiéndolos ante las valoraciones del contrario y razonando con referencia al precedente o conforme a la norma aplicable. En este proceso contradictorio, en el que el objetivo es persuadir y convencer al Juez de que adopte una decisión conforme a nuestros postulados y rechazando los del contrario, los abogados nos servimos de la comunicación para realizar una argumentación metódica y eficaz que no podrá prescindir del buen uso de las normas de la comunicación y de la estrategia comunicativa y de sus reglas.

Efectivamente, estas normas y reglas se antojan necesarias puesto que en un foro en el que prevalezca el principio de oralidad, no solo bastará al abogado conocer a fondo la materia jurídica y su aplicación a los hechos controvertidos, sino que tendrá que exponer en las audiencias sus conclusiones hablando de una forma especial, de cierta manera, en un contexto de debate con otro orador en el que la discusión profunda sobre la materia va a ser resuelta por una tercera persona o personas con conocimientos cualificados sobre la materia, personas que deberán ser persuadidas y convencidas a través de una forma de expresión bien definida.

En definitiva, el abogado debe esforzarse por conocer las reglas de la oratoria y de su estrategia, procurando con ello formarse de manera continua y permanente, lo que sin duda alguna llevará a que el abogado no solo será más eficaz en la defensa de sus clientes, sino que contribuirá con la obtención de una Justicia más recta y acertada.

IV. EL ABOGADO ORADOR

El abogado que dispone de la habilidad oratoria debe estar revestido de las siguientes cualidades:

– **Elocuente:** Desde una perspectiva general, la oratoria, a través de sus normas y reglas, será para el abogado un auxiliar poderoso para que el Tribunal acepte sus ideas y resuelva la controversia.

– **Argumentativo:** Igualmente, continuando en la perspectiva general, a través de la oratoria, el abogado logrará disminuir o reducir el valor de los argumentos contrarios.

– **Pensamiento estratégico**: El abogado, a la hora de preparar sus argumentos y la defensa frente a la refutación de los mismos, desarrollará el pensamiento estratégico, el cual le será muy útil en su ejercicio profesional, incluso cuando no intervenga ante los tribunales.

– **Agilidad mental:** Al estar continuamente alerta y preparado para rebatir argumentos, impugnaciones o cualquier otra cuestión, la oratoria favorecerá su agilidad mental e intelectual, la cual se mostrará no solo en sala, sino durante la preparación del juicio. La atención centrada es por tanto consustancial al orador.

– **Gran comunicador**: La oratoria permite al abogado ser un gran comunicador, y ello a través una exposición más clara, directa y natural que facilita y potencia la comunicación necesaria entre el abogado y el Juez. Pero esta facilidad de comunicación no se limita al ámbito forense, sino que lo excede y se desarrolla en otros ámbitos profesionales y personales.

– **Capacidad de improvisación**: La seguridad que proporciona el dominio de las reglas oratorias, consustancial al dominio de la materia tratada, fomenta la capacidad de improvisación y los reflejos del abogado, lo que le ayudará a reaccionar en situaciones imprevistas que suelen producirse en los actos judiciales con ingenio.

– **Seguridad:** El dominio de las técnicas oratorias proporciona la seguridad al abogado que le ayudará a superar el miedo y el temor escénico habitual antes y durante sus intervenciones en sala y poder así actuar con el aplomo propio de alguien preparado para convencer a través del uso de la palabra.

– **Organizado:** La oratoria hace al abogado más organizado, pues aquella requiere de orden, estructura y mucha disciplina a la hora de preparar nuestras intervenciones (informe oral, interrogatorios, etc…) y, cómo no, durante las mismas.

– **Conocimiento de otras disciplinas:** La oratoria nos permitirá acceder a conocimientos vastos y profundos de otras disciplinas, ya que los abogados tratamos con asuntos que no se limitan al conocimiento de la ciencia jurídica, sino que ésta debe aplicarse a situaciones de la vida real que afectan a todos los órdenes de la existencia humana (psicología, técnicas de comunicación, lenguaje verbal, no verbal, gramática, cultura general, etc…).

– **Autoestima:** Y como no, una buena preparación oratoria favorecerá la seguridad y confianza del abogado en sí mismo, incrementando con ello su autoestima profesional, muy positiva para disfrutar de los éxitos y afrontar los fracasos.

V.   EL ABOGADO CARENTE DE ORATORIA.

Un abogado carente de habilidades oratorias:

– Suele ser aburrido en sala.
– Difícilmente persuadirá.
– Carecerá de seguridad en los juicios.
– La preparación y argumentación dejará mucho que desear.

- Su comunicación verbal y no verbal será deficiente.
- Se verá superado en el foro por otros abogados.

Igualmente, a la hora de comunicar con sus clientes y abogados adversos, podrá encontrar serias dificultades para transmitir acertadamente su mensaje.

VI.   EJEMPLOS PRÁCTICOS

Una buena oratoria se percibe:

- A la hora de preparar el informe oral
- A la hora de exponer nuestro informe oral
- A la hora de interrogar a testigos y peritos.
- A la hora de comunicarnos en un proceso de negociación.
- Reaccionado frente a situaciones imprevistas
- Controlando el temor escénico.
- Preparando nuestra intervención en juicio.

VII.   ¿CÓMO SE ADQUIERE O MEJORA?

Roberto Gómez Bolaños afirma que quien tiene como recurso facilidad de palabra labra provechosamente los terrenos del discurso. Efectivamente, todos conocemos a personas muy elocuentes, con una extraordinaria facilidad de palabra y que se saben expresar a la perfección en cualquier contexto y están dotados de una notable capacidad de persuasión. Lo curioso es que desde que los conocimos, siempre han mantenido esa locuacidad. ¿Nacieron así? Si, parece, ciertamente, que han nacido con el don de la palabra.

Estas personas, efectivamente gozan de una habilidad especial para comunicarse, pero su elocuencia no es más que el resultado de la influencia sobre esa habilidad innata de diversos factores (el contexto familiar, la formación y educación, el ambiente, etc...) de modo que la han ido puliendo y perfeccionando con el transcurso de los años hasta formar la persona que hoy conocemos, la persona elocuente.

Sin embargo, esa persona, dotada de tal elocuencia, no puede considerarse un orador, puesto que la oratoria, en cualquiera de sus ramas exige el aprendizaje de una serie de conocimientos, indispensables para dominar el proceso de comunicación en el que se desarrolla la oratoria; la sintaxis, las figuras del lenguaje verbal, el empleo de la voz, el uso del lenguaje corporal y un largo etcétera, deberán ser asimilados por toda persona que pretenda considerarse un orador.

Tan es así, que una persona normal, dotada de una elocuencia media, que se haya familiarizado con las reglas de la oratoria, comunicará más eficazmente que alguien con una extraordinaria elocuencia que desconoce estas reglas. Ello es así, dado que el nervio central de la oratoria actual reside en la comunicación eficaz del mensaje y no en una exposición bella y bien construida que por las más variadas razones no llegará al auditorio.

Por lo tanto, el arte de la oratoria se puede aprender.

Centrados en la oratoria forense, nos encontraremos ante abogados noveles que gozarán de una mayor o menor elocuencia, y que cuando se enfrenten a la práctica profesional, deberán ir formándose para pulir y trastocar dicha elocuencia en un dominio de las reglas y principios que rigen la oratoria. Entonces, en ese momento hallaremos al abogado y orador forense.

Una propuesta formativa se fundamenta en los siguientes factores:

- Conocimiento del asunto
- Conocimientos jurídicos
- Argumentación
- Comunicación verbal y no verbal
- Asistencia a los tribunales
- Experiencia y hábito de informar
- Conocimiento renacentista de las artes y ciencias

VIII. ANÉCDOTA

El texto que a continuación constituye el epílogo del informe que pronunció Jiménez de Asúa en un caso sobre el secreto profesional en el sector periodístico, texto en el que tras una primera lectura se comprueba la pátina de un genial orador. El resultado de la causa concluyó con sentencia de absolutoria dictada el mismo día de la celebración del juicio por el Tribunal de Urgencia de Madrid.

"Si nosotros quisiéramos hacer funcionar los meros conceptos formales del tipo contra la esencia misma del concepto jurídico, daríamos sí, mucho valor al Derecho, como forma, pero le haríamos perecer como función.

Los señores Magistrados tienen la forzosa obligación de encontrar en los códigos penales medios para que la injusticia no prospere, para que las gentes sepan que el derecho es lo justo, lo justo y no la injusticia, que se repara con un indulto después de dictarse la condena.

No. Es absurdo condenar y tender luego la mano al penado, diciéndole: «No había más remedio que condenarle a usted porque la ley lo manda; pero yo hubiese hecho igual;

todos nosotros hubiéramos hecho igual». Si la norma de cultura le absuelve, el Derecho ha de absolverle también, para que las gentes no puedan pensar que las leyes son injustas.

Por eso termino, con encendido convencimiento, solicitando la libre absolución de mi patrocinado, con todos los pronunciamientos favorables".

IX. PREGUNTAS PARA EL DEBATE

– ¿Crees que hay personas que tienen la cualidad innata de hablar de forma fluida y elocuente?

– ¿Qué medidas introducirías para mejorar la formación oratoria de los abogados que no han recibido formación universitaria en retórica y/o oratoria?

– ¿Añadirías alguna cualidad a las examinadas en este capítulo para identificar al buen orador forense?

X. LECTURAS RECOMENDADAS

Con la venia, Manual de oratoria para abogados. Fernández León, Ó (2013). Aranzadi.

Arte de la persuasión oral. Vicente Fernández, A (2013). Astrea

XI. SABIDURÍA POPULAR

"Y no hay para un orador pensamiento útil que no pueda expresarse de forma conveniente y plena, como tampoco brillantez alguna en las palabras, si no se disponen ordenadamente con todo esmero" Cicerón.

La vocación

SUMARIO: I. CONCEPTO. II. CARACTERÍSTICAS. III. ¿POR QUÉ ES IMPORTANTE LA VOCACIÓN PARA EL ABOGADO? IV. EL ABOGADO CON VOCACIÓN. V. EL ABOGADO SIN VOCACIÓN. VI. EJEMPLOS PRÁCTICOS. VII. ¿CÓMO SE ADQUIERE O MEJORA? VIII. ANÉCDOTA. IX. PREGUNTAS PARA EL DEBATE. X. LECTURAS RECOMENDADAS. XI. SABIDURÍA POPULAR.

I. CONCEPTO

La vocación es la llamada o voz interior que sentimos y nos impulsa hacia una profesión, al ejercicio de una actividad determinada, o una misión personal. Por lo tanto, estamos hablando de una inclinación o preferencia, un querer, un ideal, algo que nos exige una determinada exclusividad hacia algo.

La vocación debe distinguirse de las aptitudes personales adecuadas para el ejercicio de la profesión a la que nos dirige aquélla, pues son elementos completamente distintos. Mientras la vocación es la llamada interior, las aptitudes no son más que las condiciones intelectuales, físicas, morales, etc… indispensables para poder desarrollar con la capacidad necesaria una determinada actividad. Y si bien la diferencia es clara, lo cierto es que suelen confundirse ambos conceptos, aunque es indudable que existe una enorme interconexión entre ambos. Si de niños se nos da bien la pintura o somos buenos contando cuentos tendremos habilidades para ser pintores o escritores respectivamente, pero esto no significará que tengamos esa vocación, aunque, insisto, estas habilidades influirán poderosamente en nuestra llamada vocacional. Esta reflexión es muy importante pues, como veremos más adelante, se darán casos, muy penosos, de profesionales con habilidades pero sin vocación.

II. CARACTERÍSTICAS

Entre las características de la vocación podemos señalar las siguientes:

– Como cualquier sentimiento o emoción, la vocación nace del interior del sujeto al amparo de su propia intimidad. Por tanto, es algo que no se adquiere del exterior, sino que nace en el interior de la persona.

– La vocación conlleva, ineludiblemente, el disfrute de lo que se hace. Al derivar de nuestro interior, la vocación logra aunar la fuerza de la elección, materializada en el deseo de hacer algo muy concreto, con la realización de un fin o propósito en el que presumiblemente nos sentiremos felices.

– La vocación se cultiva con entusiasmo, entrega, esfuerzo y pasión.

III. ¿POR QUÉ ES IMPORTANTE LA VOCACIÓN PARA EL ABOGADO?

La vocación, definitivamente, juega un papel esencial en la profesión de abogado. Sin vocación, la abogacía se convierte, como nos dice Abelardo Torré[1] en un poso de amargura:

"(…), aquellos que desempeñen una labor por la que no sientan atracción alguna, llevarán siempre consigo un sedimento de amargura y, más aún, de derrota, al par que no reportarán a la sociedad, la utilidad que hubieran producido en otra actividad que armonice con su vocación".

Y es que nuestra profesión, que es compleja, difícil y exigente debido a que los conflictos jurídicos en los que interviene el abogado, ocultan un drama en el que los adversarios disputan sobre bienes, valores y derechos, los cuales tienen como centro un enfrentamiento humano en el que la persona constituye el principio y fin del derecho que tiene como objeto la realización de la justicia[2]. Si a ese trasfondo humano añadimos que nuestra vida profesional se desarrolla en unas condiciones muy especiales (los retrasos de la justicia, el sometimiento al criterio aplicativo de los jueces en un mundo en el que prevalece la dinámica victoria-derrota, etc…), es natural afirmar que los abogados estamos sometidos a un desgaste personal y profesional permanente, que va a requerir ineludiblemente de nuestra vocación o, lo que es lo mismo, de nuestra entrega total y absoluta, amando lo que estamos haciendo.

Vale la pena traer a colación las palabras de Víctor Manuel Pérez Valera[3], quien nos comenta en su libro Deontología Jurídica La Ética en el ser y

---

1. *Introducción al Derecho.* Torré, A. (2003). Ed.14ava. LexisNexis-Abeledo Perrot.
2. *El conflicto jurídico es humano.* Sinópoli, S. (2011). Revista digital LegalToday. Blog psicología para abogados.
3. *Sobre el Alma de la Toga.* Muñoz-Cobo González, D. (2009).Pág. 126. Tirant lo Blanch.

quehacer del abogado, que _"la vocación del abogado, es muy semejante a la del médico, ya que el Doctor ve por la salud del ser humano, cura algunas veces, alivia frecuentemente y consuela siempre, algo semejante se dice del abogado; algunas veces logrará que triunfe completamente la justicia, otras veces parcialmente, pero aunque no logre el éxito siempre mostrará el aspecto humano de resignación ante las fallas de la justicia humana"._

IV. EL ABOGADO CON VOCACIÓN

Los abogados nos servimos del derecho (la ciencia y técnica jurídicas) consultando e interpretándolo con el fin de cumplir con nuestras ya conocidas funciones de consejo, mediación o defensa, funciones que se realizan con el fin de suministrar al cliente o, en última instancia, al juez, aquellas soluciones de la controversia que sean posibles y factibles de conformidad con el ordenamiento jurídico en el que intervenimos. Por lo tanto, los abogados auxiliamos a la sociedad en la resolución de conflictos mediante el consejo y la defensa de intereses ajenos.

Este compromiso, que llevamos a cabo a través de nuestras funciones, se materializa precisamente cuando, contratados por un cliente, trabajamos denodadamente en resolver el problema planteado con ilusión, entrega, autoexigencia, viviendo el caso y encontrando soluciones insospechadas tras horas de estudio y consulta de normas, doctrina y jurisprudencia. Luego, llegará la satisfacción por el trabajo bien hecho y la íntima convicción de que estamos viviendo vocacionalmente nuestra profesión, es decir, hacer las cosas de la mejor forma posible, buscando siempre la justicia, sin apartarnos de los valores de la profesión y lo mejor para el cliente sin perder el fin o motivo de nuestro ser personal y profesional.

V. EL ABOGADO SIN VOCACIÓN

Ya hemos indicado que es natural afirmar que los abogados estamos sometidos a un desgaste personal y profesional permanente, lo que va a requerir ineludiblemente de nuestra vocación o lo que es lo mismo, de nuestra entrega total y absoluta, amando lo que estamos haciendo. Caso contrario, el abogado sólo lo será en su denominación, pero difícilmente podrá cumplir sus funciones con el compromiso exigido y que fortalece la vocación. Si no se siente amor por la profesión, los embates negativos de nuestra profesión serán insoportables.

Decía Angel Ossorio[4] que _"sin ilusión se pueden llevar los libros de un comerciante, pero el abogado, o lo es con apasionamiento lírico, o no puede ser, porque soportar_

---

4.   Obra citada. _Vid._ Nota al pie número 16 en el capítulo 11.

de por vida una profesión que no se estima es miserable aherrojamiento, sólo compararse a casarse con quien no se ama".

VI. EJEMPLOS PRÁCTICOS

A efectos de ilustrar los ejemplos prácticos nos limitaremos a dar por reproducido el contenido del apartado 4 (el abogado con vocación).

VII. ¿CÓMO SE ADQUIERE O MEJORA?

El conocimiento del objeto vocacional es aquí fundamental pues esta, que se sustenta en el disfrute y en el amor hacia lo que se hace, requiere de la experimentación y con ello de la emoción y el sentimiento, elementos estos que faltan en los primeros pasos del abogado, limitados a un aprendizaje centrado en el estudio de expedientes, asistencia a juicios y, todo lo más, su presencia en las reuniones con los clientes.

Por lo tanto, la vocación de abogado nace y crece con el ejercicio de la profesión, mejor dicho, con el aprendizaje y posterior ejercicio. Cuando el joven abogado experimente el sacrificio intelectual, psicológico y personal que supone el ejercicio de la profesión y, a pesar de ello, tras racionalizarlos y sentirlos emocionalmente, descubra que disfruta haciendo eso que, a pesar de los inconvenientes, le gusta, entonces la llama de la vocación se habrá encendido y debidamente alimentada, tenderá a crecer a medida que pasen los años.

Como señala Abelardo Torré, *"No puede sentirse inclinación por algo que no se conoce; (…), para tener una vocación auténtica, es necesario, (…), tener una idea aproximada de esa ciencia y de la vida profesional respectiva"*, y diríamos más: cuando hablamos de idea aproximada estamos hablando de vivir la profesión y si nos gusta, si nos realiza personalmente y, en definitiva, si nos hace disfrutar, habremos encontrado la vocación.

Juan Manuel de Prada expone este aspecto con notable elocuencia: *"la vocación no sólo es una llamada que, como una varita mágica, desciende sobre nosotros, sino que es también una senda trabajosa, es una senda de arduo recorrido, es una senda en la que a veces los descubrimientos, las decepciones, en definitiva todo lo que conforma la elección de lo que va a ser nuestra vida, viene determinada por nuestros desvelos, por nuestro esfuerzo. Sin ese esfuerzo, creo que la llamada de la vocación cae en terreno estéril, en ese terreno yermo en el que no prende"*.

Si bien, como hemos visto, la vocación es algo innato, entiendo que el magisterio es fundamental para el nacimiento de una sólida vocación, la vocación es algo que se proyecta sobre el futuro, pero que se alimenta, se nutre del pasado, de lo que otros han aprendido antes que nosotros; y sin ese doble vínculo la vocación no puede llegar a completarse, por ello es fundamental la labor que deben desarrollar los abogados experimentados en ayudar a los jóvenes abogados a alcanzar la vocación o, dicho de otra forma, a vivir vocacionalmente la profesión. La formación de los jóvenes abogados requiere un compromiso muy serio por los veteranos en tal sentido, no debiendo limitarse a la transmisión de conocimientos técnicos y prácticas profesionales, sino que habrá que ayudarlos a comprender y a vivir los "momentos" de la profesión en las que tantas preguntas nos hacemos...

VIII. ANÉCDOTA[5]

Cuenta Gorki la historia de un pensador ruso que pasaba por una etapa de cierta crisis interior y decidió ir a descansar unos días a un monasterio. Allí le asignaron una habitación que tenía en la puerta un pequeño letrero en el que estaba escrito su nombre. Por la noche, no lograba conciliar el sueño y decidió dar un paseo por el imponente claustro. A su vuelta, se encontró con que no había suficiente luz en el pasillo para leer el nombre que figuraba en la puerta de cada dormitorio.

Fue recorriendo el claustro y todas las puertas le parecían iguales. Por no despertar a los monjes, pasó la noche dando vueltas por el enorme y oscuro corredor. Con la primera luz del amanecer distinguió al fin cuál era la puerta de su habitación, por delante de la cual había pasado tantas veces, sin reconocerla.

Aquel hombre pensó que todo su deambular de aquella noche era una figura de lo que a los hombres nos sucede con frecuencia en nuestra vida. Pasamos muchas veces por delante de la puerta que conduce al camino que estamos llamados, pero nos falta luz para verlo.

Saber cuál es nuestra misión en la vida es la cuestión más importante que debemos plantearnos cada uno, y que podemos plantear a quienes queremos ayudar a vivir con acierto. La vocación es el encuentro con la verdad sobre uno mismo.

IX. PREGUNTAS PARA EL DEBATE

– ¿Recuerdas cuando nació la vocación en ti?

– ¿Te consideras un abogado con vocación? ¿Por qué?

– ¿Cuándo te ha ayudado la vocación?

---

5. Anécdota referida o extraída de la siguiente fuente: de *https://www.interrogantes.net/ category/grandes-temas/anecdotas-relatos-y–reflexiones-sobre-la-vocacion/*.

X. LECTURAS RECOMENDADAS

Sobre el Alma de la Toga. Muñoz-Cobo González, D. (2009). Tirant lo Blanch.

El conflicto jurídico es humano. Sinópoli, S. (2011). Revista digital LegalToday. Blog psicología para abogados. Recuperado de: *http://www.legaltoday.com/opinion/articulos-de-opinion/el-conflicto-juridico-es-humano.*

El Libro de los Valores. Villapalos, G., y López Quintas, A. (1997). Planeta Testimonio.

XI. SABIDURÍA POPULAR

"El que encuentra un trabajo que le gusta, deja de trabajar para toda la vida". Proverbio Hindú.

"Su capacidad creadora es infinita, y todo ese proceso, prolijo y menudo, penosísimo, de la preparación para la ciencia y para la profesión científica, se abrevia y facilita bajo el signo de la vocación como por arte de encantamiento. Y esto es la vocación, encanto o encantamiento, que hace luz de la oscuridad y ligereza del esfuerzo". Gregorio Marañón.

Habilidades deontológicas

18

Confianza

I. CONCEPTO

La confianza es definida como la esperanza firme que se tiene de alguien o de algo, esperanza que se constituye como un elemento esencial de toda relación entre personas. También llamada "el pegamento humano" es un valor del que se nutren todas las relaciones (personales y profesionales) para facilitar la comunicación que nos permite mejorar y crecer como seres humanos.

Hilda M.ª Garrido, citando a Jones, K., señala que la confianza es una actitud de optimismo de aquel que confía en que la buena voluntad y competencia de otro se ampliará para abarcar el ámbito de interacción con él, junto con la expectativa de que ese otro actuará directa y favorablemente movido por la idea de que contamos con él. Por lo tanto, siguiendo a esta autora, para que se dé la confianza en toda relación (desde la perspectiva del que confía) es necesario que concurran los siguientes elementos:

- La aceptación del riesgo de que la persona en la que ha confiado traicione dicha confianza.

- El optimismo que debe presidir el enfoque de la persona que confía respecto del comportamiento del otro.

Ello nos lleva a que la confianza en alguien nos proporciona un alto nivel de seguridad respecto a la conducta futura de la persona en la que confiamos, y ello al amparo de un juicio de futuro, algo similar a un acto de fe, que nos permite suponer que esa persona va a actuar conforme a lo esperado y acordado manteniendo sus compromisos.

II. CARACTERÍSTICAS

Entre las características que conforman la confianza hemos de destacar las siguientes:

- La confianza se construye, no se crea. La confianza se construye a través de un proceso de interacción en el que intervienen conjuntamente ambas partes, donde el tiempo y la experiencia permitirá que quien pretende alcanzar la confianza pueda observar y evaluar la conducta del otro para alcanzarla.

- Nace de nuestro interior, desde dentro, y está íntimamente vinculada a nuestra personalidad.

- Surge cuando la persona se siente aceptada, respetada, escuchada y considerada.

- La confianza crece cuando es correspondida con la confianza.

- Se fortalece con la superación de las dificultades.

- Se encuentra asentada en valores como la integridad, la veracidad o la lealtad que suministrarán el combustible para que la confianza persista.

- Consume muy poca energía, ya que, siguiendo a Oscar Anzorena, cuando estamos en un estado anímico de confianza sentimos que no hay nada de qué preocuparnos. Actuamos desde una sensación de seguridad y poseemos una expectativa positiva de futuro. El estado de ánimo de la confianza surge ante una interpretación de un futuro que nos parece previsible y tranquilizador.

- Facilita la comunicación y nos permite mejorar y crecer como seres humanos.

III. ¿POR QUÉ LA CONFIANZA ES IMPORTANTE PARA EL ABOGADO?

En primer lugar, hemos de partir de que constituye un deber deontológico profesional de primer orden. Así, el artículo 4 del Código Deontológico de la Abogacía Española señala respecto del fundamento de la confianza lo siguiente:

Artículo 4. Confianza e integridad

1. La relación con el cliente se fundamenta en la recíproca confianza y exige una conducta profesional íntegra, honrada, leal, veraz y diligente.

2. Es obligación no defraudar la confianza del cliente y no defender intereses en conflicto, sean propios o de terceros.

3. En los casos de ejercicio colectivo o en colaboración con otros profesionales, quienes ejercen la Abogacía tendrán el derecho 17 Código Deontológico de la Abogacía Española _y la obligación de rechazar cualquier intervención que pueda resultar contraria a los principios de confianza e integridad o que pueda implicar conflicto de intereses con otros clientes del despacho, cualquiera que sea el que los atienda._

Igualmente, a la hora de tratar las **relaciones entre abogados y clientes**, el mismo Código nos indica en el apartado 1.º de su artículo 11 que _en las relaciones entre profesionales de la Abogacía se guardarán las siguientes reglas de conducta:_

1. Deben mantener quienes ejercen la Abogacía recíproca lealtad,

La confianza es el elemento o condición _sine qua non_ de toda relación entre abogado-cliente. Si en las relaciones entre las personas la confianza representa un factor esencial, imaginemos la importancia que adquiere en una relación profesional en la que el cliente accede al abogado con un conflicto que afecta gravemente a su persona o patrimonio con la esperanza y necesidad de que el profesional, dotado de un conocimiento que aquel carece, resuelva satisfactoriamente la controversia que ha puesto en peligro sus bienes. En este caso, propio de las relaciones profesionales, nos encontramos no sólo ante una situación de verdadera necesidad, sino además de cierta dependencia derivada de la exclusividad del conocimiento y experiencia de la que está dotado el profesional.

IV.   EL ABOGADO QUE TRANSMITE CONFIANZA

El abogado que genera confianza es honrado, probo, recto, leal y actuará en todo momento con responsabilidad, pues el abogado debe actuar siempre honesta y diligentemente, con competencia, con lealtad al cliente, respeto a la parte contraria, guardando secreto de cuanto conociere por razón de su profesión.

Para ello, no hemos de olvidar que tras siglos de experiencia, nuestros códigos profesionales han entendido que nuestra profesión se rija de acuerdo con determinados postulados, con el fin de garantizar que nuestra función (el consejo jurídico, la mediación y negociación y, finalmente, la defensa ante los tribunales) se desarrolle a satisfacción de los intereses del cliente, por lo que dando cumplimiento adecuadamente a los mismos, asumiéndose con ello este compromiso, la transformación de la confianza generosa en confianza definitiva será un hecho incontrovertido. Por lo tanto, el abogado que transmite confianza será aquel que, además de saber hacer bien su trabajo, actúa en todo momento de forma profesional, en cumplimiento de unas normas que la propia sociedad ha establecido para garantizar que el profesional cumpla con sus obligaciones so pena de ser sancionado.

Un abogado que transmite confianza sabe aconsejar de modo que sus clientes aceptan el consejo de forma espontánea sin cuestionarlo; los informa de manera constante y se desvive por la defensa de sus intereses. Generalmente, cuentan con la amistad y afecto de los clientes.

V. EL ABOGADO QUE NO TRANSMITE CONFIANZA

Generalmente, puede transmitirse poca confianza debido a problemas de comunicación o falta de información al cliente sobre el estado de su asunto. No obstante, la falta de confianza se suele producir como consecuencia directa del incumplimiento de los principios, reglas y deberes que informan la profesión (determinantes, como hemos visto, para que se consolide la relación de confianza), puesto que dichas obligaciones profesionales se encuentran establecidas precisamente para garantizar una actuación verdaderamente comprometida en la defensa de los intereses de su cliente. Y si cualquier abogado así no lo hiciere, su actuación individual afectará al honor y dignidad de toda la profesión.

Un abogado que no genera confianza crea en el cliente recelos, dudas y temores sobre la recta llevanza de su asunto, situación que suele concluir con la pérdida del cliente.

VI. EJEMPLOS PRÁCTICOS

La confianza comienza a transmitirse en la primera entrevista con el cliente, ya que la consulta es la carta de presentación del abogado. Para generar dicha confianza el abogado debe seguir unas sencillas reglas:

1. Cuando el cliente llega al despacho debe ser atendido con la máxima amabilidad y respeto por el personal de recepción. Es muy reconfortante para el cliente hacerle saber que se le espera y que enseguida será atendido. Con una agenda de visitas bien organizada se evitarán retrasos y esperas.

2. La presentación del abogado debe ser afectuosa y cortés, tratando desde el principio de crear una buena impresión a través de una imagen de seguridad, prudencia y profesionalidad (es conveniente llevar una tarjeta de visita y entregarla bien al principio o al final de la consulta).

3. Una vez sentados, comienza el proceso de comunicación, en el que hay que conjugar tres elementos claves: escuchar, preguntar y reformular. Aquí encaja perfectamente la regla de los dos tercios: escuchar el doble que lo que se habla; y al hablar, formular el doble de preguntas que afirmaciones; y al afirmar las palabras del cliente (reformular), hacerlo el doble que las propias. De esta forma, la comunicación será más coherente y eficaz.

4. En dicho proceso de comunicación debemos estar armados de calma y paciencia ya que, como decía Martinez del Val, _"la prisa es enemiga de la consulta. Consecuencia: la prisa es enemiga de la profesión. Todo menos dar la impresión de desasosiego y ligereza"_. El cliente requiere y merece toda nuestra atención y concentración.

5. Lógicamente, el cliente es quien, al principio, expone su problema, por lo que el abogado tendrá que emplear la denominada escucha activa, es decir, estar en silencio pero involucrarse con la exposición del cliente a través de miradas y gestos que le hagan ver y sentir que estamos atentos a su relato. Hay que escuchar no sólo lo que dice, sino como lo dice. Si hay que interrumpir su exposición, esta debe realizarse siempre reformulando los puntos esenciales de lo que el cliente ha expuesto y preguntar a continuación.

Con independencia de la primera entrevista, los abogados debemos ser generadores permanentes de confianza, puesto que los clientes requieren de una relación personal _(intuitu personae)_ que se va a prolongar en el tiempo. Para ello, debemos emplear aquellos elementos que nos ayuden a hacer germinar la relación: el cumplimiento de los principios esenciales de la abogacía y el desarrollo de conductas catalizadoras de la confianza.

Los principios, reglas y deberes que informan la profesión del abogados (independencia, libertad, diligencia, competencia, secreto profesional) van a ser determinantes para que se consolide la relación de confianza, puesto que será preciso que el abogado actúe en todo momento en cumplimiento de sus obligaciones profesionales, establecidas precisamente para garantizar una actuación verdaderamente comprometida en la defensa de los intereses de su cliente.

Respecto a los elementos catalizadores de la confianza, nos referimos con ello a aquellas conductas, actitudes y procesos que el abogado y el despacho es capaz de desplegar simultáneamente a la prestación de su servicio con el fin de generar confianza y valor añadido a la relación profesional (capacidad técnica, comunicación, información, accesibilidad, honradez, etc.). Estos elementos, que no difieren en importancia, están interrelacionados y su implantación en cada relación profesional será una prioridad para todo el equipo (directivos, abogados y personal).

Derivado de lo anterior, el cliente requerirá en todo momento de la relación una comunicación permanente y constante de información, facilitada por la accesibilidad y capacidad de respuesta del abogado.

Finalmente, la confianza debe igualmente mostrarse tanto en nuestras actuaciones ante otros colegas, como ante los jueces en nuestras intervenciones en sala. Ello nos irá creando una reputación que, a la larga, será muy valiosa.

VII. ¿CÓMO SE ADQUIERE O MEJORA?

Siendo prenda esencial del abogado, la mejor forma para desarrollarla es mediante la autobservación, pues esta nos permitirá comprobar que estamos empleando los elementos que nos ayudarán a alcanzarla y que ya han sido citados: el cumplimiento de los principios esenciales de la abogacía y el desarrollo de conductas catalizadoras de la confianza.

Finalmente, señalar que esta será elemento que nos indique nuestra evolución y progreso, así como la calidad de la relación con nuestros clientes.

VIII. ANÉCDOTA

La cuerda[1]

"Cuentan que un alpinista desesperado por conquistar el Aconcagua, inició su travesía después de años de preparación. Pero quería la gloria para él solo, por lo tanto subió sin compañeros.

Empezó a subir y se fue haciendo más tarde y más tarde. No se preparó para acampar, sino que siguió subiendo decidió a llegar a la cima, hasta que se hizo la oscuridad.

La noche cayó con gran pesadez en la altura de la montaña; ya no podía ver absolutamente nada. Todo era negro, visibilidad cero, no había luna y las estrellas estaban cubiertas por las nubes.

Subiendo por un acantilado, a solo 100 metros de la cima, resbaló y se desplomó por los aires… Caía a una velocidad vertiginosa solo podía ver veloces manchas más oscuras, que pasaban en la misma oscuridad y la terrible sensación de ser succionado por la gravedad…

Seguía cayendo… y en esos angustiosos momentos, le pasaron por su mente todos los gratos y no tan gratos momentos de su vida. Pensaba que iba a morir, sin embargo de repente sintió un tirón muy fuerte que casi lo partió en dos…. Sí, como todo alpinista experimentado, había clavado estacas de seguridad con candados a una larguísima soga que lo amarraba de la cintura. Después de un momento de quietud suspendido por los aires, gritó con todas sus fuerzas: «¡¡¡AYÚDAME, DIOS MIO!!!»

De repente, una voz grave y profunda de los cielos le contestó: «¿QUÉ QUIERES QUE HAGA, HIJO MÍO?»

«Sálvame, Dios Mío».

«¿REALMENTE CREES QUE TE PUEDO SALVAR?»

---

1. Anécdota referida o extraída de la siguiente fuente: *https://www.anecdonet.com/11/27/la-cuerda-confianza/*.

«Por supuesto, Señor»

«ENTONCES CORTA LA CUERDA QUE TE SOSTIENE...»

Hubo un momento de silencio y quietud. El hombre se aferró más a la cuerda y reflexionó.

Cuenta el equipo de rescate que el día siguiente encontraron colgado a un alpinista muerto, congelado, agarrado fuertemente con las manos a una cuerda.

A TAN SÓLO DOS METROS DEL SUELO..."

IX. PREGUNTAS PARA EL DEBATE

– Como abogado, ¿tienes confianza en ti mismo?

– ¿Te das cuenta cuando el cliente no tiene suficiente confianza en ti?

– ¿Qué harías si notarás que el cliente no confía en ti?

X. LECTURAS RECOMENDADAS

Sobre la confianza. Pereda, C. (2010). Herder.

El Libro de los Valores. Villapalos, G., y López Quintas, A. (1997). Planeta Testimonio.

XI. SABIDURÍA POPULAR

"La confianza es un edificio difícil de construir, fácil de demoler y muy difícil de reconstruir". Augusto Cury.

"Si a las personas les gustas, te escucharán, pero si confían en ti, harán negocios contigo". Zig Ziglar.

"No me molesta que me hayas mentido, me molesta que a partir de ahora no pueda creerte". Friedrich Nietzsche.

"La confianza del inocente es la herramienta más útil del mentiroso". Stephen King.

"La mejor manera de saber si puedes confiar en alguien es confiando". Ernest Hemingway.

"Ve con confianza en la dirección de tus sueños. Vive la vida que has imaginado". Henry David Thoreau.

"No confíes en las personas que te cuentan los secretos de otras personas". Dan Howell.

"*La forma de desarrollar la confianza en ti mismo es hacer lo que temes y llevar un registro de tus experiencias exitosas*". William Jennings Bryan.

"*Se necesitan 20 años para construir una reputación y cinco minutos para arruinarla*". Warren Buffett.

"*La incapacidad de abrirse a la esperanza es lo que bloquea la confianza, y la confianza bloqueada es la razón de los sueños arruinados*". Elizabeth Gilbert.

19

Diligencia

I. CONCEPTO

Nuestro Diccionario de la RAE define la diligencia como "cuidado, prontitud, agilidad y actividad en hacer lo que se debe hacer" término que procede de *diligentia*, es decir, del cuidado en hacer algo. La diligencia es una virtud, y como tal, viene referida a acometer una actividad (especialmente el trabajo) con eficacia y buen hacer en búsqueda de la excelencia.

A lo anterior, y circunscritos a la diligencia del abogado, el Estatuto General de la Abogacía Española establece como obligaciones del Abogado para con la parte por él defendida, "además de las que se deriven de la relación contractual que entre ellos existe, la del cumplimiento con el máximo celo y diligencia y guardando el secreto profesional, de la misión de defensa que le sea encomendada, atendiendo en el desempeño de esta función a las exigencias técnicas, deontológicas y morales adecuadas a la tutela jurídica de cada asunto". Precisa asimismo el Estatuto General, "que el Abogado realizará diligentemente las actividades que le imponga la defensa del asunto confiado".

II. CARACTERÍSTICAS

La diligencia debida debe ceñirse al respeto de la lex artis (reglas del oficio), esto es, de las reglas técnicas de la abogacía comúnmente admitidas y adaptadas a las particulares circunstancias del caso (lex artis ad hoc)

La jurisprudencia no ha formulado con pretensiones de exhaustividad una enumeración de los deberes que comprende el ejercicio de este tipo de actividad profesional del abogado, si bien se han perfilado únicamente a título de ejemplo algunos aspectos que debe comprender el ejercicio de esa prestación:

- informar de la gravedad de la situación, de la conveniencia o no de acudir a los tribunales, de los costos del proceso y de las posibilidades de éxito o fracaso;

- cumplir con los deberes deontológicos de lealtad y honestidad en el desempeño del encargo;

- observar las leyes procesales; y aplicar al problema los indispensables conocimientos jurídicos (STS de 14 de julio de 2005).

III. ¿POR QUÉ ES IMPORTANTE LA DILIGENCIA PARA EL ABOGADO?

La diligencia, exigible en todas las actividades laborales y profesionales, es esencial en la profesión de abogado, y ello debido a la importancia de los intereses que defendemos (la libertad, el patrimonio, el honor, etc.) y a la dificultad intrínseca de nuestra actividad. De hecho, nuestras normas deontológicas exigen el reflejo de esta virtud en el comportamiento del abogado:

Estatuto General de la Abogacía.

Artículo 42

1. Son obligaciones del abogado para con la parte por él defendida, además de las que se deriven de sus relaciones contractuales, el cumplimiento de la misión de defensa que le sea encomendada con el máximo celo y diligencia y guardando el secreto profesional.

Código Deontológico de la Abogacía Española

Artículo 4.1.

La relación entre el cliente y su abogado se fundamenta en la confianza y exige de éste una conducta profesional íntegra, que sea honrada, leal, veraz y diligente.

Artículo 13.10

El Abogado asesorará y defenderá a su cliente con diligencia, y dedicación, asumiendo personalmente la responsabilidad del trabajo encargado sin perjuicio de las colaboraciones que recabe.

A la vista de tales preceptos, la diligencia se sustenta en una conducta por la que el profesional se compromete a realizar el encargo con la máxima atención, celo y responsabilidad, de modo que el cliente se sienta asesorado en todo momento, sabedor de que su abogado llevará a cabo cuantas gestiones sean necesarias para el mejor desarrollo del encargo, lo que conduce a una conducta que se manifiesta en una doble perspectiva: la atención al cliente y la ejecución del servicio. Igualmente, vinculada a dicha máxima atención y concentración en el encargo, y como contenido de la diligencia, se incluye la obligación del abogado de formarse y actualizar sus conocimientos para ofrecer el mejor servicio.

IV. EL ABOGADO DILIGENTE

Por lo tanto, una persona diligente se caracteriza por ser capaz de reflexionar de forma objetiva y mostrarse dispuesta a cumplir con su deber con interés y celeridad, lo que supone disponer de un alto sentido de responsabilidad, sabedora de la necesidad de ser fiel a sus promesas.

Por lo tanto, un abogado diligente:

– Escucha atentamente y con paciencia a sus clientes.
– Informa de forma periódica a sus clientes sobre el estado del asunto.
– Se encuentra disponible y atiende a sus clientes.
– Imprime celeridad a sus servicios.
– Profundiza en los encargos hasta encontrar la solución o defensa más adecuada.
– Se forma y actualiza constantemente.
– En definitiva, muestra una absoluta voluntad de servicio al cliente.

V. EL ABOGADO NEGLIGENTE.

Pero, ¿qué ocurre cuando falta la diligencia en un abogado?

En tales casos aparece la otra cara de la moneda: la negligencia, o lo que es lo mismo, según el Diccionario de la RAE nos encontraremos ante un descuido, falta de cuidado o falta de aplicación.

Sustancialmente, las conductas negligentes en la abogacía se caracterizan por la desatención de las labores que comprenden el encargo profesional, comprendiendo un amplio abanico de conductas: descuidos, retrasos, olvidos, desatención, falta de disponibilidad, falta de preparación, desinterés, impuntualidad, etc., que llevan a la plena insatisfacción del clientes y, en la mayoría de los supuestos, a la generación de un daño o perjuicio.

VI. EJEMPLOS PRÁCTICOS

Como ejemplos prácticos, que mejor que citar algunas de las conductas contrarias a la diligencia, es decir, conductas negligentes, entre las que podemos destacar las siguientes:

- Ralentizar la prestación del servicio ante la falta de pago de los honorarios.

- No presentarse a una vista.

- Dejar transcurrir plazos para alegar, recurrir, etc. quedando precluido el trámite.

- Desatender al cliente, siendo materialmente imposible el acceso de éste a su abogado.

- Aceptar encargos careciendo de la preparación técnica adecuada.

- Asistir a juicio sin la debida preparación de la vista.

- Dejar de asistir a un cliente en prisión preventiva.

- Descuidar la formación necesaria para la prestación de los servicios.

- La pérdida de documentos del cliente.

VII. ¿CÓMO SE ADQUIERE O MEJORA?

La diligencia del abogado debe adquirirse con el compromiso a ejercer la profesión, si bien existen una serie de conductas que pueden ayudarnos a mantenerla[1]:

- El empleo de la paciencia a la hora de escuchar a nuestros clientes.

- La celeridad en la tramitación de los asuntos.

- El máximo interés en el caso.

- La formación y autoformación constante.

- La puntualidad en el cumplimiento de los plazos.

VIII. ANÉCDOTA

El obrero que no puso diligencia[2]

Había una vez un hombre que era un obrero muy eficiente. Había trabajado por muchos años para una gran compañía; y un día alcanzó la edad suficiente para retirarse. El constructor, u patrón le pidió que hiciera una última cosa, éste sería ya su último encargo.

El obrero aceptó el trabajo, pero no lo hizo con todo corazón. Utilizó materiales de mala calidad, la madera era mala y no le importaron los detalles por los que normalmente se preocupaba cuando estaba interesado en el trabajo.

---

1. Deontología profesional del abogado. Ángela Aparisi. Tirant lo Blanch.
2. Anécdota referida o extraída de la siguiente fuente: *https://www.anecdonet.com/02/15/el-obrero-que-no-puso-diligencia/*.

Cuando la casa estuvo terminada, su patrón lo llamó y le dijo: "Esta casa es tuya, aquí están las llaves, es mi regalo para ti". El obrero se arrepintió inmediatamente de no haber usado los mejores materiales y de no haber contratado los mejores trabajadores. Si solamente hubiera sabido que la casa era para él...

IX. PREGUNTAS PARA EL DEBATE

– ¿Crees que la diligencia es un valor clave del abogado?

– ¿Has sido en alguna ocasión poco diligente en tu actuación profesional?

– ¿Percibes en otros compañeros faltas de diligencia?

X. LECTURAS RECOMENDADAS

Deontología profesional del abogado. Aparisi, Á (2018). Tirant lo Blanch.

XI. SABIDURÍA POPULAR

"El cuidado y la diligencia traen suerte". Thomas Fuller.

"Pocas cosas son imposibles a la diligencia y laboriosidad". Ben Jonson.

"Si te propones algún día mandar con dignidad, debes servir con diligencia". Cartas a su hijo. Felipe Stanhope de Chesterfield.

Honestidad

I. CONCEPTO

La honradez es una virtud que para el abogado significa comportarse con integridad, apegado a la realidad y en función de la verdad.

II. CARACTERÍSTICAS

Como características de la honestidad encontramos las siguientes:

• Es de los valores que estructuran nuestro comportamiento profesional.

• Se nutre de la sinceridad en lo que decimos, de la fidelidad a nuestras promesas, y de la justicia e integridad de nuestra conducta.

• Se apoya en principios morales y de sana conducta.

• Es el principal generador de confianza en las relaciones interpersonales.

III. ¿POR QUÉ ES IMPORTANTE LA HONESTIDAD PARA EL ABOGADO?

La honestidad es esencial para el ejercicio profesional del abogado. Así se recoge en el preámbulo del Código Deontológico que establece lo siguiente:

"La honradez, probidad, rectitud, lealtad, diligencia y veracidad son virtudes que deben adornar cualquier actuación. Ellas son la causa de las necesarias relaciones de confianza con el cliente y son la base del honor y la dignidad de la profesión. Se debe actuar siempre honesta y diligentemente, con competencia, con lealtad al cliente, con respeto a la parte contraria, y guardando secreto de cuanto conociere por razón de su profesión. Y cualquiera que así no lo hiciere afecta al honor y dignidad de toda la profesión con su actuación individual".

Como bien señala la Doctora Centeno González, *"la honestidad es el eje transversal que debe regir en todo el proceder de un profesional del Derecho. Honestidad consigo mismo de saber qué hace lo correcto. Honestidad para con el cliente, para ser claro en sus estrategias y no crear falsas expectativas. Por último, honestidad con su contraparte para desarrollar procesos transparentes en donde brille la justicia, la cual sólo puede alcanzarse cuando los actores del sistema –juez secretario, fiscal y abogado–, ponen en juego además de sus conocimientos sus valores morales".*

IV. EL ABOGADO HONESTO

El buen abogado, es realista y objetivo en su asesoramiento y no ocultará jamás la verdad a su cliente, a quien informará con realismo con el fin de no crear falsas expectativas. De esta forma, siendo honesto, se ganará la confianza y el respeto necesario para actuar con independencia en el ejercicio profesional. Igualmente, actuará con transparencia y respeto de las normas deontológicas y procesales en su actuar diario con sus compañeros, jueces y otros operadores jurídicos.

En el abogado honesto destaca el rasgo de la independencia, pues su apego a la verdad le impedirá sentirse influido por situaciones que conlleven al incumplimiento de los deberes impuestos para con su cliente.

V. EL ABOGADO DESHONESTO

Parafraseando a la Doctora Centeno González, *"sin una sólida honestidad (…) los conocimientos serían inútiles e irían encaminados a crear caos y zozobra en nuestra comunidad. La injusticia iría poco a poco corrompiendo la esperanza, acabaría con las relaciones interpersonales respetuosas, nos orillaría al desplome del Estado de Derecho y a la instauración del desorden social y la anarquía".*

Por lo tanto, un abogado deshonesto constituye el mayor atentado que puede cometerse a la abogacía, y supone un verdadero despropósito perseguible por las normas deontológicas de la profesión y, en su caso, penales.

En definitiva, un abogado deshonesto no puede considerarse un verdadero abogado.

VI. EJEMPLOS PRÁCTICOS

En nuestra actividad profesional, la honradez adquiere especial importancia en las relaciones con los distintos operadores jurídicos, pero muy especialmente en los siguientes supuestos en los que interactúa con el cliente:

- A la hora de tomar la decisión de aceptar un encargo, informando al cliente con absoluta veracidad sobre las posibilidades de éxito del asunto, sin más sometimiento que a las reglas de su profesión y los dictados de su experiencia, quedando excluido cualquier comportamiento que, poniendo por encima nuestros intereses sobre los del cliente, lo llevemos a un escenario perjudicial.

- Igualmente, en dicha fase del encargo, el abogado, ante la duda en conciencia de que el cliente pretende que lleve a cabo una defensa poco ética o contraria a las normas deontológicas de la profesión deberá, bien disuadirlo y aceptar la línea de defensa del letrado o, en caso contrario, no aceptarlo.

- Durante la dirección y defensa del cliente, el abogado deberá informarlo de todos los pormenores del asunto, incluyendo tanto aquellas incidencias que puedan afectar el curso del procedimiento o gestión como aquellas noticias perjudiciales para sus intereses, puesto que lo contrario podría suponer cercenar el sagrado derecho de defensa del cliente.

- Como consecuencia de la rectitud y probidad con la que el abogado debe desempeñar su cargo, no podrá, por acción u omisión, perjudicar de forma manifiesta los intereses que le fueren encomendados por su cliente.

Pero la honradez u honestidad no se agota con la actividad profesional. El abogado deberá igualmente seguir una conducta honesta en su vida privada ya que un comportamiento inadecuado en este ámbito puede afectar gravemente a su reputación, trascendiendo al ámbito profesional. Así lo indica el abogado Roland Boyd en la famosa carta que dirige a su hijo:

"Recuerda, para ser un buen abogado primero tienes que ser un buen hombre: Tu principal ambición tiene que estar relacionada con ser un buen marido, un buen padre, un buen vecino, un buen ciudadano y un buen abogado. Si logras esto, habrás logrado todo el éxito que se puede lograr: el placer de la vida".

VII. ¿CÓMO SE ADQUIERE O MEJORA?

Si queremos ser honestos, debemos empezar por enfrentar con valor nuestros defectos y buscar la manera más eficaz de superarlos. Para ello debemos realizar acciones que nos mejoren, observando nuestros errores y rectificándolos.

VIII. ANÉCDOTA[1]

La mujer del César debe ser honrada y parecerlo: devolver cambio de más, aunque sea poco.

---

1. Anécdota referida o extraída de la siguiente fuente: _https://elpais.com/deportes/2012/12/14/actualidad/1355506756_770952.html?fbclid=IwAR3sPW2BHVkekIohuq1 lCIzWw7yumEFdVmculdVovq6CdpP06F-0fvrxJjY://www.anecdonet.com/10/05/devolver-cambio-de-mas-honradez-honestidad-ejemplo/._

"Hace años un sacerdote se mudó a Houston, Texas. Al llegar, subió en un autobús para ir al centro de la ciudad. Al sentarse, descubrió que el chofer le había dado una moneda de 25 centavos de más en el cambio. Mientras consideraba qué hacer, pensó para sí mismo:

«¡Bah!, olvídalo, son sólo 25 centavos. ¿Quién se va a preocupar por tan poca cantidad? Acéptalo como un regalo de Dios».

Pero cuando llegó a su parada, se detuvo y, pensando de nuevo, decidió darle la moneda al conductor diciéndole:

«Tome, me dio usted 25 centavos de más». El conductor, con una sonrisa, le respondió: «Sé que es el nuevo sacerdote del pueblo. Estaba pensando regresar a la Iglesia y quería ver qué haría usted si yo le daba cambio de más». Se bajó el sacerdote sacudido por dentro y pensó: «¡Oh, Dios mío!, por poco te vendo por 25 centavos»".

El valor de un gesto[2]

Hace un par de semanas, el 2 de diciembre, Iván Fernández Anaya, atleta vitoriano de 24 años, se negó a ganar el cross de Burlada, en Navarra. "No merecía ganarlo. Hice lo que tenía que hacer", dice Fernández Anaya, quien, cuando iba segundo, bastante distanciado del primero, en la última recta de la carrera, observó cómo el seguro ganador, el keniano Abel Mutai (un muy buen atleta: medallista de bronce en los 3.000 metros obstáculos de los Juegos de Londres) se equivocaba de línea de meta y se paraba una decena de metros antes de la pancarta. Fernández Anaya le alcanzó con rapidez, pero en vez de aprovechar la situación para acelerar y ganar, se quedó a su espalda y con gestos y casi empujándole le llevó hasta la meta, dejándole pasar por delante. "Él era el justo vencedor. Me sacaba una distancia que ya no podía haber superado si no se equivoca. Desde que vi que se paraba sabía que no iba a pasarle".

IX. PREGUNTAS PARA EL DEBATE

- ¿Crees que sin honestidad no puede existir la abogacía?
- ¿Conoces comportamientos deshonestos en la profesión? ¿Cuáles?
- ¿Crees que los Colegios deben perseguir con dureza a los abogados deshonestos?

X. LECTURAS RECOMENDADAS

El alma de la toga. Ossorio, Á. (2007). Máxtor

El negocio de ser honrado. Huntsman, J.M. (2012). Taller del Éxito.

---

2. Anécdota referida o extraída de la siguiente fuente: *https://elpais.com/deportes/ 2012/12/14/actualidad/1355506756_770952.html?fbclid=IwAR3sPW2BHVkekIohuq1lCIzWw7 yumEFdVmculdVovq6CdpP06F-0fvrxJjY.*

XI. SABIDURÍA POPULAR

"La honestidad es el primer capítulo en el libro de la sabiduría". Thomas Jefferson.

"La honestidad es un regalo muy caro, no la esperes de gente barata". Warren Buffett.

"Ningún legado es tan rico como la honestidad". William Shakespeare.

"La honestidad es la riqueza más rara que se puede poseer, y sin embargo toda la honestidad del mundo no es moneda de curso legal para una barra de pan". Josh Billings.

"Ser completamente honesto con uno mismo es un buen ejercicio". Sigmund Freud.

"La honestidad y la integridad son absolutamente esenciales para el éxito en la vida. La buena noticia es que cualquier persona puede desarrollar tanto la honestidad como la integridad". Zig Ziglar.

21

La independencia

I. CONCEPTO

La independencia del abogado debe entenderse como la garantía de pensamiento y acción que le permite cumplir con su cometido de asesorar a quien le confía sus intereses, sin estar sometido a cualquier injerencia o presión extraña.

Junto a este concepto deontológico se encuentra la prerrogativa de la independencia en el ejercicio de la defensa, más vinculada a la inmunidad que preside el ejercicio de la abogacía que debe llevarse a cabo sin injerencias exteriores que cuestionen el modo en el que el abogado ha actuado, conforme a su leal saber y entender, en la defensa del caso. Esta libertad, se materializa fundamentalmente en la imposibilidad de que los jueces y magistrados puedan revisar la actuación profesional de los abogados sea cual sea el sentido del fallo, si bien, en casos excepcionales, esta independencia se verá limitada por la responsabilidad a través del control deontológico de los Colegios de Abogados.

II. CARACTERÍSTICAS

Como características de la independencia destacamos las siguientes:

- Es un deber de conducta y obligación deontológica.
- Se nutre tanto de la lealtad del vínculo de confianza que une al abogado con su cliente, como del vínculo existente entre el derecho de

defensa y el fin supremo de la realización de Justicia al que se orienta nuestra profesión.

- Es un componente indispensable del ejercicio profesional del abogado, y tiene que estar arraigado con fuerza y convicción.

- Constituye una limitación a las injerencias externas en el proceder del profesional.

III. ¿POR QUÉ ES IMPORTANTE LA INDEPENDENCIA PARA EL ABOGADO?

La independencia es fundamental para el ejercicio profesional, tanto que sin ella no se puede ejercer como abogado. Esto no es difícil de entender, pues quienes somos abogamos sabemos que es una idea inherente a nuestro actuar, ya que solo desde una perspectiva de independencia podremos analizar con el debido sosiego los asuntos encomendados y decidir el camino a seguir con la necesaria solvencia y rectitud. Por el contrario, cualquier injerencia en nuestro criterio constituirá un serio gravamen de consecuencias imprevisibles.

De hecho, el propio Estatuto General de la Abogacía proclama en su artículo 1.1 que *"la abogacía es una profesión libre e independiente que presta su servicio a la sociedad en interés público"* y su artículo 33.2 señala *"que el abogado, en cumplimiento de su misión actuará con libertad e independencia, sin otras limitaciones que las impuestas por la Ley y por las normas éticas y deontológicas"*. Por su parte, la Ley Orgánica del Poder Judicial, en su artículo 542.2 establece que *"en su actuación ante los juzgados y tribunales, los abogados son libres e independientes"*.

IV. EL ABOGADO INDEPENDIENTE

El abogado independiente decide, organiza y dirige la defensa según su libre criterio y sin más sometimiento que a las reglas de su profesión y los dictados de su experiencia, impidiendo que el cliente sea el que decida el modo de efectuar la defensa o pretenda dirigirla según sus intereses. En sala, el abogado independiente actúa en defensa de los intereses de su cliente, evitando que las circunstancias del juicio, y particularmente de la actuación del juez durante la dirección del acto puedan afectar las decisiones que, en su criterio profesional, convengan en cada momento. Finalmente, jamás se dejará influir por su situación económica, manteniendo en todo momento la lealtad que debe presidir su conducta y comprometer la libertad de defensa del cliente.

V. EL ABOGADO SIN INDEPENDENCIA

El abogado que carece de independencia no podrá ejercer la abogacía, pues tanto clientes, jueces, otros operadores jurídicos, familiares, o incluso sus circunstancias personales, podrán influir en su criterio como si fuera una veleta, perdiendo la lealtad hacía sí mismo y hacía sus clientes.

Un abogado carente de independencia es difícil de concebir.

VI. EJEMPLOS PRÁCTICOS

Para conocer a fondo el sentido de la independencia del abogado, la mejor forma reside en examinar los peligros que siempre la han afectado y que, de seguro, seguirán acechándola en el futuro:

1°.– El abogado debe ser independiente ante su cliente, y ello debido a que la percepción que este tiene de su problema es una percepción de un interés subjetivo, que generalmente no coincide con el interés que a dicha situación le atribuye el ordenamiento jurídico. Consecuencia de dicha disociación, el abogado, al que corresponde decidir, organizar y dirigir la defensa según su libre criterio y sin más sometimiento que a las reglas de su profesión y los dictados de su experiencia, debe impedir que el cliente sea el que decida el modo de efectuar la defensa o pretenda dirigirla según sus intereses. Esto supone que el abogado debe ser respetado en sus decisiones jurídicas por el cliente puesto que, como señala don Angel Ossorio[1], es fácil que el litigante deslice sus deseos en la conciencia del asesor y le sugiera polémicas innecesarias o procedimientos incorrectos, convirtiéndole de director en dirigido y envolviéndole en las mallas de la pasión o del interés propio[2]. Ante el mínimo atisbo de manipulación por parte del cliente, el abogado debe huir de tal peligro amparándose en su independencia y siendo contundente en su consejo. Ya lo dijo don Angel, _"Hay derecho a reclamar el servicio, pero no a imponer el disparate"_.

De esta forma, el abogado podrá actuar de manera objetiva, barajando las posibilidades de éxito del asunto y la mejor forma de alcanzarlo, conclusiones que permitirán al cliente decidir con libertad si le interesa encomendar en tales condiciones el asunto. La independencia es, por tanto, una garantía para la mejor defensa del cliente.

Siguiendo esta línea de actuación, el interés subjetivo del cliente podrá identificarse o conciliarse con el interés objetivo, atribuido por la ley, que el abogado ha alcanzado a través de su análisis. En definitiva, la injerencia en la defensa no puede ser permitida. O el planteamiento objetivo se acepta tal y como se presenta por el abogado o, si el cliente no está conforme con aquel, es libre de encargar el asunto a otro letrado. Caso de que el cliente, a pesar de las prevenciones del abogado, pretenda influir en la forma de llevar el asunto, este se encuentra facultado para, con total libertad, renunciar a la defensa, sin

---

1.   Obra citada. _Vid._ Nota al pie número 16 en el capítulo 11.
2.   Obra citada. _Vid._ Nota al pie número 16 en el capítulo 11.

más requisitos que la adopción de los actos necesarios para evitar la indefensión de aquel (artículo 26 del Estatuto General de la Abogacía).

2.º– La independencia debe mantenerse igualmente frente a los Juzgados y Tribunales en los que ejercemos nuestro oficio. El Magistrado, José Flors Matíes[3], en el capítulo dedicado a la independencia del libro homenaje a don Angel Ossorio "Sobre el Alma de la Toga", expone con claridad y notable elocuencia diversas situaciones en las que la observancia del deber de independencia es inexcusable.

Entre ellas, el Magistrado destaca aquellos casos en los que algún órgano judicial exige la realización de determinados actos procesales de un modo que se aparta de la tramitación legalmente establecida. En estos casos, cuando la irregularidad sea manifiesta y desconozca lo dispuesto en una norma de orden público establecida para garantía de las partes, el abogado debe recurrir dicha decisión. Igualmente, el Magistrado destaca aquellos supuestos en los que el órgano judicial apremia a las partes bien a alcanzar una conformidad en un proceso penal o a conciliar a fin de poner término a un proceso civil. Aquí, la manifestación de la independencia del abogado debe ceñirse a perseverar en la continuación del proceso cuando se tenga la convicción de que a través del mismo se podrá alcanzar la satisfacción del interés del cliente. También nos advierte sobre el riesgo de que el órgano judicial, yendo más allá de sus funciones, adoptara en el proceso una actuación de dirección del mismo, con menoscabo de las que corresponden al abogado, o que comportara una intromisión en el ejercicio de su actividad. En tales casos debe invocarse la independencia y la libertad de defensa, reclamando al propio órgano el otorgamiento del correspondiente amparo (artículo 542.2 LOPJ).

3.º– Y como no, el abogado debe mantenerse independiente de su propio interés, y ello es lógico, ya que siempre existe una tensión entre el interés objeto del asunto encomendado y el interés propio, que puede venir condicionado por diversos factores.

Entre estos, cabe mencionar los afectos generados por la amistad y la familia, que pueden hacer perder al abogado la objetividad que debe estar presente en su intervención. A veces, los condicionantes son tan intensos, que el abogado toma decisiones que en condiciones normales no adoptaría. Baste el ejemplo de la interposición de denuncias "impuestas" por decisión de los familiares o de negociaciones innecesarias que se realizan por satisfacer a un familiar. En estos casos, se impone la cordura o, lo que es lo mismo, la independencia. De ahí el proverbio que nos enseña que *"El Abogado que se defiende*

---

3. *Sobre el Alma de la Toga.* Coordinador Diego Muñoz Cobo (2019). Tirant lo Blanch. Capítulo de José Flors Matíes.

a sí mismo tiene a un tonto por cliente[4], ya que la ofuscación afectiva del abogado es mayor cuando trata de defender su propio interés en detrimento de la objetividad que requiere su actuación en el foro.

Pero quizás el factor más peligroso ante la independencia es, valga la redundancia, la falta de independencia económica del abogado. Sin ella, este puede perder la lealtad que debe presidir su conducta y comprometer la libertad de defensa del cliente, trasunto de la libertad de criterio del abogado. Nuevamente, el interés objetivo del asunto encomendado puede verse en peligro debido a la irrupción del interés propio y así desembocar en actuaciones aparentemente lícitas pero completamente infundadas y animadas por el ánimo de lucro. Casos como el ejercicio de acciones desaconsejables por infundadas, la interposición de recursos o negociaciones inviables con la finalidad de percibir honorarios son muestra evidente de dicha intromisión que, dicho sea de paso, encuentran su sanción en la normativa deontológica de nuestra profesión.

4.º– La dependencia del abogado a una empresa privada (los llamados abogados de empresa) o la situación de aquellos abogados contratados en despachos profesionales al amparo de la regulación laboral especial de los abogados (Ley 22/15 y RD 133/2006) constituyen otro campo de cultivo en el que se pone en riesgo la independencia.

Qué duda cabe que estas situaciones, especialmente la de los contratados bajo la relación especial, son producto de la evolución y del cambio profundo que está sufriendo la prestación de servicios de la abogacía. En tales casos, deberá preservarse la libertad e independencia del profesional contratado, conciliando el interés general del despacho (materializado en la dirección y evaluación de los servicios prestados por sus integrantes), con el ejercicio de la defensa conforme al principio deontológico de la independencia. De hecho, la propia regulación laboral especial antes citada reconoce de forma expresa la primacía de la libertad e independencia en el ejercicio de la profesión incluso en una relación bajo el ámbito de decisión de otro profesional[5].

Respecto a los abogados de empresa, afirma José María Martínez Val[6] en su obra "Abogacía y Abogados", que aunque empleado de una entidad, en cuanto abogado, debe mantener todas las cualidades de tal. Este margen de libertad de criterio es una válvula de seguridad supletoria, aunque importante, para la propia empresa. Por lo tanto, el abogado de empresa no puede estar

---

4. Frase atribuida a Benjamín Franklin.
5. Real Decreto 1331/2006, de 17 de noviembre, por el que se regula la relación laboral de carácter especial de los abogados que prestan servicios en despachos de abogados, individuales o colectivos.
6. *Abogacía y abogados.* Martínez del Val, J.M. (1990). Bosch.

sometido a mandatos imperativos que, en puntos de derecho sometidos a su juicio, coartasen su libre apreciación en conciencia o la imposición de un dictamen o resolución contra la misma.

VII. ¿CÓMO SE ADQUIERE O MEJORA?

La independencia está en el ADN de todo abogado y, como tal, no se adquiere o mejora, sino que está enraizada en nuestro actuar profesional.

Obviamente, al colegiarse y tras la formación imprescindible conoceremos esta obligación deontológica y, a partir de este momento, no hay más que ponerla en marcha en nuestro actuar diario.

No obstante, de seguro, tendremos tropiezos en el camino que hagan flaquear nuestra independencia, pero lo importante es ser conscientes de que está siendo afectada y corregir sobre la marcha, pues perdida la independencia estaremos dañándonos como abogados y dañando al colectivo.

VIII. ANÉCDOTA[7]

Pregunta.– ¿Cuándo dice que 'no' a un cliente?

Respuesta.– Cuando trata de imponerme un criterio en la forma de llevar su defensa. Y no es algo nuevo de ahora que llevo 51 años; he sido, soy y seguiré siendo celoso de lo que es una obligación para un abogado: su independencia. Ahí no me caso con nadie, sobre todo en asuntos tan delicados como los que manejo. Y sí, he dicho 'no' y seguiré diciéndolo.

IX. PREGUNTAS PARA EL DEBATE

– ¿Te consideras un abogado independiente?

– ¿Recuerdas ocasiones en las que tu independencia haya flaqueado?

– ¿Cuáles son las ocasiones en las que es más difícil mantener la independencia?

X. LECTURAS RECOMENDADAS

Sobre el Alma de la Toga. Muñoz-Cobo González, D. (2009). Tirant lo Blanch.

El alma de la toga. Ossorio, Á. (2008). Reus.

---

7. Entrevista al letrado sevillano Francisco Baena Bocanegra referida en la siguiente fuente: *https://www.elmundo.es/papel/lideres/2018/11/20/5bf1610be2704e52bd8b4599.html.*

XI.   SABIDURÍA POPULAR

"No se puede formar el carácter y el valor del hombre quitándole su independencia, su libertad y su iniciativa". Abraham Lincoln.

"Muy dichoso es quien no depende de nadie más que de sí mismo y en sí mismo busca todo lo que necesita". Cicerón.

Lealtad

51 habilidades, competencias y valores para crecer profesionalmente

SUMARIO: I. CONCEPTO. II. CARACTERÍSTICAS. III. ¿POR QUÉ ES IMPORTANTE LA LEALTAD PARA LOS ABOGADOS? IV. EL ABOGADO QUE ACTÚA CON LEALTAD. V. EL COMPAÑERO DESLEAL. VI. EJEMPLOS PRÁCTICOS. VII. ¿CÓMO SE ADQUIERE O MEJORA? VIII. ANÉCDOTA. IX. PREGUNTAS PARA EL DEBATE. X. LECTURAS RECOMENDADAS. XI. SABIDURÍA POPULAR.

I. CONCEPTO

La lealtad es el actuar siendo digno de confianza, es la fidelidad que se debe a una persona o institución a la que uno se halla vinculado. Lealtad viene del adjetivo *legalis* (que guarda la debida fidelidad).

En este apartado trataremos la lealtad desde la perspectiva del compañerismo que debe prevalecer entre los compañeros de profesión.

El compañerismo se asienta en la idea de que los abogados no somos nuestros clientes, sino defensores de sus intereses y de su bienestar, y en el ejercicio de nuestro deber de defensa, hemos de desplegar el máximo compromiso e intensidad en nuestra actuación, lo que no está reñido con el respeto y consideración al colega.

II. CARACTERÍSTICAS

Entre las características de la lealtad, destacamos las siguientes.

- La lealtad genera confianza.
- Es sinónimo de fidelidad.

- Transmite respeto a lo que el otro representa.
- Entronca con la necesaria solidaridad entre los compañeros de profesión.
- En casos graves, puede suponer sacrificios extremos.
- Implica afinidad de sentimientos y capacidad de estar a la escucha.

III. ¿POR QUÉ ES IMPORTANTE LA LEALTAD PARA LOS ABOGADOS?

El compañerismo, como concepto general, está plenamente reconocido en el Código Deontológico de la Abogacía, que en su artículo 11 dedicado a las Relaciones entre profesionales de la Abogacía señala que *entre profesionales de la Abogacía se guardarán las siguientes reglas de conducta: 1. Deben mantener quienes ejercen la Abogacía recíproca lealtad.* Por lo tanto, el compañerismo es una conducta, comportamiento o actitud hacía los compañeros de profesión que persigue alcanzar un espíritu de hermandad y solidaridad entre los abogados, quienes con independencia de la competitividad inherente a su labor, deben mantener un respeto mutuo.

IV. EL ABOGADO QUE ACTÚA CON LEALTAD

El abogado leal, es consciente de que el enfrentamiento entre abogados es un enfrentamiento ideal o doctrinal, lo que, sin perjuicio de la intensidad que podamos ofrecer en nuestra defensa, no está reñido con el respeto y cordialidad que nos debemos. Por lo tanto, el abogado leal será respetuoso y cortés con el compañero adverso. Igualmente, será confiable, en el sentido de que su palabra será garantía de cumplimiento de lo que se acuerde en el contexto de la relación entre compañeros.

V. EL COMPAÑERO DESLEAL

Por el contrario, el compañero desleal será poco confiable, y en ocasiones será rudo, descortés, e incluso maleducado con su compañero. Igualmente, se identificará tanto con su cliente que confundirá sus intereses con los de aquél, de forma que ello repercutirá en la consideración y respeto hacia su colega.

VI. EJEMPLOS PRÁCTICOS

En primer lugar, no hemos de olvidar que todos pertenecemos a la misma profesión, y que, por tanto, compartimos multitud de facetas en nuestra forma de pensar, de trabajar, de actuar, y hasta diría que de vivir, lo que inevitablemente genera una sincronía entre quienes desarrollamos la misma actividad, máxime cuando los intereses que, como colectivo defendemos, son los mismos. Y que conste que esto no es corporativismo…, es pura lógica.

Ciertamente, defendemos intereses contrapuestos, pues el conflicto y la lucha de intereses son ideas latentes en el trabajo, pero ¿justifica dicho conflicto la falta de compañerismo con el abogado adverso (adverso coyuntural, por cierto)? En absoluto, pues quienes se enfrentan material y emocionalmente son los clientes, titulares de los derechos e intereses contrapuestos, pero los abogados lo hacen en un nivel en el que las emociones y los intereses son sustituidos por la invocación del derecho. Como dijo Martínez del Val, el enfrentamiento entre abogados es un enfrentamiento ideal o doctrinal, por lo que, sin perjuicio de la intensidad que podamos ofrecer en nuestra defensa, ello no está reñido con el respeto y cordialidad que nos debemos.

De hecho, los abogados no hemos de olvidar que como indica la máxima forense, «los clientes y los casos pasan, los abogados quedan», enseñanza que nos recuerda que una vez concluido el caso, el cliente sale de nuestra órbita, pero al compañero podemos encontrarlo en una nueva controversia defendiendo a la parte contraria, por lo que una buena relación, basada en la experiencia precedente, facilitará, sin duda, la resolución del nuevo asunto.

Por otro lado, la propia administración de justicia establece en su normativa que los abogados se comporten con respeto para con los demás compañeros, y ello para que los asuntos contenciosos sean resueltos de manera civilizada. Por lo tanto, el respeto entre colegas facilita el buen funcionamiento de la administración de justicia.

Finalmente, el respeto y la lealtad a nuestros compañeros de profesión es esencial pues, de faltarse a los mismos, no sólo se estará causando daño al compañero contrario, sino al prestigio de todos los abogados y finalmente a todo el colectivo, pues estas conductas suponen que los clientes de ambas partes perciban a los abogados enfrentados en un contexto tóxico y negativo, expandiéndose así la conciencia de que la relación entre abogados esconde una batalla en la que todas las armas están permitidas. En definitiva, la mancha que supone una falta de respeto en el prestigio del abogado que comete la falta y el afectado repercutirá finalmente en todo el colectivo.

Obviamente, hay excepciones, y todos conocemos a compañeros que parecen no entender este principio de larga raigambre en nuestra profesión. En cualquier caso, lo que nos importa a los que estamos convencidos de su valor es que con nuestro hacer diario fomentemos esta actitud y, sin duda, iremos recogiendo los frutos en lugar de perder la cosecha.

VII. ¿CÓMO SE ADQUIERE O MEJORA?

El compañerismo se alcanza conociendo los valores que impregnan la profesión y respetándolos. Asumido este principio, debemos practicar la solidaridad con los compañeros y proponernos respetarlos en todo momento, sea cual sea el contexto en el que nos encontremos. Si bien la lealtad empieza por uno mismo, hemos de proyectarla constantemente hacia los demás.

VIII. ANÉCDOTA

El arca de régulo[1]

"Marco Atilio Régulo, de la gens Atilia, fue elegido cónsul en 267 a.C. y reelegido en 256, derrotó por tierra y por mar a los cartagineses y, siguiendo órdenes del Senado romano, llevó la guerra a África, donde siguió cosechando victorias.

Hecho prisionero por los cartagineses (…) fue enviado a Roma para tratar del intercambio de cautivos, previo juramento de regresar a Cartago, si no lo conseguía. Llegado ante el Senado, expuso, cuando se le ordenó, y a continuación dio su parecer indicando que no era conveniente el canje de prisioneros, pues los cartagineses eran jóvenes y excelentes caudillos y él, en cambio, un viejo. Tras convencer a los senadores, y no convencido por sus familiares y amigos que trataban de disuadirle de su vuelta a Cartago, fue fiel al juramento y regresó, aun sabiendo que se entregaba a un enemigo sumamente cruel. Los cartagineses lo mataron, no sin torturas: «Cortadas sus pestañas –escribe el abate Lhomond–, durante un tiempo lo tenían en un lugar tenebroso y luego, cuando el sol era más ardiente, lo sacaban de repente y obligaban a mirarlo; finalmente, lo metieron en un arca de madera, en la que sobresalían clavos muy agudos, y así, cuando su cuerpo cansado se inclinaba a una u otra parte era afligido por los férreos aguijones, hasta que murió víctima de las vigilias y del continuo dolor".

IX. PREGUNTAS PARA EL DEBATE

– ¿Te consideras leal para con tus compañeros?

– ¿Has sufrido situaciones en las que tu compañero no ha sido leal contigo?

– ¿Por qué crees que es importante la lealtad entre compañeros?

X. LECTURAS RECOMENDADAS

El Libro de los Valores. Villapalos, G y López Quintas, A (1997).. Planeta Testimonio.

---

1.   Anécdota referida o extraída de la siguiente fuente: *http://revistacarmina.es/?p=18920.*

XI. SABIDURÍA POPULAR

"Si les parece podremos pasar juntos la tarde, como hacen los adversarios en derecho que disputan acaloradamente pero comen y beben como amigos". Shakespeare.

"La lealtad no se puede imponer nunca por la fuerza, por el miedo, por la inseguridad o por la intimidación. Es una elección que sólo los espíritus fuertes tienen el coraje de hacer". Paulo Coelho.

"Aquí, en fin, la cortesía,

el buen trato, la verdad,

la fineza, la lealtad,

el honor, la bizarría,

el crédito, la opinión,

la constancia, la paciencia,

la humildad y la obediencia,

fama, honor y vida son

caudal de pobres soldados,

que en buena o mala fortuna,

la milicia no es más que una

religión de hombres honrados".

Pedro Calderón de la Barca.

"El respeto por los colegas ha de ser lo suficientemente fuerte para pasar por encima de las dificultades que nacen de las diferencias de opinión en asuntos profesionales. o de las tensiones por el reparto de responsabilidades y competencias ". Herranz G.

23

Magisterio social

I. CONCEPTO

El magisterio social del abogado es la acción formativa y docente que este debe realizar para con la sociedad, a fin de que se conozca el papel que la abogacía desempeña y la vinculación de ésta con el mundo del derecho.

Podría afirmarse que el magisterio social se reduce a la misión del abogado de aportar formación jurídica a la sociedad.

II. CARACTERÍSTICAS

– Constituye un deber del abogado.
– Se dirige tanto a la sociedad en su conjunto como a sus miembros individualmente.
– Su fin es familiarizar la sociedad con el mundo del derecho y, muy especialmente, con el papel de la abogacía.

III. ¿POR QUÉ ES IMPORTANTE EL MAGISTERIO SOCIAL PARA EL ABOGADO?

Existe una notoria falta de conocimiento tanto del papel que desempeñamos los abogados en sociedad, como en algunos de los derechos esenciales sobre los que gira, y condiciona, la necesaria parcialidad de nuestra intervención (derecho de defensa de todo ciudadano, presunción de inocencia, derecho a no declararse culpable, etc.).

Y es precisamente el abogado, como señalaba José María Martínez-Val en su obra Abogacía y Abogados, quien tiene más preparación que nadie para combatir este desconocimiento y, por tanto, la responsabilidad de acometer dicha tarea. De esta forma se ayuda a la sociedad y, además, se fortalece a la abogacía como institución.

IV. EL ABOGADO QUE DESARROLLA EL MAGISTERIO SOCIAL

Por sus estudios especializados y por su experiencia de la vida, el que lleve a cabo esta docencia será un activo constructor de la Sociedad, cumpliendo su deber para con la misma.

V. EL ABOGADO QUE NO DESARROLLA EL MAGISTERIO SOCIAL

Como señala Martínez-Val, reducirse al bufete y al Foro puede ser la posición profesional más cómoda, pero no es la que más llena ese otro conjunto de deberes sociales que por ser abogado rebosan todas las posibles y múltiples facetas de la profesión.

VI. EJEMPLOS PRÁCTICOS

Tras años de ejercicio, sigo sorprendiéndome por el desconocimiento que existe en nuestra sociedad sobre el mundo del derecho y, particularmente, sobre el de los abogados. Este asombro, que a veces torna en perplejidad, produce verdadera tristeza, pues en pleno siglo XXI son muchas las voces que, desconociendo nuestra profesión, realizan juicios de valor que, fundados en la ignorancia, traspiran una animosidad hacia lo que hacemos y, por extensión, hacia todo lo relacionado con el mundo de la Justicia y sus operadores.

¿Pero cómo es posible que defienda a ese asesino...?; ¡Hay que tener poca moralidad para defender a un tipo así...!; El abogado sabe que miente, y ahí lo tienes, le sigue el juego...; El abogado sabe que es culpable, y aun así, lo defiende...; pero si hay leyes, para qué queremos abogados si lo que hacen es retorcerlas...

Este magisterio social es uno de los deberes más olvidados por nuestro colectivo pero, a su vez, es uno de los más reconfortantes y vitalizantes, pues nos convierte en parte activa de la formación de la sociedad y, a su vez, en defensores a ultranza de nuestra profesión y de la misma Justicia.

Creo que es para pensárselo y para plantearse, en la medida de las posibilidades de cada uno, aportar su esfuerzo para derribar este muro que se ha ido forjando entre la sociedad y el mundo del derecho. Ello lo conseguiremos en la consulta, en prensa, radio, conferencias, talleres, en las relaciones familiares y de amistad, etc.

VII. ¿CÓMO SE ADQUIERE O MEJORA?

Sólo hay una forma: ejerciendo el magisterio social.

VIII. ANÉCDOTA[1]

El niño y el maestro de escuela.

Un muchacho cayó al agua, jugando a la orilla del Sena. Quiso Dios que creciese allí un sauce, cuyas ramas fueron su salvación. Asido estaba a ellas, cuando pasó un Maestro de escuela. Gritó el niño:

"¡Socorro, que muero!"

El Dómine, oyendo aquellos gritos, se volvió hacia él, muy grave y tieso, y de esta manera le adoctrinó: "¿Habráse visto pillete como él? Contemplad en qué apuro le ha puesto su atolondramiento. ¡Encargaos después de calaverillas como éste! ¡Cuán desgraciados son los padres que tienen que cuidar de tan malas pécoras! ¡Bien dignos son de lástima! y terminada la filípica, sacó al Muchacho a la orilla".

La Fontaine.

IX. PREGUNTAS PARA EL DEBATE

- – ¿Te habías planteado alguna vez la idea del magisterio social?
- – ¿Sabías que se puede hacer el magisterio social con la familia y amigos?
- – ¿Crees que la figura del abogado es conocida adecuadamente por la sociedad?

X. LECTURAS RECOMENDADAS

Abogacía y abogados. Martínez Val, J.M. (1990). Bosch.

XI. SABIDURÍA POPULAR

"Si nobleza obliga, la nobleza de la Toga se cifra en servir con la Justicia a la Sociedad. Y en este servicio no son perdonables las deserciones". Ángel Ossorio y Gallardo.

---

1.   Las fabulas de La Fontaine. De la Fontaine, Jean.

24

Parcialidad

I. CONCEPTO

Partiendo de que la parcialidad es la inclinación en favor o en contra de una persona o cosa al obrar o al juzgar un asunto, la parcialidad del abogado no es más que el posicionamiento que lleva a cabo el abogado cuando defiende los intereses del cliente como consecuencia de la contradicción inherente a las controversias judiciales o extrajudiciales.

II. CARACTERÍSTICAS

Entre las características de la parcialidad podemos destacar las siguientes:

– Constituye un posicionamiento en una conducta.

– Se asocia indisolublemente a una controversia.

– Sostiene la bondad de unos intereses frente a otros.

– Para el abogado, su ausencia puede tener consecuencias gravísimas.

– Es compatible con un verdadero sentimiento de justicia.

III. ¿POR QUÉ ES IMPORTANTE LA PARCIALIDAD PARA EL ABOGADO?

El abogado desarrolla su actividad en el marco del proceso judicial, que no es más que una contienda entre las partes cuyo objetivo es ganar o, en su caso, aminorar los efectos de la derrota. Desde esa perspectiva, el proceso ha sido denominado "verdadera batalla" en la que los contendientes se enfrentan a cuestiones interpretables y discutibles, en la que se trata de convencer al Juez de tener la razón. Es precisamente en este contexto donde el abogado se ve compelido a intervenir con parcialidad, puesto que la contradicción inherente al proceso le obliga a posicionarse alejado de la idea de imparcialidad en la defensa de los intereses de una parte frente a la otra.

IV. EL ABOGADO PARCIAL

El abogado que actúa con parcialidad está sencillamente cumpliendo su deber como abogado.

Para desarrollar esta conclusión, hemos de partir del principio de que el abogado viene obligado a conocer con la máxima objetividad todos los hechos que conforman el asunto encomendado, tanto los que favorezcan como los que perjudiquen su defensa. En el examen de tales hechos, deberá mantener una posición de absoluta ecuanimidad e imparcialidad y transmitir al cliente la realidad de su opinión conforme a su leal saber y entender. Una vez aceptada la defensa del cliente, el abogado entra en la dinámica de parcialidad ya referida que nos impone la contienda procesal.

Esta parcialidad del abogado no puede equipararse con engaño, embuste o mentira. De hecho, el abogado no debe mentir a la hora de exponer a un Tribunal de Justicia los hechos objeto del debate, y el que lo haga manifiesta un comportamiento poco profesional. Como afirma el Magistrado José Flors Matíes, *"A ningún abogado consciente del significado y la trascendencia de su profesión se le ocurriría afirmar que en un determinado documento se dice algo que en él no consta, o que una realidad física tangible no existe, ni trataría de que se tuviera por cierto un hecho cuya inexistencia le constara. Él es el primero que sabe que quien tal hiciera estaría abocado a la desconsideración y al más absoluto fracaso, y que semejante comportamiento se habría de volver irremediablemente en su contra y en la de sus clientes. La mendacidad resulta, al final y siempre, tan patente que nadie con un mínimo de dignidad y de inteligencia osaría cometer la torpeza de quedar en evidencia y de ganar fama de tramposo"*[1]. En el mismo sentido, Angel Ossorio y Gallardo señala *"Nunca ni por nada es lícito faltar a la verdad en la narración de los hechos. Letrado que hace tal, contando con la impunidad de su función, tiene gran similitud con un estafador"*[2].

Ahora bien, respetando dicha obligación, el abogado debe jugar sus cartas empleando su habilidad para exponer sus planteamientos defensivos sobre la base de la ley, la doctrina y la jurisprudencia, y con el auxilio de la dialéctica y la oratoria, armas que le servirán para plantear una adecuada estratagema argumental que le permita debilitar los argumentos del contrario y convencer al Juez de nuestra razón. En este curso de acción no hay lugar para las mentiras; el abogado,

---

1. Obra citada. *Vid.* Nota al pie número 31 en el capítulo 20.
2. Obra citada. *Vid.* Nota al pie número 13 en el capítulo 16.

en defensa de su cliente, y lo afirmamos sin rodeos, no tiene porqué mostrar al Tribunal todos los hechos que conoce sobre el asunto encomendado, sino que empleará todos aquellos que sean apropiados para su defensa, siendo precisamente la contradicción del proceso, la que mostrará al Juez todos los hechos que cada parte ha considerado como constitutivos de su pretensión.

V. EL ABOGADO IMPARCIAL

Un abogado imparcial en el ejercicio del derecho de defensa es un verdadero desatino, pues si lo es por imprudencia, es que no conoce la abogacía, y si lo es con intención, es que desprecia su profesión.

Cosa distinta es tratar de alcanzar un resultado justo, que es buen deseo, pero jamás esta intención puede perjudicar los intereses de su cliente.

VI. EJEMPLOS PRÁCTICOS

En este apartado nos limitamos a citar las tres funciones del abogado: asesorar, intermediar y defender; en todas tendrá que actuar con la necesaria parcialidad.

VII. ¿CÓMO SE ADQUIERE O MEJORA?

Al ser una actitud inherente a nuestra profesión, se aprende cuando se empieza a ejercer y se mejora con el día a día.

Entre sus enemigos se encuentran todos aquellos ataques que puedan realizarse contra la independencia del abogado, pues una de las consecuencias de la pérdida de esta es el debilitamiento de la parcialidad.

VIII. ANÉCDOTA

En los regímenes nazi y fascista italiano se intentó obligar a los abogados de las partes a decir todo lo que conocían sobre el asunto, lo cual no solo desnaturalizaría el proceso, sino que colocaría a los abogados en la patética posición de contribuir con su intervención al éxito del contrario.

IX. PREGUNTAS PARA EL DEBATE

– ¿Has tenido alguna vez la tentación de ser imparcial en la defensa del cliente?
– ¿Eres tan parcial como tu cliente?
– ¿Te has topado con algún compañero más parcial que imparcial?

X. LECTURAS RECOMENDADAS

El alma de la toga. Ossorio y Gallardo, A. (2007). Reus.

XI. SABIDURÍA POPULAR

"La lucha entre los abogados y la verdad es antigua, como la que existe entre el diablo y el agua bendita; y entre las bromas sobre la mentira profesional de los abogados, se oye razonar seriamente de esta manera: En todo proceso hay dos abogados, uno que dice blanco y otro que dice negro; la verdad no la pueden decir los dos si sostienen tesis contrarias; por lo tanto, uno de los dos sostiene una falsedad. Esto autorizaría a creer que el cincuenta por ciento de los abogados son unos embusteros; pero como el mismo abogado que tiene razón en una causa no la tiene en otra, quiere decir que no hay uno que no esté dispuesto a sostener en un determinado momento causas perdidas, o sea que una vez unos y otra vez otros, todos son unos embusteros". Calamandrei.

"Poned dos pintores ante el mismo paisaje, el uno al lado del otro, cada cual con su caballete; volved al cabo de una hora a mirar lo que cada uno ha trazado sobre el lienzo. Veréis dos paisajes tan absolutamente diversos que parecerá imposible que el modelo de ambos sea el mismo. ¿Diréis por eso que uno de los dos ha traicionado la verdad?". Calamandrei.

"El abogado actúa sobre la realidad como el historiador que recoge los hechos según el criterio de selección que se ha preestablecido y prescinde de aquellos que, a la luz de tal criterio, le parecen desprovistos de interés. También el abogado, como el historiador, traicionaría su oficio si alterase la verdad relatando hechos inventados; no lo traiciona mientras se limita a recoger y a coordinar, de la cruda realidad, sólo aquellos aspectos que favorecen su tesis". Calamandrei.

Veracidad

I. CONCEPTO

Por veracidad se entiende la cualidad de veraz, entendiéndose por veraz el que dice, usa o profesa siempre la verdad.

En el contexto de la intervención del abogado la veracidad significa que, como colaborador y partícipe de la administración de justicia, debe actuar evitando el engaño y la obstaculización de la actividad judicial, cooperando al cumplimiento de sus fines. Dicha obstaculización se manifestaría en los supuestos en los que el abogado suministre al juez informaciones erróneas, aporte pruebas falsas, testigos falsos, tratando de distorsionar la realidad.

En cuanto a las relaciones con el cliente, el abogado tiene la obligación de ser honesto y veraz, informándole de las expectativas reales del asunto encomendado y de los riesgos que lleve aparejada la defensa a entablar.

II. CARACTERÍSTICAS

Entre las características de la veracidad destacamos las siguientes:

– Las relaciones de los abogados con los juzgados y tribunales están inspiradas por la lealtad, el respeto y la colaboración, como tradicionalmente ha venido recogiéndose en los códigos deontológicos de la profesión.

– El deber de veracidad está limitado por el de guardar secreto profesional, y en su ejercicio debe tenerse encuenta lo dispuesto en el artículo

24 de la Constitución que proclama el derecho a no declarar contra sí mismo y a no confesarse culpables, de no revelar secretos de su cliente.

- Partiendo de la obligación del abogado de actuar de buena fe ante los órganos judiciales, el abogado no debe mentir a la hora de exponer a un Tribunal de Justicia los hechos objeto del debate, y el que lo haga manifiesta un comportamiento poco profesional.

- La falta de veracidad puede entrañar responsabilidad penal y deontológica.

III. ¿POR QUÉ ES IMPORTANTE LA VERACIDAD PARA EL ABOGADO?

Porque es un deber profesional, y como tal hemos de cumplirlo y respetarlo, estando establecido en beneficio de la Justicia y de su buen funcionamiento.

Aquí hemos de realizar una digresión sobre el proceder del abogado veraz.

En este curso de acción no hay lugar para las mentiras; el abogado, en defensa de su cliente no tiene por qué mostrar al Tribunal todos los hechos que conoce sobre el asunto encomendado, sino que empleará todos aquellos que sean apropiados para su defensa, siendo precisamente la contradicción del proceso, la que mostrará al juez todos los hechos que cada parte ha considerado como constitutivos de su pretensión.

Ahora bien, respetando dicha obligación, el abogado debe de jugar sus cartas empleando su habilidad para exponer sus planteamientos defensivos sobre la base de la ley, la doctrina y la jurisprudencia. Por lo tanto, en el desarrollo de su actividad, estará plenamente legitimado para ocultar aquella información (hechos, datos, etc.) que pudieran perjudicar los derechos de su cliente, por lo que no toda la información que le suministre tiene necesariamente que ser expuesta para llevar a cabo su defensa. Obligar a las partes a decir todo lo que conocen no solo desnaturalizaría el proceso, sino que colocaría a los abogados en la patética posición de contribuir con su intervención al éxito del contrario.

Esta posición en cuanto a los hechos, es clarísima en el proceso penal, en el que al defendido le asiste, al amparo del artículo 24.2.º de la Constitución española, el derecho a no declarar contra sí mismo, a no confesarse culpable y a la presunción de inocencia.

En cuanto al proceso civil, rige el principio dispositivo, según el cual las partes son las que deciden que hechos aducen y cuales no como objeto del proceso y de debate.

Por lo tanto, lo que el abogado no puede hacer es faltar a la verdad en las manifestaciones que realice acerca de la existencia o inexistencia de los hechos objetivos en los que funde la petición que dirige al tribunal.

IV. EL ABOGADO VERAZ

El abogado que actúa verazmente cumple con su deber y será leal y confiable, no sólo por su cliente, sino por todos los operadores jurídicos con quienes interactúa.

V. EL ABOGADO CON FALTA DE VERACIDAD

En oposición a lo indicado respecto al abogado veraz, el inveraz será poco leal o confiable, siendo potencialmente acreedor de responsabilidad penal, civil o disciplinaria.

VI. EJEMPLOS PRÁCTICOS

Entre las conductas inveraces del abogado que pueden dar lugar a responsabilidad penal destacaríamos las siguientes:

Concretamente, en el campo penal, el Código Penal establece diversos preceptos que tipifican estas conductas como el delito de estafa procesal y el de falso testimonio.

La estafa procesal es una figura más de estafa ordinaria, pues ha de cumplir todos los requisitos exigidos en la definición genérica del artículo 248, pero con una agravación específica del artículo 250.2, porque al daño que supone para el patrimonio del particular afectado, se une lo que encierra de atentado contra el Poder Judicial al que se utiliza como instrumento al servicio de ilícitas finalidades defraudadoras.

La peculiaridad de estas estafas procesales radica en que el sujeto engañado es el titular del órgano jurisdiccional a quien por la maniobra procesal correspondiente se le induce a seguir un procedimiento y a dictar resoluciones que de otro modo no hubiera dictado, no coincidiendo la persona del engañado, quien por el error inducido realiza el acto de disposición (el Juez) con quien en definitiva ha de sufrir el perjuicio (el particular afectado), dualidad personal que aparece expresamente prevista en el propio texto del art. 248.1, cuando nos habla de "perjuicio propio o ajeno".

Ejemplo de estafa procesal es el caso en el que en un pleito civil se ocultan datos tan trascendentes como son la existencia de un anterior accidente, sentencia, naturaleza de las secuelas e impotencia reconocida, junto a la afirmación de que las actuales, idénticas a las anteriores, se debían exclusivamente al último accidente acaecido. Nos encontramos con que una de las partes engaña al Juez y le induce con la presentación de falsas alegaciones a dictar una determinada resolución que perjudica los intereses económicos de la otra parte.

Otro supuesto de estafa procesal lo constituiría la ocultación por el abogado de haberse percibido íntegramente las rentas cuyo impago servía de presupuesto petitorio a las acciones entabladas y seguidas en un proceso de desahucio, hasta una consumación desposesoria, definitiva e irremisible, desfavorable a los arrendatarios y favorable a su patrocinado.

En cuanto al falso testimonio del artículo 461.3 en relación con el 458, (ambos del Código Penal), se refiere a la conducta del testigo que faltare a la verdad en su testimonio en causa judicial, como el que presentare a sabiendas testigos falsos o peritos o intérpretes mendaces. Si el responsable de este delito fuese abogado, procurador, graduado social o representante del Ministerio Fiscal, en actuación profesional o ejercicio de su función, se impondrá en cada caso la pena en su mitad superior y la de inhabilitación especial para empleo o cargo público, profesión u oficio, por tiempo de dos a cuatro años.

Ejemplos de supuestos de condena por falso testimonio los encontramos en supuesto por los que a instancia del abogado, y por su indicación y asesoramiento, su cliente presente ante el Juzgado los testigos falsos.

Obviamente, el cliente tiene obligación de informar a su abogado de todos los hechos y no ocultarle información alguna, por lo que en el supuesto de que aquel falseara la información y al abogado no le fuera posible detectar dicho engaño, y luego este tuviera trascendencia en un proceso, el abogado carecería de responsabilidad alguna en los delitos antes citados. Lo que no puede hacer el abogado es, conociendo su falsedad, acogerse a la atenuación de que cumpliera las órdenes de su cliente, pues éste no puede imponerle actuación contraria a derecho ni, por supuesto, obligarle a realizar conductas delictivas.

VII. ¿CÓMO SE ADQUIERE O MEJORA?

Al ser un deber consustancial a nuestra profesión, se aprende cuando se empieza a ejercer y se mejora con el día a día con la práctica profesional.

VIII. ANÉCDOTA[1]

La verdad y la mentira

"Cuenta una leyenda que un día la verdad y la mentira se cruzaron:

–Buenos días– dijo la mentira.

–Buenos días– contestó la verdad.

–Hermoso día– dijo la mentira.

---

1. *Fábulas*. Esopo. Biblioteca clásica Gredos.

Y la verdad, miró al cielo y oteó el horizonte para ver si era verdad... Y sí, lo era.

–Hermoso día– contestó entonces la verdad.

–Aún más hermoso está hoy el lago– dijo la mentira.

Y la verdad, miró y volvió a mirar al lago para convencerse de que era verdad... Y sí, lo era.

– Cierto, está más bonito– dijo entonces la verdad.

Y la mentira, corriendo hacia el agua, dijo:

– ¡Vayamos al agua a nadar! ¡El agua está mucho más hermosa!

La verdad se acercó con prudencia al agua, la tocó con la yema de los dedos, vio que sí, el agua estaba más hermosa, y decidió creer a la mentira y seguirla.

Ambas se quitaron la ropa y se lanzaron al agua. La verdad y la mentira estuvieron nadando un buen rato, muy a gusto, hasta que la mentira salió y se puso la ropa de la verdad. La verdad, incapaz de ponerse la ropa de la mentira, comenzó a caminar desnuda por la calle y todos se horrorizaron de verla.

Así es cómo, desde entonces, la mayoría de personas prefieren ver la mentira disfrazada de verdad que la verdad al desnudo".

Esopo.

IX. PREGUNTAS PARA EL DEBATE

– ¿Cómo aplicarías la veracidad en una negociación?
– ¿Has presenciado ejemplos claros de falta de veracidad en compañeros?
– ¿Te ha presionado el cliente para no ser veraz?

X. LECTURAS RECOMENDADAS

El Alma de la Toga. Ossorio y Gallardo, Á (2007). Editorial Reus.

XI. SABIDURÍA POPULAR

"A ningún abogado consciente del significado y la trascendencia de su profesión se le ocurriría afirmar que en un determinado documento se dice algo que en él no consta, o que una realidad física tangible no existe, ni trataría de que se tuviera por cierto un hecho cuya inexistencia le constara. Él es el primero que sabe que quien tal hiciera estaría abocado a la desconsideración y al más absoluto fracaso, y que semejante comportamiento se habría de volver irremediablemente en su contra y en la de sus clientes.

La mendacidad resulta, al final y siempre, tan patente que nadie con un mínimo de dignidad y de inteligencia osaría cometer la torpeza de quedar en evidencia y de ganar fama de tramposo" José Flors Matíes.

"Nunca ni por nada es lícito faltar a la verdad en la narración de los hechos. Letrado que hace tal, contando con la impunidad de su función, tiene gran similitud con un estafador". Ángel Ossorio y Gallardo.

"¿Tu verdad? No, la Verdad

Y ven conmigo a buscarla.

La tuya, guárdatela". Antonio Machado.

Habilidades sociales

Capacidad social

I. CARACTERÍSTICAS

Ahora bien, la práctica de esta habilidad puede examinarse desde dos vertientes o modalidades que trataremos a continuación. Una, vinculada al ejercicio profesional y otra, al liderazgo o gestión del despacho.

La primera se desarrolla cuando salimos del despacho y dedicamos una parte importante de nuestra jornada a interactuar con las personas que directa o indirectamente guardan una relación con nuestra actividad: abogados, clientes, personal de la oficina judicial, notarios, registradores, funcionarios, etc. El motivo de estas relaciones reside, como expuse al principio, en la búsqueda de información para la toma de decisiones profesionales o, simplemente, en el deseo de socializar.

- Los beneficios de este proceder son diversos:
- Dispondremos de información de primera mano, actual y fiable sobre asuntos de nuestro interés, lo que facilitará una adecuada toma de decisiones.
- No perderemos la perspectiva profesional de lo que "se cuece" en la calle.
- Nuestro liderazgo se verá reforzado ante nuestros compañeros y empleados, ya que este no se limitará al conocimiento teórico, sino también al práctico, es decir, sabremos cómo funcionan las cosas ahí fuera tanto o mejor que ellos.

- No solo fidelizaremos a nuestros clientes, sino que el contacto informal puede llevarnos a la consecución de nuevos clientes y encargos profesionales.

- Transmitiremos una imagen positiva de compromiso y responsabilidad con lo que hacemos.

En la segunda modalidad, el abogado, consciente de que las personas son una fuente importante de información, dedicará parte de su tiempo a interactuar en el contexto de su despacho con tantas personas y con tanta frecuencia como le sea posible. Aquí, el abogado se relacionará de manera informal con sus compañeros, empleados, proveedores, etc., mediante visitas a los distintos departamentos.

Al igual que en el supuesto anterior, se obtienen importantes beneficios:

- Dispondremos nuevamente de información actualizada y fiable a fin de poder tomar decisiones rápidas, oportunas y eficaces.

- El empleado percibirá el mensaje positivo de que nos estamos tomando interés por ellos, aumentando su confianza y compromiso.

- Conoceremos el nivel de motivación y satisfacción de los compañeros y empleados.

- Tendremos más opciones de involucrar a los demás en las metas y objetivos del despacho.

Para concluir, señalar que, en ambas modalidades, no basta con entablar relaciones o interacciones superficiales, sino que debemos mantenerlas en el largo plazo y de una forma sincera y honesta. En la medida que actuemos conforme a estos criterios, estaremos mejorando nuestro potencial profesional.

II. CONCEPTO

El ser humano es eminentemente social, por lo que desde su nacimiento está configurado para interactuar en sociedad con otros seres humanos. Primero será la familia, después llegarán los amigos y, finalmente, el mercado laboral. Por ello, junto a la conciencia social, cuyo máximo exponente es la empatía, las personas desarrollarán una aptitud o capacidad social que vendrá determinada por nuestro comportamiento a la hora de relacionarnos[1].

Por lo tanto, la capacidad social tiene que ver con la facultad que tenemos de gestionar las relaciones con los demás, con la particularidad, desde la perspectiva de la inteligencia emocional, de dirigirse a la obtención de un objetivo determinado, precisamente porque quienes ostentan esta capacidad

---

1. *Inteligencia Emocional.* Goleman, D. (2010). Kairós.

(generalmente personas muy empáticas) son conscientes de que para lograr ese objetivo, no pueden conseguirlo de forma individual.

La capacidad social, como último, pero no menos importante, eslabón de la cadena de capacidades que integran la inteligencia emocional, encuentra su fundamento en que las personas que disfrutan de la misma, al disponer de un alto conocimiento de sus emociones y de la de los demás (autoconciencia), al saber cómo controlar y gestionarlas (autogestión) y al comprender lo que sienten otras personas (empatía), suelen tener mucho éxito en los encuentros sociales, dominando con ello las dotes de motivación, persuasión, etc.

III. ¿POR QUÉ ES IMPORTANTE LA CAPACIDAD SOCIAL PARA EL ABOGADO?

El abogado es un profesional en cuya actividad las relaciones con terceras personas son esenciales puesto que, excepto cuando se encierra en su despacho para estudiar, está continuamente gestionando relaciones que afectan a su práctica profesional.

Y con ello no solo nos referimos a relacionarnos con el fin de conocer más gente y captar más clientes, sino que hemos de considerar la perspectiva de establecer vínculos que algún día podrán ayudarnos en nuestra actividad, pues todos sabemos la gran cantidad de intereses que concurren en cualquier caso que nos encomienden, y nunca se sabe quién podrá ayudarnos en el futuro.

IV. EL ABOGADO CON CAPACIDAD SOCIAL

Veamos el perfil de una persona dotada de capacidad social:

- Suele tener un amplio círculo de conocidos.
- Se compenetra, o sabe compenetrarse, con personas de distinta clase y condición (sabe encontrar los puntos en común).
- Es gran motivador y persuasivo.
- Es una persona optimista.
- Por supuesto, es un gran comunicador.
- Es un excelente colaborador y trabajador de equipo.

En definitiva, el abogado con capacidad social:

- Motiva.
- Inspira.
- Influye.
- Gestiona conflictos.

- Establece vínculos.
- Trabaja en equipo.

Y de todo ello se deriva una mayor productividad y rentabilidad para su despacho.

V. EL ABOGADO SIN CAPACIDAD SOCIAL

El abogado sin capacidad social:

- Tendrá escasas relaciones con personas vinculadas al mundo de los negocios y profesional.
- Le será difícil relacionarse con determinado tipo de personas.
- No será un buen comunicador o si lo es, le valdrá de poco.
- Carecerá de dotes de persuasión.

VI. EJEMPLOS PRÁCTICOS

Respecto de los clientes, su capacidad de relación nos ayudará a mantener la sintonía con los mismos, lo que contribuirá a mantener la red de clientes del despacho.

Por otro lado, una de las actividades del abogado es la negociación, por lo que el empleo de una importante competencia social nos permitirá alcanzar más fácilmente el consenso sabedores de las emociones que hay en juego.

Desde la perspectiva de la empresa, como líder de su organización, el abogado gracias a su capacidad de inspirar, influir y motivar, será un gran trabajador en equipo, sabrá gestionar conflictos, favorecer el consenso y establecer vínculos, sin olvidar el valor que tiene su capacidad de escucha para el desarrollo profesional de sus compañeros, que en otro caso, abandonarán la firma en busca de otros escenarios donde poder cultivar y desarrollar sus capacidades.

VII. ¿CÓMO SE ADQUIERE O MEJORA?

Si bien es una cuestión muy vinculada al tipo de educación familiar y de relaciones que hayamos realizado desde nuestra juventud, la capacidad social se adquiere con un fuerte deseo e intención de adquirirla y con la realización de acciones que nos permitan contactar con la más variada gama de personas (especialmente las vinculadas con nuestra actividad) asistiendo a conferencias, charlas, congresos, reuniones, foros, etc., y desarrollando una importante actividad en las redes sociales para darnos a conocer. Iniciarse en acciones de Networking es clave.

VIII. ANÉCDOTA

"Durante mis primeros años de ejercicio profesional gran parte de mi jornada la pasaba fuera del despacho: visitaba a los clientes, bien para tratar encargos como para tomar un café; mantenía encuentros con notarios, registradores y otros compañeros con el fin de consultarles las dudas que surgían en los primeros asuntos; visitaba lugares vinculados al caso para conocerlos de primera mano y, cómo no, frecuentaba las oficinas judiciales y organismos de la administración para consultar expedientes y tener un conocimiento inmediato del estado de los mismos. Naturalmente, mis circunstancias eran completamente distintas a las actuales, lo que me permitía dedicar gran parte de mi jornada a estos quehaceres cuyo denominador común era la posibilidad de interactuar con personas relacionadas con mi profesión, más allá de las cuatro paredes de mi modesto despacho.

Desgraciadamente, la cosa ha cambiado. Todos coincidiremos en que con el transcurso de los años, la complejidad de nuestra actividad aumenta, y no por pereza, sino más bien por obligación y responsabilidad, los abogados nos vemos condenados a pasar más tiempo en los despachos y menos en la calle, salvo, claro está, cuando asistimos a los Juzgados en defensa del cliente.

Sin embargo, me resisto a abandonar tan sana costumbre, y cada vez que me siento a establecer mis metas, siempre aparece el objetivo de salir más del despacho".

IX. PREGUNTAS PARA EL DEBATE

- ¿Haces por relacionarte de forma periódica con la gente?
- ¿Te das cuenta en qué momentos estás encerrado y no te estás relacionado?
- ¿Recuerdas alguna ocasión en la cual hayas tenido un éxito profesional a resultas de tu actividad social?

X. LECTURAS RECOMENDADAS

Inteligencia Emocional. Goleman, D. (2010). Kairós.

XI. SABIDURÍA POPULAR

"Si conoces a los demás y te conoces a ti mismo, ni en cien batallas correrás peligro; si no conoces a los demás, pero te conoces a ti mismo, perderás una batalla y ganarás

otra; si no conoces a los demás ni te conoces a ti mismo, correrás peligro en cada batalla".
Lao Tse.

"Lincoln fue «itinerante» por naturaleza. Como abogado en Springfield (Illinois), pasaba mucho tiempo lejos de su bufete, y no sólo en viajes de ida al asunto y vuelta a casa, sino deteniéndose en la búsqueda de hechos e información pertinentes a cualquier caso en el que estuviera trabajando en esos momentos. Era esa clase de abogado que se desplaza a los diferentes sitios para enterarse personalmente de cómo van las cosas" Lincoln y el Liderazgo". Phillips, Donald T.

Humanismo

I. CONCEPTO

Nos estamos refiriendo al humanismo o naturaleza humana de la profesión, en la que destaca el principio que afirma que siendo el hombre el vértice de todas las cosas, el ejercicio de nuestra profesión se encuentra condicionado por dicho principio, y con ello nuestra forma de ser y vivir la profesión.

Por ello, el humanismo se dirige a poner en valor a la persona como centro de la profesión, faceta esta que guarda una enorme relación con el "ser abogado" y que consideramos debe potenciarse aprovechando esta tendencia a resaltar cualidades humanas.

II. CARACTERÍSTICAS

El humanismo se caracteriza por los siguientes elementos[1]:

–   Es sensible a las particularidades de las personas y las sociedades.

–   Se alimenta de la perspectiva histórica de los hechos y de las evidencias prácticas.

–   Le da especial importancia a valores humanos como la libertad, la solidaridad y la autodeterminación. El humanismo es también una ética.

–   Enaltece el valor de la palabra, tanto en términos de discurso, como de diálogo.

–   Concede valor a la argumentación como fuente de acuerdos.

---

1.   Fuente: *https://lamenteesmaravillosa.com/humanismo-significado-tipos-caracteristicas/*.

III. ¿POR QUÉ ES IMPORTANTE EL HUMANISMO PARA EL ABOGADO?

Para responder a esta pregunta, qué mejor que destacar este texto de José María Martínez-Val en el que de forma bellísima nos expone la profunda vinculación del abogado con todo aquello relacionado con la persona:

"aquello más característico del hombre, el debate moral de su conducta y el resultado de su libre determinación; su amor y sus intereses: la dignidad intransferible de su alma, y su compromiso social, eso es, y no otra cosa, el campo de acción del abogado. Cuida el médico del cuerpo; el educador, de la formación; el sacerdote de la vida sobrenatural del hombre. Pero el hombre queda, entero y verdadero, con sus totales dimensiones, bajo la mirada del abogado. Nadie intente, pues, ser abogado sin conocer al hombre. Y nadie conoce al hombre sin ser humanista. Humanismo es, sobre todas las cosas, comprensión, simpatía cordial, calor de humanidad por todos y cualquiera"[2].

De lo que se infiere que el abogado tiene necesariamente que ser humanista, porque su materia de trabajo es el hombre, con todo lo grave e importante que ello conlleva. Sin conocer al hombre, difícilmente podrá ejercerse la profesión.

IV. EL ABOGADO HUMANISTA

El abogado humanista se conoce a sí mismo, sabe que actúa como persona, y que ser abogado es ser persona. Ello le llevará a conocer sus fortalezas y debilidades y, con ello, a un crecimiento permanente en el que la modestia, el sentido de la medida y la prudencia, serán sus guías en un entorno en el que interactuamos permanentemente con personas. En la medida en que mejor se conozca, mejor podrá interactuar con quienes integran su mundo profesional.

Desgraciadamente, debido a la elevada carga de trabajo que soportamos, a la tensión que conllevan los términos y plazos, a la dependencia de decisiones dictadas por un tercero, etc., el abogado es poco proclive a detenerse y sentarse a reflexionar sobre cuestiones de autoconocimiento, siendo una tarea vital tanto para su mejora como crecimiento personal y profesional.

El abogado humanista es sociable, empático, comprensivo y, sobre todo, conocedor de la naturaleza humana.

V. EL ABOGADO NO HUMANISTA

El abogado que no valora a la persona como centro de su actividad encontrará muchas dificultades a la hora de interactuar con ellas a diario, lo que será fuente de incomprensiones y sin sabores.

---

2. *Abogacía y Abogados.* Martinez Val, JM.ª (1999). Bosch

VI. EJEMPLOS PRÁCTICOS

Veamos algunas situaciones en las que el abogado despliega su perfil humanista:

– **El cliente:** Partiendo de la relación que mantenemos con el cliente y de la importancia de la misma, el abogado deberá seguir una serie de pautas de conducta en la que el valor de la relación personal cobrará el máximo interés.

En este peculiar contexto, el abogado humanista deberá:

– Conocer al cliente, es decir, conocer a la persona, cómo piensa, cómo siente, cuáles son sus estados de ánimo, y cómo quiere ser tratado para sentirse cómodo en una circunstancia tan difícil como la que le hace acceder al despacho. Esta cuestión es vital, pues las personas son muy diferentes, y más cuando están sometidas a la presión de contactar con un abogado (por razón de la existencia de un problema personal, patrimonial, etc.).

– Comprender al cliente, o lo que es lo mismo, empatizar con su situación poniéndose en la piel del mismo y tratar de entender los motivos, causas y razones de su proceder. Esta actitud debe considerarse con mucha prudencia, pues empatizar no significa simpatizar. El abogado debe comprenderlo, pero tiene que mantenerse al margen evitando identificarse emocionalmente pues, de lo contrario, su actividad en interés del cliente se verá afectada negativamente, al igual que los encargos de otros clientes.

– No juzgarlo, porque el abogado sabe que se encuentra frente a un ser humano y, por tanto, si bien no justificará o aprobará tal o cual conducta, se limitará a comprender lo humano de la misma, centrándose en ayudarlo al amparo de sus destrezas profesionales y con arreglo al ordenamiento jurídico. Si ya de por sí juzgar a otros no es precisamente una virtud, el abogado está más obligado si cabe a respetar dicha regla, pues la defensa de los intereses de un tercero no puede verse contaminados, como hemos avanzado, por un criterio personal que lo que hará es condicionar dicha defensa.

– Distanciarse, objetivando el asunto y prescindir de la pasión que nos transmite y a veces exige la propia subjetividad del cliente; alejándonos de formar parte de sus intereses, pues el sufrimiento del cliente no puede hacernos olvidar nuestra obligación. El abogado no es familiar, amigo o socio del cliente, el abogado es un tercero que constitucionalmente tiene el deber de defensa de sus intereses, y para ello deberá actuar con independencia, razón que exige alejarse del mismo y de sus pasiones, pues de actuar movido por estas, nuestra actividad se haría insoportable. Como decía Couture, *"Olvida. La Abogacía es una lucha de pasiones. Si en cada batalla fueras llenando tu alma de rencor llegaría un día en que la vida sería imposible para ti. Concluido el combate, olvida tan pronto tu victoria como tu derrota".*

- Asesorarle partiendo de lo humano, es decir, comprendiéndolo, pero no incitándolo a la pasión o a perseverar en una conducta perjudicial para sus intereses a través del fomento de soluciones injustas o ilegales. El consejo, una de las funciones claves del abogado, se debe administrar sin olvidar que va dirigido a una persona, con sus emociones y sentimientos especialmente afectados por el caso que le lleva al profesional, motivo por el que el abogado debe actuar con mucha prudencia y honestidad, siempre construyendo.

- Escucharlo. Una de las herramientas más poderosas que tiene el abogado, dentro y fuera de una sala de vistas, es la capacidad de escuchar activamente. Y cuando hablamos de escucha, nos estamos refiriendo a la denominada escucha activa, técnica o método de escucha y respuesta a otra persona que incrementa la mutua comprensión de los interlocutores a través de un proceso de obtención de información que, respetando las emociones en juego, facilita enormemente la comunicación. Es un proceso que requiere escuchar con atención, empleando literalmente los cinco sentidos, concentrando toda nuestra energía en las palabras del interlocutor, a fin de transmitirle no solo que lo estamos entendiendo, sino que estamos verdaderamente interesados en su mensaje. No hay nada mejor para conectar con la persona, con el ser humano, que escucharlo.

– Compañeros de profesión: El abogado humanista sabrá posicionarse en la situación del compañero quien, a la postre, está haciendo el mismo trabajo que nosotros, alejándonos de toda animadversión o resentimiento. Quizás esta cuestión, muy vinculada a la deontología, es de notable importancia, pues entre los compañeros debe presidir la lealtad y respeto en el más excelso de sus sentidos. Ya lo dice la frase proverbial *"los clientes pasan y los compañeros quedan"*, haciéndose eco de la importancia de mantener unas relaciones leales a pesar de encontrarse defendiendo en planos completamente opuestos.

– Jueces y otros operadores jurídicos: En este escenario, el abogado debe reflexionar y comprender el porqué de las reacciones con las personas que no piensan como nosotros y que están igualmente afectadas por múltiples problemas que afectan a la administración de justicia. En la medida en la que el abogado enfrente las incidencias que se produzcan con ese grado de conocer lo humano, probablemente actuará con más claridad y ecuanimidad, lo que redundará en la defensa del asunto. Una buena relación entre jueces y abogados es vital para el funcionamiento correcto del sistema, y aquí destacan algunos de los aspectos ya señalados: lealtad, respeto, consideración, empatía, escucha, etc., virtudes que nos ayudarán a transformar estas relaciones profesionales en unas relaciones verdaderamente humanas.

– Las personas ajenas a la profesión: Familia, amigos y conocidos, conforman grupos de personas con los que interactuamos y con los que, cuando se trata de hablar sobre nuestra profesión, surgen numerosas discrepancias e incomprensiones, lo que nos suele generar perplejidad y tristeza pues, en pleno siglo XXI, son muchas las voces que, desconociendo nuestra profesión, realizan juicios de valor que, fundados en la ignorancia, traspiran una animosidad hacia lo que hacemos y, por extensión, hacia todo lo relacionado con el mundo de la Justicia y sus operadores. Aquí, los abogados, más que nunca, hemos de cumplir con nuestro deber de magisterio social y contribuir a mejorar el conocimiento de nuestra profesión. De esta forma, sin duda, se mejorarán las relaciones con nuestro colectivo y, en última instancia, la sociedad podrá aprovechar mejor nuestras potencialidades.

VII. ¿CÓMO SE ADQUIERE O MEJORA?

El humanismo se adquiere a través de la concienciación de que las personas son claves para un satisfactorio y eficaz emprendimiento de nuestra profesión. Saber que las personas son claves nos ayudará a entenderlas, comprenderlas, escucharlas, empatizar con ellas y darles el valor que merecen, como personas.

Por otro lado, la práctica de las habilidades derivadas de la inteligencia emocional nos hará más humanistas.

VIII. ANÉCDOTA[3]

El humano y el "humanista"

Wendy Wong

Un humano estaba sentado sobre su sombra, apoyándose en su propia espalda, pensando en el tiempo ahogado por el calor del día, pero… pero… SONREÍA. Siempre pasaban por su lado "humanistas" que lo miraban y se compadecían de él, a veces le tiraban una que otra monedita para que tuviera un pan qué comer; un día, uno de ellos, se detuvo frente al humano, lo miró por largo rato y le preguntó:

¿Qué se siente ser humano?

Se siente muy bien, solo que…

---

3. Anécdota referida y/o extraída de la siguiente fuente: *http://philosiuris.blogspot.com/2009/10/cuento-humanista.html.*

¿Sólo que qué? ¿Hay algún problema?

Claro, todo tiene siempre que tener un problema.

¿Cuál?

Los "humanistas"

¿Nosotros?

Sí, ustedes, sé que en otro tiempo fueron humanos, pero luego se olvidaron que lo eran y entonces se volvieron "humanistas" y nos tratan como seres necesitados de ayuda, somos los pobrecitos a los que deben darle lo que les sobra, los bárbaros que deben ser educados en sus conocimientos establecidos, ustedes son el problema. Dígame, ¿por qué no se ayudan a sí mismos y dejan de darnos tanta lata queriendo ayudarnos?

¿Darles tanta lata? – preguntó impactado el humanista y el humano agregó:

Por supuesto, con tanto camino fácil, no nos dejan crecer por nuestra propia cuenta, si ustedes pudieron superarse por su propia entrega, qué les hace pensar que el resto no pueda, si todo conocimiento escrito en los libros partió de cosas que vivieron y experimentos que realizaron y pensaron antes.

No sabía que le habíamos causado tantas molestias.

Eso es obvio, ustedes siempre se la pasan hablando de nosotros y de lo que deben hacer con nosotros, pero nunca se dan una vuelta por nuestros lares para hablarnos, es increíble, pero nos ayudarían más tratándonos como iguales. ¿Le puedo pedir algo?

Claro, lo que quiera.

Vuelva aquí alguna otra vez y siéntese conmigo.

¿Aquí? ¿A la intemperie? ¿Y mi saco? ¿No se ensuciará mi saco?

¿Y qué importa si se ensucia, acaso no puede lavarlo?

Pero el calor

Pues entonces se saca el saco

¿Y dejar que me vean así?

¿Y por qué no?

¿No lo sé, qué me dirán mis otros amigos?

Ellos ni siquiera notarán que se trata de usted, créame, ellos se creen tan de arriba que no se atreven a ver bien a los que estamos aquí abajo. – Y el humanista meditó un momento, se sacó el saco que llevaba y se sentó al lado del hombre, jamás se volvió a poner el saco".

IX. PREGUNTAS PARA EL DEBATE

– ¿Crees que el humanismo se mantendrá ante el cambio tecnológico que se está produciendo?

– ¿En qué acciones notas más tu humanismo?

– ¿Es compatible el no ser humanista con la abogacía?

X. LECTURAS RECOMENDADAS

Humanismo y renacimiento. Autor/a: Varios. (2007). Alianza Editorial.

XI. SABIDURÍA POPULAR

"Un humanismo bien ordenado no comienza por sí mismo, sino que coloca el mundo delante de la vida, la vida delante del hombre, el respeto por los demás delante del amor propio". Claude Lévi Strauss.

Itinerancia

I. CONCEPTO

Actividad también conocida como "liderazgo itinerante", "mantenerse en contacto" o "salir de la torre de marfil", consiste en el proceso de dejar el encierro del despacho e interactuar o relacionarse con los clientes, los proveedores y el personal de la empresa.

Esta habilidad coincide con el denominado "managing by wandering around" o "gestión mediante paseos", nombre que Tom Peters y Robert Waterman dieron en 1982 a una novedosa técnica de liderazgo en su libro "En busca de la excelencia".

II. CARACTERÍSTICAS

De dicha habilidad destacamos las siguientes características:

– Busca la comunicación social para ganar en conocimiento e influencia.

– Sus destinatarios son personas de toda categoría profesional vinculadas al mundo del abogado (profesionales, clientes, empleados, proveedores, operadores jurídicos, etc.).

– Requiere la salida de nuestros despachos.

– Transmite confianza.

III. ¿POR QUÉ ES IMPORTANTE LA ABOGACÍA ITINERANTE PARA EL ABOGADO?

Porque salir del despacho y mezclarse con todas las personas con las que interactuamos durante nuestra práctica nos permitirá acceder a numerosos beneficios:

- Dispondremos de información de primera mano, actual y fiable, sobre asuntos de nuestro interés, lo que facilitará una adecuada toma de decisiones.
- No perderemos la perspectiva profesional de lo que "se cuece" en la calle.
- Nuestro liderazgo se verá reforzado ante nuestros compañeros y empleados, ya que éste no se limitará al conocimiento teórico, sino también al práctico, es decir, sabremos cómo funcionan las cosas ahí fuera tanto o mejor que ellos.
- No sólo fidelizaremos a nuestros clientes, sino que el contacto informal puede llevarnos a la consecución de nuevos clientes y encargos profesionales.
- Transmitiremos una imagen positiva de compromiso y responsabilidad con lo que hacemos.
- Los empleados percibirán el mensaje positivo de que nos estamos tomando interés por ellos, aumentando su confianza y compromiso.
- Conoceremos el nivel de motivación y satisfacción de los compañeros y empleados.
- Tendremos más opciones de involucrar a los demás en las metas y objetivos del despacho.

IV. EL ABOGADO ITINERANTE

El abogado que sale frecuentemente de su despacho y sabe interactuar se beneficiará de todos y cada uno de los beneficios destacados en el párrafo precedente.

V. EL ABOGADO QUE NO SALE DEL DESPACHO

Este abogado, también llamado "de laboratorio" es aquel que dedica la mayor parte de su actividad profesional al ejercicio de la abogacía desde su despacho profesional. Rodeado de sus probetas, matraces y tubos de ensayo (expedientes, libros, programas y software) disfruta enormemente estudiando y resolviendo asuntos desde la seguridad y calidez que le ofrecen las cuatro paredes de su despacho. Quitarse la figurada bata blanca y salir al exterior para asistir a juicio o resolver alguna diligencia se antoja un verdadero tormento para este profesional, pues la calle es un escenario poco atrayente y demasiado complejo.

Como señalaba Henry Bordeaux al transcribir algunos de los consejos que recibió de Daudet:

"Las leyes, los códigos no deben ofrecer ningún interés. Se aprende a leer con imágenes y se aprende la vida con hechos. Figuraos siempre hombres y debates entre los hombres. Los códigos no existen en sí mismos. Procure ver y observar. Estudie la importancia de los intereses de la vida humana. La ciencia de la humanidad es la verdadera ciencia".

Es decir, el derecho no es la obra del legislador sino el producto constante y espontáneo de los hechos y estos, como no podría ser de otra manera, se encuentran en la calle, en la barra de un bar, en un encuentro ocasional o en una conversación provocada por una larga espera. Si queremos estar en contacto con el derecho, no queda otra opción que estar cerca de los hechos, y estos no se encuentran entre las cuatro paredes del despacho, con la excepción de la visita del cliente.

Por lo tanto, aunque la tentación resulte muy alta y la dificultad mayor, el abogado debe evitar en todo punto acomodarse al confort de su despacho y olvidar la importancia que para nuestro crecimiento profesional supone el salir al exterior e interactuar con las personas y los hechos, elementos que conforman la esencia de nuestra profesión.

VI. EJEMPLOS PRÁCTICOS

Durante mis primeros años de ejercicio profesional pasaba gran parte de mi jornada fuera del despacho: visitaba a los clientes, bien para tratar encargos como para tomar un café; mantenía encuentros con notarios, registradores y otros compañeros con el fin de consultarles las dudas que surgían en los primeros asuntos; visitaba lugares vinculados al caso para conocerlos de primera mano y, como no, frecuentaba las oficinas judiciales y organismos de la administración para consultar expedientes y tener un conocimiento inmediato del estado de los mismos. Naturalmente, mis circunstancias eran completamente distintas a las actuales, lo que me permitía dedicar gran parte de mi jornada a estos quehaceres cuyo denominador común era la posibilidad de interactuar con personas relacionadas con mi profesión más allá de las cuatro paredes de mi modesto despacho. Recuerdo con cariño como un cliente decía que yo era el "tendero del derecho" al presentarme siempre a las puertas de su pequeño establecimiento montado en mi vespa.

Desgraciadamente, la cosa ha cambiado. Todos coincidiremos en que con el transcurso de los años la complejidad de las materias que constituyen nuestra actividad aumenta, y no por pereza, sino más bien por obligación y responsabilidad, los abogados nos vemos condenados a pasar más tiempo encerrados en los despachos y menos en la calle, salvo, claro está, cuando asistimos a los Juzgados en defensa del cliente.

Sin embargo, me resisto a abandonar tan sana costumbre, y cada vez que me siento a establecer mis metas siempre aparece el objetivo de salir más del despacho.

VII. ¿CÓMO SE ADQUIERE O MEJORA?

La práctica de esta habilidad puede examinarse desde dos vertientes o modalidades que trataremos a continuación. Una, vinculada al ejercicio profesional y otra, al liderazgo o gestión del despacho.

La primera se desarrolla cuando salimos del despacho y dedicamos una parte importante de nuestra jornada a interactuar con las personas que, directa o indirectamente, guardan una relación con nuestra actividad como son los abogados, clientes, personal de la oficina judicial, notarios, registradores, funcionarios, etc. El motivo de estas relaciones reside en la búsqueda de información para la toma de decisiones profesionales, contactos que se van transformando en una forma de socialización para el abogado.

En la segunda modalidad, el abogado, consciente de que las personas son una fuente importante de información, dedicará parte de su tiempo a interactuar en el contexto de su despacho con tantas personas y con tanta frecuencia como le sea posible. Aquí, el abogado se relacionará de manera informal con sus compañeros, empleados, proveedores, etc., mediante visitas a los distintos departamentos.

Para concluir, señalar que en ambas modalidades no basta con entablar relaciones o interacciones superficiales, sino que debemos mantenerlas en el largo plazo y de una forma sincera y honesta, es decir, tenemos que disfrutar haciéndolo, ya que estamos enriqueciéndonos al entablar relaciones con otras personas. En la medida que actuemos conforme a estos criterios estaremos mejorando nuestro potencial profesional.

VIII. ANÉCDOTA[1]

Uno de los ejemplos más divertidos de esta práctica podemos verla en la serie El jefe infiltrado (conocido como El jefe en su primera etapa) es un

---

1. Anécdota referida y/o extraída de la siguiente fuente: *https://es.wikipedia.org/wiki/El_jefe_infiltrado.*

programa de televisión español de telerrealidad, en el que los jefes trabajan infiltrados en sus propias empresas para investigar cómo funcionan realmente y para identificar cómo se pueden mejorar, así como para recompensar a sus empleados.

IX.   PREGUNTAS PARA EL DEBATE

- ¿Has empleado, aun de forma inconsciente, la abogacía itinerante?
- ¿Podrías implementarla en tu actividad de forma planificada?
- ¿Te das cuenta de que a veces permaneces en el despacho por comodidad?

X.   LECTURAS RECOMENDADAS

En busca de la excelencia. Peters, T. y Waterman, R. (1986). Folio.

XI.   SABIDURÍA POPULAR

"El hombre es un ser social cuya inteligencia exige para excitarse el rumor de la colmena" Ramón y Cajal.

Presencia

I. CONCEPTO

La presencia es un modo o forma de estar y actuar del abogado que trasciende al exterior y que genera una percepción momentánea y favorable en las personas con las que interactuamos (juez, abogados, fiscales, testigos, peritos, cliente, etc.).

La presencia no puede confundirse con la reputación ni con el estilo del abogado en sala. Efectivamente, mientras la reputación del abogado ante el juez es la opinión que éste tenga sobre el abogado desde la perspectiva de "actuar en sala" con todo lo que ello conlleva (autoridad, solvencia, buena fe procesal, conocimiento técnico y procesal, educación, lealtad, honestidad, cooperación, personalidad, carácter, etc.), la presencia es la percepción puntual que el juez tiene en cada juicio sobre la forma en la que el abogado está llevando a cabo su intervención (cuestión distinta es que la presencia sea un claro generador de la reputación).

Por otro lado, mientras el estilo es el aire, modo o el carácter que identifica o personaliza al orador por la forma en la que usa el lenguaje en el foro, la presencia se nutre no sólo del lenguaje, sino de múltiples factores vinculados al comportamiento en sala que van más allá de su uso.

II. CARACTERÍSTICAS

La presencia se caracteriza por:

- Ser reflejo de una excelente preparación del caso.
- Ser reflejo del respeto por las normas deontológicas que hemos de seguir en el contexto forense.
- Aportar la confianza necesaria para superar favorablemente las incertidumbres del juicio.
- Ser una apariencia que transmite que el abogado se encuentra confortable desempeñando su rol profesional.
- Transmitir seguridad y confianza.
- Percibirse de forma puntual, coincidiendo con la intervención del abogado en cada momento.

III. ¿POR QUÉ ES IMPORTANTE PARA EL ABOGADO TENER PRESENCIA?

Al transmitir una percepción favorable, tener presencia es fundamental en todos los contextos en los que interviene, por lo que cultivarla es fundamental para alcanzar el éxito en nuestra profesión.

IV. EL ABOGADO CON PRESENCIA

El abogado con presencia transmite confianza, determinación, seguridad y solvencia.

V. EL ABOGADO SIN PRESENCIA

Si no se dispone de presencia, todas las interacciones serán más complejas, pues se transmitirá poco y la percepción será o nula o desfavorable, lo que dificultará el desarrollo de nuestro trabajo.

VI. EJEMPLOS PRÁCTICOS

La presencia se observará en todas las interacciones que mantenga el abogado, es decir, durante los procesos de asesoramiento al cliente, negociación o intervención en juicio. En tales casos, la presencia deberá generar una percepción puntual favorable en las personas con las que interactuemos.

VII. ¿CÓMO SE ADQUIERE O MEJORA?

La presencia no es algo que se pueda manipular y crear voluntariamente, sino que es el resultado del afianzamiento de una serie de cualidades que, bien gestionadas durante el juicio, motivarán que el abogado, casi sin saberlo, transmita ese halo de seguridad y confort que aquella representa, si bien el profesional sabrá nada más entrar en sala que se encuentra a gusto en su piel.

Veamos dichas cualidades:

Cortesía: La cortesía es el signo más evidente de que el abogado se siente confortable durante el juicio; por ser una actitud estrechamente vinculada al contacto directo con las personas que interactuamos, la cortesía genera una presencia muy favorable para el abogado. Sustancialmente, el abogado cortés sabe dirigirse al juez, abogados, partes, testigos, peritos, agentes de la administración, etc. con la máxima corrección y, en su caso, empleando las fórmulas rituales precisas ('con la venia', etc.). Igualmente, forman parte de la cortesía conductas como el guardar turno, no interrumpir al letrado contrario, no hablar sin permiso del juez, etc.

Autocontrol: Sea cual sea la causa, nada justifica que el letrado pierda los papeles y responda a cualquier estímulo desagradable perdiendo la serenidad y buenas formas, o lo que es lo mismo, la compostura, entendiéndose la misma como el actuar con un comportamiento comedido, moderado y discreto en el hablar y actuar, ajustado a las circunstancias de tiempo y lugar. Por lo tanto, su pérdida supone la entrada en conductas indeseadas que se caracterizan por la desproporción en el saber estar, perdiéndose la mesura y decoro exigidos por dichas circunstancias.

Prudencia: Entendida como capacidad de analizar de forma reflexiva y atenta el tipo de acción que vamos a emprender y antes de llevarla a cabo, nos impone mantener un comportamiento sereno y calmado ante situaciones que puedan enojarnos y provocar una reacción desmedida que, a la postre, podrá causarnos perjuicios irreparables. Hay que pensar y conservar la calma cuando se presentan los problemas.

Paciencia: Hermana de la prudencia, la paciencia es la virtud para soportar con entereza situaciones complicadas que entrañan grandes dificultades y la capacidad de actuar de forma perseverante y sin alterarnos por las contrariedades que podemos encontrarnos por el camino. La paciencia constituye una herramienta ideal para, con templanza y el justo equilibrio en el actuar, evitar aquellas situaciones que puedan provocar una falta de control y disponer de la serenidad para actuar contundentemente en defensa de nuestros derechos.

Firmeza: La presencia no puede identificarse con falta de firmeza, pusilanimidad o debilidad de carácter, sino todo lo contrario, pues no hay mayor grandeza que actuar con moderación cuando todo está en nuestra contra. De hecho, se dice que la moderación es "la elegancia en el apremio". Ahora bien, dicha moderación no está reñida con la defensa de nuestros derechos, empleando la seriedad y contrariedad que queramos transmitir; si hay que protestar citando algún derecho, si hay que llamar la atención, si hay que poner a alguien en su lugar, habrá de hacerse pero siempre evitando la desconsideración personal o la pérdida de las formas.

Naturalidad: Entendida como espontaneidad en la exposición, la naturalidad supone un uso del lenguaje adecuado a las circunstancias del caso concreto, siempre huyendo del tono familiar, poco proclive en el foro, y del afectado, tratando de alcanzar un punto medio natural. Hay que ser uno mismo, evitando emular a otros compañeros, y actuar con las características propias que vamos cultivando día a día en el foro.

Uso del lenguaje verbal y no verbal: Obviamente, todas las anteriores actitudes deben llevarse a cabo empleando un lenguaje verbal y no verbal que transmita esa concentración y focalización necesarias para sentirse bien en sala, pues si bien es importante el fondo, las formas son claves en el proceso de comunicación, y un lenguaje correcto y adecuado será esencial para transmitir la presencia.

VIII. ANÉCDOTA

Recientes investigaciones han demostrado que el lenguaje no verbal influye en cómo te ven los demás y la percepción que tienes de ti mismo. La psicóloga Amy Cuddy es la precursora de esta realidad, fomentando las denominadas "posturas poderosas" del cuerpo para adquirir la máxima presencia y potencial. Puedes ver su video en las charlas Ted: https://www.ted.com/talks/amy_cuddy_your_body_language_may_shape_who_you_are?language=es.

IX. PREGUNTAS PARA EL DEBATE

– ¿Tienes presencia?
– ¿Has notado cómo influye tu presencia al interactuar?
– ¿Te has sentido alguna vez sin presencia?

X. LECTURAS RECOMENDADAS

El poder de la presencia. Cuddy, A (2016). Urano.

XI. SABIDURÍA POPULAR

"Convencemos a los demás con nuestra presencia". Walt Whitman.

"La presencia es el yo interior revelándose". Padi, España.

"Todo el mundo quiere ser Cary Grant. Hasta yo quiero ser Cary Grant". Cary Grant.

Reputación

I. CONCEPTO

Siendo la reputación entendida como la opinión o juicio que tiene la gente sobre una persona o el prestigio de esa persona (fama, nombre o renombre) podemos aventurar que la reputación del abogado ante el juez será la opinión (en un determinado grado o nivel) que éste tenga sobre el abogado desde la perspectiva de "actuar en sala" con todo lo que ello conlleva (autoridad, solvencia, buena fe procesal, conocimiento técnico y procesal, educación, leal-tad, honestidad, cooperación, personalidad, carácter, etc.).

Si bien la reputación puede y debe afectar a todas las funciones del abo-gado, en este apartado nos ocuparemos de la reputación ante el juez.

II. CARACTERÍSTICAS

Entre las características de la reputación destacamos:

- Es una opinión de un tercero con independencia de la percepción que deseemos transmitir.
- Está referida a la forma en la que el abogado se desenvuelve en el proceso.
- Es difícil de construir y fácil de destruir.
- Se adquiere con el transcurso del tiempo.

- Es una percepción genérica que deriva de la observación de múltiples cualidades.

III. ¿POR QUÉ ES IMPORTANTE LA REPUTACIÓN PARA EL ABOGADO?

Para ello, hemos de partir de considerar que a medida que transcurren los años de experiencia, los abogados que defienden pleitos y causas suelen intervenir en sala con cierta periodicidad. Esta intervención, y muy especialmente en las ciudades de tamaño medio y pequeño o en los pueblos, conduce inevitablemente a que el juez de turno conozca perfectamente el estilo de los abogados de la localidad y, por tanto, disponga de una impresión sobre los mismos. En ciudades más grandes, y debido al gran número de juzgados y de abogados, probablemente no ocurra igual con todos los abogados que intervienen en juicio, pero aquellos letrados que estén muy especializados en determinada materia, serán sobradamente conocidos por los jueces.

Dicha impresión, que se nos antoja fundamental, viene constituida por diversas facetas del abogado tales como su personalidad y carácter, su comportamiento y conducta en sala con el juez y letrados adversos, su preparación en aspectos sustantivos y procesales, es decir, su solidez técnica y su dominio del proceso; la defensa o estilo de defensa que suele emplear con sus clientes y, en suma, la buena fe procesal que emana de su forma de actuar durante el proceso y en sala.

Por lo tanto, de este conglomerado de apreciaciones que tiene el juez sobre el abogado nacerá una percepción genérica que constituye la reputación.

Lógicamente, puede pensarse que los jueces son completamente imparciales, y como la propia Justicia, tienen una venda en los ojos que impide que se fijen en otros aspectos que no sean los hechos debatidos y la aplicación del derecho. Cierto, y lo son y, además, nadie está diciendo que por la reputación de un letrado vaya a decidirse un pleito (válgame el Cielo), pero los jueces son seres humanos y no pueden sustraerse a los condicionantes expuestos, y además, han de desplegar su función en un escenario en el que el auxilio de todos los que somos colaboradores con la Justicia es esencial, y si dicho auxilio falla debido a conductas apartadas del recto proceder exigible en sala, resulta indudable que en la mente del juez quedará grabada esa percepción, en este caso negativa, que se manifestará en forma de condicionante, consciente o inconsciente, ante la actuación de dicho letrado.

IV. EL ABOGADO CON REPUTACIÓN

Lógicamente es fundamental para el abogado mantener una buena reputación ante el juez, o lo que es lo mismo, que cuando entre en sala, el juez lo vea como alguien confiable, creíble y preparado, pues ya en anteriores ocasiones ha ameritado dicho juicio con su recto proceder. Esta situación es muy recomendable, pues el abogado dispondrá del respeto y consideración del juez, teniendo asegurada su atención e interés en todo momento, pues este presumirá que su actuar en el proceso es el adecuado. A modo de ejemplo, comparto la reflexión de Martínez del Val que nos dice *"cuando un abogado ha logrado fama de probidad y ciencia, su informe es más escuchado por el juez"*[1].

V. EL ABOGADO SIN REPUTACIÓN

Por el contrario, si el abogado ha actuado en anteriores ocasiones faltando a los principios de integridad y de veracidad, afirmando hechos falsos o que en determinado documento se dice algo que no consta, ha procedido con soberbia y arrogancia ante el juez y sus compañeros, o se ha dirigido con desprecio a las partes, testigos, peritos, etc., qué duda cabe que se habrá ido ganando la desconsideración del juez y una reputación poco recomendable, que no gozará de la estimación expuesta en el párrafo anterior.

VI. EJEMPLOS PRÁCTICOS

Toda intervención en sala va a ser el contexto adecuado para afianzar nuestra reputación, y el medio serán las intervenciones ante el juez, jurado, abogados, testigos, etc.

VII. ¿CÓMO SE ADQUIERE O MEJORA?

Al igual que la presencia, la reputación no es algo que se pueda manipular y crear voluntariamente para alcanzar sus beneficios, sino que es el resultado del afianzamiento de una serie de cualidades que se han ido desplegando continuamente a medida que intervenimos en sala. Por lo tanto, la mejor forma de adquirirlas y mejorarlas es ponerlas en práctica constantemente.

Por tanto, los abogados debemos de observar nuestra actuación profesional en sala desde una perspectiva del largo plazo, como un continuo de acciones desplegadas en cada sala de Justicia, considerando cada caso que defendemos no como algo aislado, sino como ladrillos con los que vamos construyendo el muro de nuestra reputación.

---

1.   *Abogacía y abogados.* Martinez Val, J M.ª (1999). Bosch

VIII. ANÉCDOTA

Decía el juez estadounidense Charles D. Breitel que *"quizás la cosa más valiosa que un abogado tiene cuando actúa en los tribunales es su reputación. Consigue tres puntos con su imagen de franqueza y sensatez cuando inicia su breve y maravilloso alegato. Si su reputación es mala, no me importa lo que dice o cómo lo dice –es como si tratara de escalar una montaña de cristal con las botas empapadas en aceite–".*

IX. PREGUNTAS PARA EL DEBATE

- ¿Crees que es importante construirte una buena reputación para actuar en juicio?
- ¿Conoces a abogados con una alta reputación?
- ¿Crees que es fácil perder la reputación?

X. LECTURAS RECOMENDADAS

El alma de la toga. Osorio y Gallardo, Á (2007). Reus.

Elogio de los jueces escrito por un abogado. Calamandrei. Reus.

XI. SABIDURÍA POPULAR

"Cada actuación del abogado es como un ladrillo con el que va construyendo el edificio de su reputación". Óscar F. León.

"....la reputación personal, entendida ésta como la apreciación que los demás puedan tener de una persona, independientemente de sus deseos" (STC 14/2003, de 28 de enero, FJ 12).

Habilidades comerciales

Capacidad comercial

I. CONCEPTO

El abogado del siglo XXI debe disponer de las habilidades que lo conviertan en un verdadero comercial de sus servicios profesionales, entendiéndose por capacidad comercial la capacidad de atraer y captar nuevos clientes, generar negocio para el despacho y fidelizar los existentes. Para ello, el abogado deberá concienciarse de la importancia que la actividad comercial tiene para la creación y crecimiento de los despachos profesionales, y el papel que dichas competencias y habilidades jugarán en su propio crecimiento profesional, bien individualmente, bien en la jerarquía profesional de la firma.

II. CARACTERÍSTICAS

En este apartado nos remitimos al extenso análisis que realizamos de la figura del abogado comercial (apartado 4).

III. ¿POR QUÉ ES IMPORTANTE LA CAPACIDAD COMERCIAL PARA EL ABOGADO?

Hoy en día nadie pone en duda que los abogados que se incorporan a otros despachos, tanto si son recién colegiados como si son veteranos que han decidido cambiar de aires, se les exige como requisito para el acceso a la firma que sean capaces de generar negocio, o lo que es lo mismo, de traer el pan debajo del brazo, es decir, disponer de la capacidad de aportación de nuevos o potenciales clientes. Es más, esta exigencia se viene extendiendo a la permanencia en los despachos una vez superada la inicial formación, de modo que si el abogado en prácticas tiene una exquisita capacidad técnica, para permanecer en la firma se le exigirá además una aportación activa de clientes. Caso contrario, su futuro no estará garantizado en el despacho.

Esta es una realidad que hace años no existía, lo cual se explica debido al plácido funcionamiento que vivía el sector, caracterizado por la abundancia de clientela que aportaba el titular o socios del despacho dedicándose el resto de los profesionales a atender la carga de trabajo que dichos clientes generaban. Ahora, con un mercado con una altísima competencia en el que el cliente ha evolucionado hacía la figura de un consumidor informado y exigente en precios y servicios, la habilidad de captación del cliente de todos los miembros del despacho se ha convertido en un factor de esencial valor para la supervivencia de nuestras organizaciones.

IV. EL ABOGADO COMERCIAL

El abogado dotado de habilidad comercial se caracteriza por disponer de las siguientes cualidades:

1.º– Deberá disfrutar de una sólida formación en derecho y en la práctica de la abogacía. Este requisito lo diferencia de otros abogados que destacan sobremanera en su capacidad de relacionarse, pero que carecen de la capacidad de satisfacer las necesidades del cliente en el campo jurídico que se supone se encuentran especializados.

2.º– El abogado comercial tiene que ser una persona proactiva, es decir, una persona capacitada para liderar su propia vida como consecuencia del potencial que dispone para mejorarse a sí mismo, su situación y su entorno mediante la toma de las iniciativas necesarias para crear cambios en su vida. Un abogado proactivo estará buscando continuamente nuevas oportunidades; se marcará objetivos efectivos orientados al cambio; perseverará y persistirá en sus esfuerzos y conseguirá tangibles, puesto que estará orientado a los resultados.

3.º– Desarrollará la actividad conocida como "liderazgo itinerante", "mantenerse en contacto" o "salir de la torre de marfil", consistente en el proceso de dejar el encierro del despacho e interactuar o relacionarse con los clientes que también podríamos denominar "abogacía itinerante", ya que si conseguimos una buena comunicación al relacionarnos, podremos establecer excelentes lazos, de tal modo que incrementaremos nuestra influencia sobre nuestros clientes. Por lo tanto, de esta forma, no sólo los fidelizaremos, sino que el contacto informal puede llevarnos a la consecución de nuevos clientes y encargos profesionales.

4.º– Desarrollará una especial intuición para saber lo que tanto el cliente actual como el potencial necesitan del despacho de abogados. Esta capacidad es de suma importancia, dado que una de las habilidades más valoradas en un abogado es su capacidad de obtener más encargos de los actuales clientes como de persuadir al cliente potencial sobre la necesidad de acceder a sus servicios jurídicos, tanto para prevenir como para resolver un problema jurídico.

5.º– El abogado comercial será paciente, resistente a la frustración, y sabedor de que hay que sembrar para recoger, lo que favorecerá la creación de un clima de acercamiento entre el cliente y el abogado hasta que la relación esté suficientemente madura.

6.º– La formación en técnicas de marketing, y especialmente en materias comerciales, deberá ser un referente continúo, ya que las capacidades comerciales se adquieren a través de su conocimiento y puesta en práctica. La lectura y asistencia a seminarios se antoja fundamental.

7.º– Si bien dispondrá de la adecuada capacidad de improvisación durante el proceso de captación con el cliente, el abogado comercial no dejará nada al azar, actuando de forma metódica y sobre la base de un plan estratégico perfectamente diseñado en cuanto al proceso de captación a llevar a cabo. Planificación, acción y feedback son esenciales en este campo.

8.º– El abogado comercial, una vez captado el cliente, sabrá prestarle un servicio excelente, sentando las bases de su fidelización.

9.º– La última, pero no la menos importante: el abogado comercial no dudará en hablar con el cliente de honorarios de forma clara y directa, valorando debidamente su trabajo y sin temores de ser considerado pesetero, interesado, etc., dejando clara la importancia de los honorarios al comienzo de la relación profesional.

V. EL ABOGADO POCO COMERCIAL

Es el antídoto de lo expuesto anteriormente, pudiendo destacar de su forma de pensar los siguientes aspectos:

1.º– Un tradicional rechazo a todo lo relacionado con la publicidad y comercialización de los servicios profesionales, rechazo que procede de una vieja idea ya superada de que estas actividades suponen un desprestigio hacia la profesión. De hecho, hasta fechas recientes la publicidad de los servicios profesionales no se ha visto regulada adecuadamente en nuestro colectivo.

2.º– La dedicación exclusiva de los abogados a la prestación de servicios profesionales, considerándose ajeno a su trabajo cualquier actividad vinculada a materias de tipo comercial. El abogado rechaza por principio, el dedicar su tiempo a otras labores que no sean realizar su trabajo.

3.º– Por las mismas razones expuestas en el número anterior, la falta de involucración de los socios de los despachos en estas materias, lo que contribuye a:

– La falta de formación en materia de captación a clientes.

– El conformismo del despacho en el "proceso de captación" existente.

– La falta de planificación estratégica en materia comercial.

VI. EJEMPLOS PRÁCTICOS

El abogado pone en práctica esta capacidad:

– Realizando Networking en cualquier ocasión.

– Cada vez que se reúne con el cliente.

– En la primera oportunidad de captación.

– Generando nuevos negocios con los clientes existentes.

– Durante las relaciones personales, con amigos, familiares, etc.

– Elaborando un presupuesto de servicios.

VII. ¿CÓMO SE ADQUIERE O MEJORA?

La mejora de esta habilidad puede llevarse a cabo:

1. Con autoformación constante en marketing.

2. Siendo proactivo en las relaciones con los clientes.

3. Fomentando las actividades sociales y de relación y pensar como abogado.

4. Ser paciente.

5. Afrontar la materia de honorarios de forma directa.

VIII. ANÉCDOTA[1]

"Tal y como expone en un interesantísimo artículo de Jonah Lehrer publicado en el Wall Street Journal y comentado en su blog por Kevin O´keefe´s, los avances tecnológicos en comunicación del pasado siglo (teléfono, faxes, correos electrónicos, video

---

1. Anécdota extraída del post del siguiente post del autor: *https://oscarleon.es/ mucho-networking-si-pero-que-no-falte-el-calor-de-la-barra-de-un-bar/.*

conferencias) hicieron predecir la obsolescencia de las ciudades y de sus centros de negocios. Sin embargo, ha ocurrido todo lo contrario: los viajes de negocios se han incrementado notablemente al igual que los seminarios, conferencias y otros eventos, alcanzando las ciudades una vitalidad mayor, si cabe.

La razón de esta afirmación es que los seres humanos necesitamos de la interacción social, ya que el contacto personal es el único medio con el que realmente contamos para disponer de toda la información derivada del lenguaje corporal, información que es incapaz de transmitirse fiablemente por internet. Como señala M. Glaeser, millones de años de evolución nos han convertido en máquinas preparadas para aprender de las personas que están próximas a nosotros.

Por lo tanto, concluye Lehrer, el networking, en lugar de constituir un sustituto de los procesos de socialización tradicionales, será un suplemento que amplificará las ventajas de la interacción personal.

Sobre la base de esta hipótesis, O´keefe´s, considera que la red social no sólo es un suplemento y un amplificador de la interacción personal, sino que además funciona como un acelerador de dichas relaciones. Efectivamente, internet le ha permitido extender su red social conociendo a más gente, contrastando más ideas, pero, cuando se trata de hacer más negocios o de construir relaciones importantes y duraderas, la clave ha estado en los contactos personales. De hecho, afirma O´keefe´s, desde hace ocho años viaja más que nunca. ¿Por qué? Pues porque ha estado en contacto con mucha gente a través de internet que necesita conocer personalmente".

IX.   PREGUNTAS PARA EL DEBATE

- ¿Cuáles son tus déficits en las actividades comerciales?
- ¿Piensas como abogado cuando te relacionas con otros?
- ¿Buscas activamente oportunidades de hacer Networking?

X.   LECTURAS RECOMENDADAS

Captación y fidelización del cliente en los despachos de abogados. Fernández León, Ó. (2013). Aranzadi (2013).

XI.   SABIDURÍA POPULAR

"Acércate a cada cliente con la idea de ayudarlo, resolverle su problema o lograr su meta y no para venderle un producto o servicio". Brian Tracy.

Orientación al cliente

I. CONCEPTO

La orientación de servicio al cliente es aquel conjunto de creencias, actitudes y valores que influyen en el desarrollo del servicio suministrado a los clientes, y que genera en éstos confianza y valor añadido.

II. CARACTERÍSTICAS

Entre las características de la orientación de servicio al cliente destacamos las siguientes:

–   Convierte el servicio al cliente en un factor diferencial.

–   Incrementa la productividad de las personas.

–   Fideliza a los clientes, reduciendo así su pérdida o deserción a través del aumento de su confianza en nosotros.

–   Incrementa las posibilidades de captación de los clientes a través de la publicidad que los clientes realizarán sobre nuestro excelente servicio (el famoso "boca a oreja").

–   Mejora las habilidades, destrezas y técnicas en todo lo relativo a la atención del cliente: aprender a sonreír, atender con rapidez, saber escuchar, resolver problemas, etc., lo que indudablemente aumentará la autoestima de aquellos.

–   Fomenta el trabajo en equipo.

III. ¿POR QUÉ ES IMPORTANTE LA ORIENTACIÓN DE SERVICIO AL CLIENTE PARA EL ABOGADO?

Hoy en día no es suficiente disponer de unas habilidades técnicas para garantizar la captación y fidelización del cliente, sino que es necesario que los abogados presten su servicio con excelencia al cliente, que como sabemos no se limita única y exclusivamente a la resolución del encargo encomendado, servicio compuesto por un conjunto de prestaciones tangibles e intangibles que son percibidas, especialmente éstas últimas, de forma subjetiva por el cliente.

Consecuencia de lo anterior, en la medida en la que los despachos estén más orientados a la prestación de un servicio de calidad al cliente, las opciones de sobrevivir en un mercado como el actual aumentarán significativamente frente a aquellos despachos en los que la atención al cliente tenga un papel secundario o meramente protocolario.

IV. EL ABOGADO ORIENTADO AL SERVICIO DEL CLIENTE

El abogado orientado al cliente actuará en base a una cultura de servicio al mismo (cuyos beneficios han sido expuestos en el apartado sobre las características), situando en el centro de toda su actuación al cliente y la calidad del servicio a prestarle, lo que redundará no sólo en la fidelización de sus actuales clientes, sino en la segura captación de nuevos. Todo ello redundará en el mantenimiento y crecimiento de su despacho.

V. EL ABOGADO NO ORIENTADO AL CLIENTE

Si falta la orientación al cliente, dejaremos la captación y fidelización de los clientes al azar, lo cual, hoy en día, es un auténtico desatino. No hay más que decir.

VI. EJEMPLOS PRÁCTICOS

Como mejor ejemplo práctico, vamos a examinar un modelo de cultura de servicios de un despacho de abogados:

1. Vocación de trabajo y servicio al cliente.
2. Atención y respeto por el cliente.
3. Establecimiento de estándares de organización.
4. Gestión eficaz del tiempo.
5. Planificación de objetivos de trabajo con exacta delimitación de los servicios a prestar e identificación de los parámetros de cumplimiento.

6. Formación continua de los miembros del equipo en aquellas facetas relacionadas con la prestación de sus servicios.

7. Exigencia de un alto grado de compromiso y sacrificio en la totalidad de miembros del equipo, que deberá materializarse en situaciones que exijan una prestación mayor de trabajo.

8. Delimitación clara de las funciones a desarrollar por todos los miembros del equipo, estableciéndose los correspondientes sistemas de control.

9. Búsqueda permanente de sistemas que nos permitan mejorar la calidad de los servicios que configuran el objeto de nuestra firma.

10. Un buen servicio es natural contrapartida de una retribución económica adecuada, justa y digna, quedando vetada, salvo supuestos excepcionales, la realización de servicios que carezcan de tal contraprestación o esta sea deficitaria.

VII. ¿CÓMO SE ADQUIERE O MEJORA?

Es imprescindible cambiar de perspectiva considerando el valor y la importancia de una cultura de servicio al cliente comprometiéndonos en implementarla. Para alcanzar dicho compromiso nos bastará concienciarnos de los beneficios y de la importancia de la misma.

Una vez adquirido este compromiso, será preciso desarrollar una serie de acciones:

Organización del despacho: Toda la estructura del despacho deberá adaptarse a los nuevos valores. Por ejemplo, no tiene sentido que fomentemos la atención del cliente, si los procesos de accesibilidad y respuesta a los clientes se mantienen sin un protocolo que garantice el mejor servicio al cliente.

Formación: Hemos de adquirir de forma permanente conocimientos que mejoren las habilidades de atención a los clientes.

Revisión: Hemos de someter esta implementación a un proceso de revisiones periódicas que garanticen un seguimiento adecuado. La mejor evidencia será la satisfacción generalizada de los clientes y el incremento de las habilidades de los integrantes del despacho.

VIII. ANÉCDOTA[1]

Las políticas de servicio de Ritz-Carlton son tan legendarias que algunas historias de clientes satisfechos incluso se han convertido en libros (como este).

---

1.   Anécdota referida y/o extraída de la siguiente fuente: _https://blog.hubspot.es/service/ ejemplos-atencion-cliente._

En esta obra, John DiJulius, escritor y experto en experiencia del cliente, describe la historia de su estancia en un hotel de la cadena Ritz-Carlton cuando olvidó algo en su habitación.

"Me fui del Ritz-Carlton Sarasota con tanto apuro hacia el aeropuerto que olvidé el cargador de mi portátil en la habitación. Pensé en llamar cuando llegara a la oficina, pero antes de poder hacerlo, recibí un paquete aéreo del hotel que contenía mi cargador, con una nota que decía: 'Señor DiJulius, quería asegurarme de que recibiera esto correctamente. Estoy seguro de que lo necesita y, por las dudas, le envío otro cargador para su equipo portátil'. La nota estaba firmada por Larry K. Kinney del departamento de objetos perdidos".

IX. PREGUNTAS PARA EL DEBATE

–   ¿Dispone tu despacho de una Cultura de servicio al clientes?

–   ¿Es para ti el cliente lo más importante?

–   ¿Cómo puedes mejorar tu orientación al cliente?

X. LECTURAS RECOMENDADAS

Captación y fidelización del cliente en los despachos de abogados. Fernández León, Ó. (2013). Aranzadi (2013).

XI. SABIDURÍA POPULAR

"Servicio al cliente no es un departamento, es una actitud". Desconocido.

Habilidades emocionales

Asertividad

I. CONCEPTO

La asertividad es la capacidad de hacer valer los propios derechos sin dejarse manipular y sin manipular a los demás, o, lo que es lo mismo, respetándose a sí mismo y a los demás.

La falta de asertividad se muestra a través de comportamientos sumisos o agresivos.

II. CARACTERÍSTICAS

Entre las características de la asertividad podemos señalar las siguientes:

–   Está relacionada con el respeto a uno mismo y hacia los demás.

–   Para ser asertivo hay que disponer de una sana autoestima[1].

–   Se manifiesta en conductas como poner límites a los demás, afrontar una agresión o una crítica, saber decir no, expresar opiniones contrarias a las de otros, realizar peticiones, etc.

–   Es un conjunto de pensamientos, sentimientos y conductas.

---

1.   Según Olga Castanyer, autoestima es el conjunto de sentimientos, pensamientos y conductas que hacen que una persona se considere digna de ser valorada y querida por sí misma, sin depender para ello de la valoración y el cariño de los demás.

III. ¿POR QUÉ ES IMPORTANTE LA ASERTIVIDAD PARA EL ABOGADO?

Teniendo en cuenta las funciones que desempeña el abogado, todas ellas vinculadas a la defensa de los intereses de sus clientes, la asertividad es fundamental, puesto que todas las conductas que esta favorece (poner límites a los demás, afrontar una agresión o una crítica, saber decir no, expresar opiniones contrarias a las de otros, realizar peticiones) están asociadas al ejercicio de dicha defensa y de la contradicción imperante en su práctica profesional.

IV. EL ABOGADO ASERTIVO

El abogado asertivo sabrá comunicarse con sus interlocutores diciendo lo que considere más oportuno en cada situación, lo que hará sin faltar el respeto a los demás ni faltárselo a sí mismo. Si hay que enfrentarse (dicho en términos de dialogo), así lo hará sin esfuerzo alguno, pues es consciente de las obligaciones que conlleva el cumplimiento de su función. Evitará igualmente conductas agresivas o sumisas, y evitará la manipulación de los demás, ya que sabrá controlar sus impulsos más fuertes en situaciones difíciles. Igualmente, fomentará el diálogo al ser comunicativo y dialogante. Por supuesto, sabe decir no y trasmitirá seguridad en sí mismo aun cometiendo errores que inmediatamente reconocerá.

V. EL ABOGADO POCO ASERTIVO

El abogado poco asertivo podrá ser sumiso, de modo que no sabrá decir no, dará la razón a otras personas, evitará discusiones, conflictos, aclaraciones, la expresión de lo que siente, por lo que difícilmente podrá llevar a cabo su actividad con la mínima eficacia. Igualmente, en el polo opuesto, el abogado con escasa asertividad, podrá ser agresivo actuando bajo conductas y reacciones de ira o agresivas frente a las personas con las que interactúa. Generalmente, no sabrá reaccionar a las críticas.

VI. EJEMPLOS PRÁCTICOS

El abogado actuará con asertividad en el proceso de atención y escucha al cliente, transmitiéndole con claridad su opinión profesional, sin dejarse llevar por el deseo o emoción de éste. Igualmente, a la hora de negociar, no actuará inspirado por la idea de evitar el conflicto como sea, sino que pondrá en práctica la estrategia que mejor venga a los intereses de su cliente. En juicio, será respetuoso y se hará respetar, poniendo de manifiesto, a través de los canales oportunos, su impugnación, protesta u oposición a aquello que considere que no se ajusta nuevamente a los intereses de su cliente.

VII. ¿CÓMO SE ADQUIERE O MEJORA?

Generalmente, los remedios para mejorar la asertividad vienen de la mano de la psicología. Siguiendo en este caso a Olga Castanyer, existen diversas herramientas:

–   Emplear frases que comiencen por "quiero", "me gusta", "no me gusta", "me siento".

–   Acostumbrarse a utilizar frases reforzantes para el otro si algo de lo que ha dicho o hecho te ha gustado.

–   Aprovechar cada ocasión en la que se produzca una situación conflictiva para clarificarla. Hay que expresar inmediatamente el malestar y no dejarlo atrapado en nuestro interior.

–   Emplear frases que reflejen el efecto de las emociones. "Estoy enfadado", "estoy triste", etc.

VIII. ANÉCDOTA

Aprovechamos este apartado para incluir, en lugar de una anécdota, la tabla de los derechos asertivos, derechos que fueron recopilados por primera vez en el libro de Manuel J. Smith, "Cuando digo no, me siento culpable".

1. El derecho a ser tratado con respeto y dignidad.
2. El derecho a tener y expresar los propios sentimientos y opiniones.
3. El derecho a ser escuchado y tomado en serio.
4. El derecho a juzgar mis necesidades, establecer mis prioridades y tomar mis propias decisiones.
5. El derecho a decir "NO" sin sentir culpa.
6. El derecho a pedir lo que quiero, dándome cuenta de que también mi interlocutor tiene derecho a decir "NO".
7. El derecho a cambiar.
8. El derecho a cometer errores.
9. El derecho a pedir información y ser informado.
10. El derecho a obtener aquello por lo que pagué.
11. El derecho a decidir no ser asertivo.
12. El derecho a ser independiente.
13. El derecho a decidir qué hacer con mis propiedades, cuerpo, tiempo, etc., mientras no se violen los derechos de otras personas.
14. El derecho a tener éxito.
15. El derecho a gozar y disfrutar.

16. El derecho a mi descanso, aislamiento, siendo asertivo.

17. El derecho a superarme, aun superando a los demás.

IX. PREGUNTAS PARA EL DEBATE

–   ¿Eres asertivo? ¿En qué grado?

–   ¿Reconoces en otras personas conductas agresivas o sumisas?

–   ¿Contratarías a un abogado poco asertivo?

X. LECTURAS RECOMENDADAS

La asertividad: expresión de una sana autoestima. Castanyer, O. Editorial Desclée De Brouwer.

XI. SABIDURÍA POPULAR

"La diferencia básica entre ser asertivo y ser agresivo es lo que nuestras palabras y comportamiento afecta a los derechos y el bienestar de los demás". Sharon Anthony Bower.

"La asertividad… está diseñada para defenderse inteligentemente. Cuando la ponemos al servicio de fines nobles, la asertividad no sólo se convierte en un instrumento de salvaguardia personal, sino que nos dignifica". Walter Riso.

"En la vida te tratan tal y como tú enseñas a la gente a tratarte". Wayne W. Dyer.

"Si quieres ser respetado por los demás, lo mejor es respetarte a ti mismo. Sólo por eso, sólo por el propio respeto que te tengas, inspirarás a los otros a respetarte ". Fedor Dostoievski.

"Muchos de nosotros no podemos satisfacer nuestras necesidades, porque decimos sí, cuando deberíamos decir no". William Glasser.

"La mitad de nuestros problemas en la vida pueden ser identificados por haber dicho que sí demasiado rápido o por haber dicho que no demasiado tarde". Josh Billings.

"Lo más importante que aprendí a hacer después de los cuarenta años fue a decir no cuando es no". Gabriel García Márquez.

"Si sacrificamos nuestros derechos con frecuencia, estamos enseñando a los demás a aprovecharse de nosotros". P. Jakubowski.

"Cuando dices sí a otras personas, asegúrate de que no te estás diciendo no a ti mismo". Paulo Coelho.

"Si dos individuos están siempre de acuerdo en todo, puedo asegurar que uno de los dos piensa por ambos". Sigmund Freud.

34

Atención Plena

I. CONCEPTO

Atención plena, conciencia plena, mindfulness, son las denominaciones que tiene esta habilidad personal que, como indica Jon Kabat-Zinn, consiste en prestar atención de forma particular, con intención, al momento presente.

En otras palabras, atención plena significa estar aquí, ahora (Bhante Henepola).

II. CARACTERÍSTICAS

De la atención plena podemos destacar los siguientes elementos:

– Nos percatamos conscientemente momento a momento de todo lo que está ocurriendo.

– Vivimos un proceso en el que suspendemos temporalmente todos los conceptos, imágenes, condicionamientos, opiniones y juicios de valor, focalizando nuestra atención en lo que estamos haciendo y, por tanto, en lo que ocurre en nuestro cuerpo y en nuestro entorno a través de nuestros sentidos.

– En lugar de encontrarnos desconectados del presente (como solemos estarlo) pensando, sobre tal o cual asunto, preocupándonos por las amenazas del futuro, ponemos toda nuestra atención en lo que estamos haciendo a través de nuestras tareas cotidianas.

III. ¿POR QUÉ ES IMPORTANTE LA ATENCIÓN PLENA PARA EL ABOGADO?

Los abogados podemos extraer de dicho concepto una valiosa enseñanza, y con ello me refiero a la importancia que para nuestra actividad (consejo legal, negociación y defensa ante los organismos judiciales) tiene el actuar en un estado de concentración cercano a dicha atención plena, o lo que es lo mismo, en un estado de focalización y atención en la que nos hallamos presentes y centrados en los que hacemos y en lo que nos rodea, sin distracciones ni condicionamientos.

De emplear una atención plena durante nuestra actividad pueden alcanzarse unos resultados extraordinarios, ya que nosotros, los abogados, nos caracterizamos por mantener, especialmente durante nuestro trabajo, un estado de preocupación permanente por el desarrollo de nuestros asuntos, plazos, vencimientos, agendas complicadas y un sinfín de circunstancias que nos hacen estar constantemente desconectados de nuestro presente, y lo que es más importante, de nosotros mismos.

IV. EL ABOGADO CON ATENCIÓN PLENA

Según los expertos en la atención plena, una mente atenta es precisa, penetrante, equilibrada y clara, ya que ésta nos da el tiempo necesario para evitar patrones negativos de pensamiento y de conducta, así como cultivar patrones positivos. Igualmente, la atención plena nos ayuda a disponer de una visión interna clara y sin distorsiones acerca de cómo son realmente las cosas. Finalmente, un desarrollo de la conciencia plena nos ayudará a reducir el estrés.

A modo de ejemplo, si desde el momento en que entra en sala, el abogado permanece en un estado de máxima concentración en el que prime la atención a todo lo que perciban sus sentidos, y lo procese inmediatamente, todo lo que obtendrá serán beneficios, entre los que podemos destacar, entre otros, los siguientes:

- Percibirá y comprenderá todo y dispondrá de una realidad más objetiva de lo que ocurre en sala.

- Al disponer de una información completa, dispondrá de una mayor facilidad para tomar decisiones con el mejor criterio.

- Pondrá en práctica todo lo planificado antes del juicio con la mayor fidelidad.

- Conocerá el estado anímico de las personas que intervienen en juicio.

- Adaptará sus interrogatorios a las características de personalidad y carácter del testigo, y sobre todo, lo adaptará al grado de credibilidad que el juez da a ese testigo.

– Refutará los argumentos adversos con mayor eficacia.

– Adaptará el alegato a las circunstancias del juicio y al estado anímico del juez.

– Su comunicación y escucha activa serán más efectivas.

Por lo tanto, si actuamos siguiendo estos parámetros, lo único que tendremos en mente será la consecución de nuestro objetivo, y ello desde una perspectiva positiva y libre de preocupaciones.

V. EL ABOGADO CON FALTA DE ATENCIÓN PLENA

Un abogado que no esté atento a lo que ocurre a su alrededor estará en un estado de preocupación permanente por el desarrollo de sus asuntos, plazos, vencimientos, agendas complicadas y un sinfín de circunstancias que lo hará estar constantemente desconectado de su presente, y lo que es más importante, de sí mismo.

Esto conlleva una desconcentración permanente que lo hará menos eficaz en el cumplimiento de sus funciones.

VI. EJEMPLOS PRÁCTICOS

Veamos a continuación algunas situaciones de nuestra jornada diaria en la que podremos actuar con conciencia plena:

1.º– **Centrarse en la tarea que estemos realizando:** Cuando nos encontremos en el despacho trabajando sobre algún asunto, hemos de estar completamente focalizados en el objeto de nuestro trabajo, viviendo al máximo nuestra experiencia y tratando de extraer el máximo provecho de la misma. Esto exige desterrar toda opción de actuar a modo multitareas (al que somos tan proclives), saber gestionar las interrupciones y procurarnos los oportunos descansos para incrementar nuestra productividad.

2.º– **Atender el cuerpo:** Cuando trabajamos no observamos nuestro cuerpo ni nos percatamos de los mensajes que nos suele enviar a lo largo de la jornada. El cuerpo junto a nuestra mente es un elemento imprescindible para trabajar en condiciones favorables, por lo que tenemos que estar pendientes de él y cuando nos avise de que necesita un descanso, tendremos que obrar en consecuencia, bien haciendo estiramientos, dando un corto paseo por los alrededores de la oficina o cualquier otra actividad física o mental que lo relaje.

3.º– **Fijarse en las personas:** Durante nuestro trabajo diario estamos rodeados de personas, desde nuestros compañeros de despacho hasta las personas que integran la Administración de Justicia con las que trabajamos. ¿Os habéis planteado si realmente interactuáis con esas personas con verdadero interés y escucháis lo que nos están contando? Normalmente, acuciados por nuestros problemas, no vemos en la otra persona más que lo que nos dice el cliché que ya tenemos de ellas, no haciendo esfuerzo alguno por profundizar en un mejor conocimiento de las mismas, limitándonos a juzgarlas más que a escucharlas. Prestándoles una atención sincera conseguiremos enriquecer la relación y mejorar, y de qué manera, el clima del lugar de trabajo.

4.º– Saber comunicarse, es decir, escuchar y escucharse: La atención plena nos induce a comunicarnos sobre la base de una escucha activa real, es decir, vivir la conversación con los demás de forma sincera y empática, tratando de comprender los sentimientos y preocupaciones de nuestro interlocutor, extrayendo el máximo partido de la interacción. Un buen conversador es aquel que escucha el doble de lo que habla, y cuando lo hace, lo hace con sus cinco sentidos y a consciencia.

5.º– Observar nuestros pensamientos y reacciones: En lugar de permitir que el flujo de pensamientos nos inunde casi sin darnos cuenta, hemos de "congelar el cuadro" y percatarnos de las sensaciones y experiencias tal como son sin la colaboración distorsionada de las respuestas condicionadas de nuestra mente (Bhante Henepola). Hay que observar nuestros pensamientos y nuestras reacciones, ya que viviéndolos como un simple observador, disponemos de un margen extraordinario para darnos cuenta de cómo vivimos y para decidir si queremos continuar con esa forma de pensar o actuar. Los abogados podemos servirnos de esta herramienta, ya que nuestro flujo mental es elevadísimo, y es necesario poner cierta objetividad en el proceso a través de un cambio de forma de ver las cosas, es decir, a través de un cambio de paradigma.

6.º– Descansar y tranquilizar la mente: Enlazado con lo anterior, podemos afirmar que una mente preocupada continuamente constituye una mente estresada en la que el consumo de energía es constante, ya que mantenemos el sistema nervioso a pleno rendimiento. Por ello, los abogados, debemos procurar aprender técnicas para que nuestra mente se relaje y descanse, técnicas que van desde el yoga o atención a la respiración hasta irse un fin de semana al campo o a la playa con nuestra familia o amigos. Lo que sea con tal de desconectar, y además, siendo conscientes de que estamos desconectando. Estoy firmemente convencido de que si todos los días dedicamos unos minutos a serenar nuestra mente, mejorarán muchos aspectos de nuestra vida.

7.º– Aceptar lo que venga, como venga: Los abogados sabemos mucho de situaciones conflictivas y de recibir malas noticias en forma de resoluciones judiciales. Frente a esto hay dos posturas: el culpar al mundo, a los demás y a nosotros mismos de lo que ha pasado, o, aceptar lo que venga (no sin la natural contrariedad), y tras reflexionar en las razones por las que se ha producido, aprender de la experiencia y con ánimo positivo seguir adelante en un proceso de mejora continua. Esta última postura es la que nos aconseja una mente atenta, consciente del devenir de las cosas, y sabedora de que los pensamientos y condicionantes que apliquemos sobre lo que ocurre serán claves para vivirlas de una u otra forma.

Estas ideas no son más que unas pocas de las muchas, yo diría que infinitas, posibilidades que los abogados tenemos de aplicar los procesos de atención plena a nuestra actividad. Naturalmente, es muy fácil de decir y difícil de conseguir, pero lo importante es que sepamos que este concepto existe y está ahí a nuestra disposición para que aprendamos a familiarizarnos con él. Una tarea realizada de forma consciente obtendrá un resultado mejor que si durante su ejecución estamos distraídos, enfadados o agotados, de eso no cabe la menor duda, pero lo más interesante del tema es que siguiendo esta práctica, se está empezando a demostrar científicamente que la persona se encuentra más feliz y completa.

VII. ¿CÓMO SE ADQUIERE O MEJORA?

Para ello, hemos de seguir unas sencillas reglas que pasamos a citar, y que las centraremos en nuestra intervención en juicio:

1.º– Tener muy claro nuestro objetivo en el juicio, y dejarnos guiar por él durante todas las fases del mismo.

2.º– Centrarse en la tarea que estemos realizando: hemos de estar completamente focalizados en el objeto de nuestro trabajo, viviendo al máximo nuestra experiencia y tratando de extraer el máximo provecho de la misma.

3.º– Observar nuestros pensamientos y reacciones: en lugar de permitir que el flujo de aquellos nos inunde casi sin darnos cuenta, hemos de observarlos junto a nuestras reacciones, ya que viviéndolos como un simple observador, disponemos de un margen extraordinario para darnos cuenta de cómo nos encontramos en ese momento, y para decidir si queremos continuar con esa forma de actuar.

4.º– No relajarnos un solo momento y mantener la tensión necesaria que nos permita estar en un estado de atención permanente. Si no estamos interrogando, observaremos al testigo; si el alegato lo realiza el compañero adverso, hay que prestar la máxima atención.

5.º– Mantener un lenguaje verbal y no verbal coherente con dicha atención, para lo cual hemos de adoptar una postura de atención e interés frente a lo que está ocurriendo (leve inclinación del cuerpo hacia delante, mirada atenta, movimientos medidos y controlados, etc.)

7.º– Aceptar lo que venga, como venga (no sin la natural contrariedad), poniendo todos los medios posibles para solucionar aquello que nos perjudique, pero sin entrar en conductas victimistas que nos harán perder la concentración. Más vale una protesta o recurso que una irritación que no lleva a ningún lado.

8.º– Vinculado a lo anterior, no caer en estados de pérdida de control, que tanto perjudican nuestra credibilidad y los intereses de nuestros clientes. Una atención plena permitirá que te disgustes, pero no que transmitas tu disconformidad perdiendo las formas. Hasta el enfado puede estar controlado y así, expresado con absoluto acierto.

En definitiva, estas reglas (plenamente extensibles a nuestras relaciones con los clientes o con otros operadores jurídicos) nos permitirán actuar como un observador implicado en la situación que vivamos, estando presentes, aquí y ahora.

VIII. ANÉCDOTA

Todas las noches después de cenar y antes de sentarme a tomar un té suelo fregar los platos. Una noche Jim me preguntó si los podía fregar él, entonces le dije: "Hazlo, pero si vas a fregar platos, debes saber cómo hacerlo".

Jim contestó: "Vamos Thay, ¿crees que no se fregar platos?

Le respondí: "Hay dos formas de fregar los platos. La primera es fregar para tener los platos limpios y la segunda es fregar los platos, para fregar los platos".

Jim sonrió y dijo: "Elijo la segunda forma: fregar los platos para fregar los platos".

Para concluir, voy a contar como acaba la historia de Jim y el fregado de los platos:

Desde entonces Jim (que estaba invitado en casa de Thay) supo cómo había que fregar platos y le transferí la responsabilidad durante una semana. Después hizo una enorme propaganda acerca de fregar los platos, para fregar los platos, e incluso publico la frase en varios periódicos. En casa lo menciono tantas veces que un día Laura le dijo:

"Si realmente te gusta tanto "fregar los platos, para fregar los platos", hay un armario lleno de platos limpios en la cocina ¿Por qué no vas y los friegas?

Del libro Lograr el milagro de estar atento (Thich Nhat Hanh).

Esta conversación, extraída de un libro de filosofía budista, pretende ilustrarnos de la importancia que tiene para la persona el estar completamente atento a lo que está haciendo en cada momento. Si mientras lavamos los platos solamente estamos pensando en la taza de té que nos aguarda o en cualquier cosa que pertenezca al futuro, o nos estamos apresurando a quitarnos los platos de encima como si fueran una molestia, seremos incapaces de apreciar el milagro de la vida mientras permanezcamos en la pila. De este modo estaremos absortos en el futuro, y lo que eso significa realmente es que seremos incapaces de vivir un solo momento de nuestra vida.

IX. PREGUNTAS PARA EL DEBATE

- ¿Usas la atención plena en tu vida profesional, y en tu vida personal?
- ¿Qué ganas cuando estás empleando la atención plena?
- ¿Qué pierdes cuando actúas sin atención plena?

X. LECTURAS RECOMENDADAS

Después del éxtasis, la colada. Kornfield, J.

Mindfulness: curiosidad y aceptación. García Campayo, J.

La práctica de la atención plena. Kabat-Zinn, J.

El libro del Mindfulness. Bhante, G.

Aprender a practicar Mindfulness. Vicente Simón.

XI. SABIDURÍA POPULAR

"Hay que ser conscientes de que lo que nos provoca malestar o ansiedad no son los eventos, sino como vinculamos las emociones a éstos". Jonathan García-Allen.

"La perfección del carácter es la siguiente: vivir cada día como si fuera el último, sin prisa, sin apatía, sin pretensión". Marco Aurelio.

"Responde; no reacciones. Escucha; no hables. Piensa; no asumas". Raji Lukkoor.

35

Autoconciencia

I. CONCEPTO

La autoconciencia, basada en el aforismo "conócete a ti mismo", puede definirse como la capacidad del individuo de comprensión de las emociones, los puntos fuertes, las debilidades, las necesidades y los impulsos de uno mismo.

Al ser conscientes de nuestros sentimientos y del comportamiento ante cualquier estímulo y la percepción que los demás tienen de nosotros, podemos influir en nuestras acciones de forma que repercutan en nuestro beneficio. Ello es debido a que, la autoconciencia nos ayuda a comprender cómo respondemos, nos comportamos, comunicamos y funcionamos en diversas situaciones, lo que nos permitirá escoger la respuesta más adecuada a las circunstancias.

Por otro lado, al conocer el efecto que producen sus emociones en los demás, la persona autoconsciente sabrá actuar de la forma más propicia, acorde con su propósito.

Finalmente, la autoconciencia nos permitirá tomar decisiones beneficiosas para nuestro trabajo pues, al ser plenamente conscientes de nuestros puntos fuertes y débiles, adaptaremos nuestra conducta a dicho marco de habilidades y buscaremos la solución más eficaz.

II. CARACTERÍSTICAS

Como características de la autoconciencia podemos indicar las siguientes:

- Nos permite alcanzar un conocimiento de nuestras fortalezas y debilidades.

- Facilita la adaptación al medio o contexto en el que nos encontremos.

- Está íntimamente relacionada con el grado de vigilancia o estado de alerta del sujeto.

- Nos permite disponer de una conciencia exacta de lo que nos está pasando (en el cuerpo) o está sintiendo (en la mente).

- Ayuda a adoptar decisiones beneficiosas para el sujeto.

III. ¿POR QUÉ ES IMPORTANTE LA AUTOCONCIENCIA PARA EL ABOGADO?

La autoconciencia es vital para el abogado, máxime si tenemos en cuenta la naturaleza y el contenido de la actividad que desarrolla, caracterizada fundamentalmente por la interacción continúa con otras personas (clientes, compañeros de trabajo, otros abogados y miembros de la Administración de Justicia) lo que constituye un foco permanente de un flujo de emociones, tanto positivas como negativas.

Por tanto, el abogado debe ser consciente de las sensaciones, sentimientos, valoraciones, intenciones y acciones que recibe o emite a modo de información sobre él mismo. Esta información le ayudará a comprender cómo respondemos, nos comportamos, comunicamos y funcionamos en diversas situaciones.

IV. EL ABOGADO AUTOCONSCIENTE

El abogado autoconsciente:

- Sabe observarse en la acción y saber qué cosas le importan, cómo las experimenta, cómo se siente y cómo le perciben, lo que le sitúa en la perspectiva justa para elegir mejor. Dicho de otra forma, saber evaluarse de forma realista.

- Reconoce cómo afectan sus sentimientos a él mismo, a los demás y a su rendimiento, y no le importa hablar a los demás sobre sus emociones.

- Es franco en sus emociones, de modo que reconoce claramente sus errores y aprende de los mismos.

- Al conocer sus puntos fuertes y débiles, asume las críticas constructivas.

- Sabe calcular los riesgos de cualquier actividad que desarrolle, de forma que no suele exponerse al fracaso.

- Sus decisiones concuerdan con sus valores y son sinceras consigo mismas y con los demás.

- Se valora adecuadamente.

- Es un buen trabajador en equipo.

V. EL ABOGADO SIN AUTOCONSCIENCIA

El abogado con falta de autoconciencia no se conoce a sí mismo y, por tanto, no podrá canalizar sus emociones y sentimientos en función de las circunstancias, careciendo de capacidad para adaptar sus repuestas. Esto le supondrá tener que convivir con innumerables frustraciones, fruto de sus interacciones diarias.

Si una persona tiene poca autoconciencia o conocimiento de sí mismo ignorará sus propias debilidades y carecerá de la seguridad que brinda el tener una evaluación correcta de las propias fuerzas.

Basta con volver a repasar las características del abogado autoconsciente examinadas en el apartado precedente para, poniéndolas a la inversa, comprender la gravedad y los efectos perniciosos de su falta para el abogado sin autoconsciencia.

VI. EJEMPLOS PRÁCTICOS

En ocasiones, la interacción con el cliente genera en los abogados las más diversas emociones como frustración, ira, rabia, preocupación, confusión, etc. Pues bien, el abogado autoconsciente sabrá orientar dichas emociones al conocer el efecto que las mismas tendrán sobre él mismo y sobre su cliente. Ante la frustración del cliente por los retrasos del caso, su desesperación ante un resultado adverso, sus dudas sobre la estrategia adoptada, etc., el abogado, conocedor del vínculo de confianza que le une con éste cliente, sabrá moderar y adaptar la respuesta a la preservación de dicho vínculo.

Cuando el cliente le solicite una opinión sobre el asunto, el abogado, alejado de toda subjetividad, será honesto y sincero, explicando los riesgos del asunto. Igualmente, cuando el cliente le plantee la defensa de un asunto que el abogado sabe que no está capacitado para defender, así se lo hará saber pues, conocedor de sus limitaciones, actuará en consecuencia.

En relación a los jueces, en algún caso el juez se dirige al abogado de forma desagradable, cuestionando con vehemencia (en ocasiones ante el cliente) su forma de tratar determinado aspecto del caso. En este supuesto se generará miedo, vergüenza, culpa y ansiedad que le demandarán dar una respuesta igual de vehemente. El abogado autoconsciente, reconoce de forma inmediata dichos sentimientos, los procesa y modela su respuesta a las circunstancias e intereses en conflicto, todo ello sin perjuicio, naturalmente, del ejercicio de los derechos que procedan en defensa de su dignidad profesional.

Igualmente, en ocasiones, el abogado de la otra parte se muestra retador, soberbio e incluso irrespetuoso con nosotros. En este caso, la rabia e irritación vendrán de la mano. Sin embargo, la conciencia de la situación, nos permitirá gestionar adecuadamente una respuesta que evite entrar en un juego pernicioso para los intereses de nuestro cliente o incluso la ruptura de las negociaciones.

También suelen producirse situaciones emocionales cuando interactuamos con nosotros mismos. Tal es el caso cuando, después de años de trabajo y esfuerzo, nos llega la sentencia por la que se revoca la dictada anteriormente que nos daba la razón, y ahora tenemos que comunicársela al cliente. Decepción, desánimo, preocupación y ansiedad serán los compañeros de viaje, especialmente hasta que se lo comuniquemos al cliente. Si nos conocemos adecuadamente, sabremos cómo gestionar estas emociones de modo inteligente y práctico.

Otro supuesto puede producirse cuando el trabajo nos absorbe y no disponemos de tiempo para sacer los asuntos adelante y cumplir con los vencimientos y señalamientos. En estos casos, en los que la persona está estresada, llegará la ansiedad y desesperación debido a la impotencia en la que se encuentra. Pues bien, el sujeto autoconsciente, conocedor de sí mismo, se organizará y planificará su trabajo para cumplir adecuadamente con los plazos.

En definitiva, como vemos, existen numerosos supuestos en los que el abogado puede hacer uso del conocimiento sobre sí mismo por lo que, si poseemos un alto grado de autoconciencia, podremos observarnos mientras actuamos con nosotros y con terceras personas e influir sobre nuestras acciones para que resulten beneficiosas.

VII. ¿CÓMO SE ADQUIERE O MEJORA?

A continuación exponemos algunas reglas:

- Observar nuestros estados anímicos sin intervenir (tratar de eliminarlos o incrementarlos). Simplemente, ser un observador neutral.
- Reconocer las emociones y sentimientos con los que vivimos.
- Saber identificar nuestras emociones con un vocabulario adecuado.
- Nombrar las emociones cuando aparezcan, nos ayudará a calmarnos. En estos casos, el empleo de la tercera persona es recomendable: En lugar de "estoy triste", emplear "José está triste".

- Tratar de conocer nuestros puntos débiles en materia de emociones, es decir, cuales son nuestros desencadenantes para saltar movidos por la emoción. De esta forma, sabremos cómo gestionar la emoción.

- Las emociones son datos valiosos que nos ayudan a ver más claramente. Cuando dejamos de resistirnos frente a las mismas nos suministrarán mucha información (el propósito de las emociones es enfocar nuestra atención y motivarnos hacia un curso de acción específico).

VIII. ANÉCDOTA[1]

"Cierto día, un estudiante acopió el valor suficiente para señalarle a su profesor la presencia de un tic verbal que distraía y confundía a quienes le escuchaban, ya que terminaba todas sus frases con la coletilla «y demás», de modo parecido a quienes insertan el término «vale» entre las suyas.

El profesor quedó totalmente conmocionado cuando escuchó la grabación de sus conferencias y comprobó que el «y demás» aparecía una y otra vez sin haberlo pretendido y sin haberse dado cuenta de ello. Hasta entonces había sido completamente inconsciente de este inquietante hábito, pero ahora, determinado a cambiarlo, tomó una decisión drástica: pedir a sus alumnos que levantaran la mano cada vez que escucharan la frase. Según manifestaba después «con trecientas manos haciéndome plenamente consciente de mi hábito, el cambio se produjo de manera casi instantánea»".

IX. PREGUNTAS PARA EL DEBATE

- ¿Eres realmente autoconsciente de tus fortalezas y debilidades?
- ¿Te detienes a conocerte un poco más cada día?
- ¿Crees que es importante conocerse a sí mismo para ser más eficaz en tus relaciones?

X. LECTURAS RECOMENDADAS

Inteligencia Emocional. Goleman. D. (2010). Kairós.

El líder resonante crea más. Goleman. D, Boyatzis. R., Mckee. A. (2017). Debolsillo.

50 actividades para desarrollar la Inteligencia Emocional. Lynn. A.B. (2001). Centro de estudios Ramón Areces.

---

1. Anécdota referida y/o extraída de la siguiente fuente: Daniel Goleman en su obra _La práctica de la inteligencia emocional._

El guerrero atento. Van Gordon. W., Shonin. E., y García Campayo. J. (2018). Kairós.

XI.   SABIDURÍA POPULAR

"La Ley es interacción humana que se produce en climas emocionales. Todo abogado que pueda comprender qué emociones están presentes y por qué, dispone de una gran ventaja". Peter Salovey.

Autocontrol

I. CONCEPTO

Si la autoconciencia se corresponde con la capacidad del individuo de comprender las emociones, los puntos fuertes, las debilidades, las necesidades y los impulsos de uno mismo, la autogestión, siguiendo a Daniel Goleman (psicólogo estadounidense, que adquirió fama mundial a partir de la publicación de su libro Emotional Intelligence en 1995), representa la capacidad de controlarlos y canalizarlos de forma útil. Por lo tanto, a través de la primera, comprendemos y reconocemos lo que ocurre en nuestro interior; por la segunda, gestionamos dichas emociones de forma adecuada.

La manifestación más conocida de la autogestión es el denominado autocontrol, es decir, ante la aparición repentina de las emociones, surge la capacidad del individuo de controlar sus impulsos y ajustarlos (canalizarlos) a los objetivos personales y profesionales.

II. CARACTERÍSTICAS

Entre las características del autocontrol, destacamos las siguientes:

- Es una capacidad vinculada al control y gestión de las emociones o impulsos.
- Control y gestión dirigida a la consecución de un objetivo.
- Se asocia al equilibrio emocional de quien lo disfruta.

- Nos hace más eficaces ante situaciones difíciles.

- Ayuda a mantener la calma y a pensar con claridad.

- Permite controlar el estrés cuando te sientes bajo presión.

- Ayuda a tomar mejores decisiones y aumenta la capacidad de concentración.

III. ¿ES IMPORTANTE EL AUTOCONTROL PARA EL ABOGADO?

La capacidad de autogestión es fundamental en el abogado, pues interviene en un escenario en el que la manifestación visible de las emociones y sentimientos son el pan de cada día. Los intereses en conflicto, fuente de controversia perpetua, es un condicionante esencial para reconocer la difícil tarea del abogado cuando interacciona con su cliente, con la otra parte y con su abogado y con los jueces.

En todos estos casos, el abogado debe controlar sus emociones y, huyendo de la manifestación del propio impulso (lo que supondría un suicidio profesional) deberá, en todo momento, pensar las cosas dos veces antes de hablar y de actuar impulsivamente.

¿Nos imaginamos a un abogado que le sienta mal un comentario de un juez y que, acto seguido, le responda de forma hiriente?

¿Y a un abogado al que ante las exigencias disparatadas de un cliente (que las hay) lo eche con cajas destempladas del despacho a las primeras de cambio?

¿Y si el abogado, contrariado por el tono agresivo del compañero de profesión, lo insulta y le cuelga el teléfono mandándolo a freír espárragos?

En todos estos casos, el buen abogado debe controlar sus impulsos y actuar conforme a sus valores y objetivos.

IV. EL ABOGADO CON AUTOCONTROL

El abogado que dispone de autocontrol sabe controlar sus impulsos y actuar conforme a sus valores y objetivos. Por ello son profesionales sumamente adaptables, transparentes, grandes motivadores, optimistas y proactivos, ya que quien domina sus emociones sabe adaptarse a los cambios, fomenta la integridad, ya que la reflexión le impedirá adoptar soluciones impulsivas habitualmente erróneas, movilizan sus emociones positivas y las de los demás para alcanzar los objetivos y, finalmente, disponen de gran capacidad de iniciativa.

De ello se deriva que los abogados que disfrutan de esta capacidad son personas reflexivas, meditativas y, por tanto, poco impulsivas. No estamos diciendo con ello que sean personas racionales, frías y calculadoras sino que, a través de su capacidad de control, saben gestionar adecuadamente sus emociones, canalizándolas y transmitiéndolas de forma adecuada, evitando situaciones inconvenientes resultantes de un nulo proceso de control del impulso.

Finalmente, quien reflexiona sabe adaptarse perfectamente a los cambios. Este factor es esencial para el abogado, pues en una profesión en permanente cambio, sabrá defenderse en escenarios de ambigüedad y superar los obstáculos que puedan presentarse.

V. EL ABOGADO SIN AUTOCONTROL

Por el contrario, el abogado que carezca de autocontrol se verá controlado por sus propios impulsos y emociones, y sus reacciones serán habitualmente erróneas e inapropiadas.

Señalar que en parte de la sociedad existe una imagen del abogado agresivo, impulsivo que defiende a su cliente a través del grito, del uso desencajado del torso, los brazos, el rostro, etc. Esta imagen dista mucho del abogado con inteligencia emocional. La pérdida de autocontrol en defensa del cliente recoge escasos frutos, salvo quizás el ensanchamiento del ego de defensor y defendido. Sin embargo, a medio y largo plazo, su inoportunidad se manifiesta en forma de un empeoramiento de la posición del cliente en el litigio o controversia. Ello no quita que un abogado que domine la autogestión sepa como transmitir enfado, contrariedad, o abierto rechazo a un tercero, pero siempre con asertividad y con un adecuado control de sus emociones.

VI. EJEMPLOS PRÁCTICOS

Veamos algunos ejemplos partiendo de las situaciones citadas en el apartado 3:

¿Nos imaginamos a un abogado que le sienta mal un comentario de un juez y que, acto seguido, le responda de forma hiriente?

En este caso, el abogado, sabedor de las reglas de deontología profesional y de la conducta que es exigible a los jueces, sabrá si callar y no darle la mayor importancia al comentario o emplear los medios que la ley procesal establece para la protección de sus derechos. Lo que no debe hacer nunca es, dejándose llevar por el impulso, emplear un lenguaje verbal y no verbal que suponga abierta contrariedad, provocación o una respuesta desproporcionada.

¿Y a un abogado al que ante las exigencias disparatadas de un cliente (que las hay) lo eche con cajas destempladas del despacho a las primeras de cambio?

El abogado debe saber de la importancia del cliente para el despacho y, como buen conocedor de los mismos, sabe que en ocasiones éstos adoptan actitudes imprudentes, inconvenientes o incluso irrespetuosas. Aquí, la labor del abogado será la de convencer al cliente del error de su expectativa y ser objetivo y realista en cuanto a sus pretensiones.

¿Y si el abogado, contrariado por el tono agresivo del compañero de profesión, lo insulta y le cuelga el teléfono mandándolo a freír espárragos?

Ante un compañero beligerante, hay que tratar de entender las tensiones que acarrea la defensa de los asuntos y, cuando el entendimiento no cabe, puede emplearse la asertividad para transmitir nuestra oposición a su actitud y sentar las bases para una conversación en la que reine el respeto y la cordialidad. Nunca debemos realizar acciones como colgar el teléfono o emplear términos agresivos.

Por otro lado, el abogado, como empresario de su propio negocio y como probable líder de su organización, obtendrá un rédito importante como consecuencia de su capacidad de autogestión. Efectivamente, su autocontrol creará un entorno de confianza e imparcialidad entre los integrantes del despacho en el que nadie querrá parecer un exaltado. Es el llamado efecto contagio, el cual se extiende a través de la motivación e iniciativa que desprenderá en su quehacer diario, pues quienes se autogestionan, disponen de una elevada energía para motivar y hacer que los demás alcancen las metas y objetivos de la organización. En este elenco de actividades no podemos olvidar la transparencia, pues el buen abogado líder sabrá comunicar a sus empleados los objetivos y las reglas de juego del despacho y, cuando sea preciso, sabrá transmitir sus emociones adecuadamente.

VII. ¿CÓMO SE ADQUIERE O MEJORA?

El aprendizaje y mejora del autocontrol requiere un completo autoconocimiento, pues sólo de esa forma podremos conocer aquellos comportamientos y hábitos que nos ayudan a perder el control. Una vez que los conozcamos hemos de realizarles una completa monitorización, observándolos (incluso avisando a amigos y familiares para que los observen y nos avisen) y, a continuación, ir corrigiéndolos en base a conductas más positivas y cercanas al autocontrol. A partir de aquí, la fuerza de voluntad es clave para continuar con este proceso de observación-control-respuesta, pues la constancia nos permitirá ir alcanzando unos mejores niveles de autocontrol. Es una medida muy interesante practicar el autocontrol en cualquier faceta de nuestra vida.

Múltiples estudios han ilustrado que cuando ejercitas el autocontrol en un área de tu vida (como cepillarte los dientes con tu mano no dominante) puedes incrementar tu fuerza de voluntad en otra área, como por ejemplo, suprimir un comportamiento agresivo. Los dos comportamientos son muy diferentes, pero comparten la misma fuente de energía.

Por otro lado, para alcanzar el mayor autocontrol posible, el abogado deberá fomentar:

La prudencia: Entendida como la capacidad de analizar de forma reflexiva y atenta el tipo de acción que vamos a emprender y antes de llevarla a cabo, nos impone mantener un comportamiento sereno y calmado ante situaciones que puedan enojarnos y provocar una reacción desmedida que, a la postre, podrá causarnos perjuicios irreparables. Hay que pensar y conservar la calma cuando se presentan los problemas.

La paciencia: Entendida como la virtud para soportar con entereza situaciones difíciles y complicadas que entrañan grandes dificultades y la capacidad de actuar de forma perseverante y sin alterarnos por las contrariedades que podemos encontrarnos por el camino, constituye una herramienta ideal para, con templanza y el justo equilibrio en el actuar, evitar aquellas situaciones que puedan provocar una falta de control y disponer de la serenidad para actuar contundentemente en defensa de nuestros derechos.

Desdén: Actuar con indiferencia, o incluso un desprecio sutil, es generalmente la mejor medicina para soportar los males de opinión, pues el desdén conlleva un componente de confianza y convencimiento en lo que hacemos, que supondrá una cota de malla protectora frente a los dardos de aquellos males.

La moderación: Fruto de la paciencia y la prudencia, el único resultado previsible de un abogado ante estas situaciones es actuar siempre con moderación, es decir, evitando caer en la ira, la pérdida de control, el grito, el insulto o la hostilidad descontrolada; al contrario, hemos de reflexionar en microsegundos y optar por una conducta que nos permita controlar los acontecimientos y, de esta forma, no poner en juego la consecución de nuestros objetivos o sufrir un daño por nuestras acciones.

Relativizar: El calor del momento es un consejero muy traicionero, pues nos impide evaluar lo que está ocurriendo en su justa medida, por lo que es muy aconsejable morderse la lengua y darse un mínimo de tiempo para afrontar la situación con más frialdad. Para ello, tirando de la serenidad que nos da la moderación, actuaremos en consecuencia y, posteriormente, ya contemplaremos con más tiempo lo ocurrido. *"Contra la ira, la dilación"* decía Séneca.

La defensa de nuestros derechos: Todo lo anterior no puede identificarse con pusilanimidad o debilidad de carácter, sino todo lo contrario, pues no hay mayor grandeza que actuar con moderación cuando todo está en nuestra contra. De hecho, se dice que la moderación es "la elegancia en el apremio". Ahora bien, dicha moderación no está reñida con la defensa de nuestros derechos, empleando la seriedad y contrariedad que queramos transmitir; si hay que protestar citando algún derecho, si hay que llamar la atención, si hay que poner a alguien en su lugar, habrá de hacerse, pero siempre evitando la desconsideración personal o la pérdida de las formas.

VIII.   ANÉCDOTA[1]

El anciano y el samurái.

"Hace mucho, mucho tiempo, vivía cerca de Tokio un anciano y respetado samurái que había ganado muchas batallas.

Su tiempo de guerrero ya había pasado. Ese sabio samurái ahora se dedicaba a enseñar a los más jóvenes, aunque aún persistía la leyenda de que era capaz de derrotar a cualquier adversario, por muy bueno que fuera.

Una tarde de verano, apareció en su casa un guerrero conocido por sus malas artes y poca caballerosidad. Era famoso por su carácter provocador y sus pocos escrúpulos. Su estrategia consistía en molestar a su adversario, hasta que este, movido por la ira, bajaba la guardia y atacaba ciegamente. Cuentan que jamás había sido derrotado. Y esa tarde se propuso destruir la leyenda del anciano samurái para aumentar aún más su fama.

Muy pronto el guerrero empezó a insultar al sabio samurái, llegando a tirarle piedras e incluso escupirle el rostro. Así fueron pasando los minutos y las horas, pero el sabio samurái permanecía impasible sin sacar su espada. Pasada la tarde, ya exhausto y humillado, el guerrero se dio por vencido.

Los aprendices de samurái, indignados por los insultos que había recibido el maestro, no comprendían por qué el anciano no se había defendido y asumieron su actitud como un símbolo de cobardía. Le preguntaron:

– Maestro, ¿cómo has podido soportar tanta indignidad? ¿Por qué no blandiste tu espada aunque supieras que ibas a perder la batalla, en vez de actuar de manera tan cobarde?

A lo que el maestro respondió:

– Si alguien llega con un presente y no lo aceptáis, ¿a quién pertenece el regalo?

– ¡A la persona que lo vino a entregar!

---

1.   Anécdota referida y/o extraída de la siguiente fuente: *http://hunna.org/el-viejo-samurila-parbola-que-nos-ensea-cmo-responder-ante-las-provocaciones/.*

– Pues lo mismo vale para la rabia, los insultos y la envidia… – Respondió el maestro samurái – Cuando no son aceptados, siguen perteneciendo a quien los llevaba consigo".

El infierno y el paraíso (es un estado mental)[2]

"Un samurái le pidió a un maestro que le explicara la diferencia entre cielo e infierno. Sin responderle, el maestro se puso a dirigirle gran cantidad de insultos. Furioso, el samurái desenvainó su sable para decapitarle.

– _He aquí el infierno– dijo el maestro antes de que el samurái pasara a la acción. El guerrero, impresionado por estas palabras, se calmó al instante y volvió a enfundar el sable._

Al hacer este último gesto, el maestro añadió:

– _He aquí el cielo._

Al entrar en determinados estados, nos creamos nuestro propio infierno, así como al entrar en otros estados nos creamos nuestro propio paraíso. El infierno y el paraíso dependen de nosotros".

IX.   PREGUNTAS PARA EL DEBATE

– ¿Has vivido en tu profesión momentos en los que has perdido el autocontrol?

– Y a la inversa, ¿recuerdas momentos en los que hayas actuado con autocontrol?

– ¿Qué piensas cuando observas a un colega que pierde su autocontrol?

X.   LECTURAS RECOMENDADAS

Inteligencia Emocional. Goleman. D. (2010). Kairós.

El líder resonante crea más. Goleman. D, Boyatzis. R., Mckee. A. (2017). Debolsillo.

50 actividades para desarrollar la Inteligencia Emocional. Lynn. A.B. (2001). Centro de estudios Ramón Areces.

El arte de mantener la calma. Séneca, L.A. (2020). Koan.

El guerrero atento. Van Gordon. W., Shonin. E., y García Campayo. J. (2018). Kairós.

---

2.   Anécdota referida y/o extraída de la siguiente fuente: _El dedo y la luna._ Jodoroswsky, A. Books4pocket.

XI. SABIDURÍA POPULAR

"La habilidad de hacer una pausa y no actuar por el primer impulso se ha vuelto aprendizaje crucial en la vida diaria". Daniel Goleman.

"Quien me insulta siempre no me ofende jamás". Víctor Hugo.

"Quien de verdad sabe de qué habla, no encontrará razones para levantar la voz". Da Vinci.

"Contra la ira, la dilación ". Séneca.

"La ira de un día es la perturbación de muchos; el enojo experimentado en un asunto influye en otros cien. Ira es antítesis de ecuanimidad. De modo que no puede haber abogado irascible". Angel Ossorio y Gallardo.

"Si practico el auto-control en cualquier dominio, me ayudará en los demás". DeWall.

Empatía

I. CONCEPTO

La empatía es la capacidad de sentir o percibir lo que otra persona sentiría si estuviera en la misma situación vivida por esa persona, es decir, es una capacidad que nos ayuda a comprender los sentimientos de otro, facilitando también la comprensión de los motivos de su comportamiento. Ser empático, en definitiva, consiste en ser capaz de sentir las mismas emociones que el interlocutor, poder ponerse en su lugar y experimentar la situación como él la vive.

II. CARACTERÍSTICAS

La empatía dispone de las siguientes características:

- Es una capacidad de ver la situación de otra persona y de sentirla.
- Con ella no se pierde el propio punto de vista ni la estabilidad emocional.
- Ayuda a escuchar, comprender y demostrar interés por otras personas.
- Como capacidad altruista, favorece que las personas se ayuden entre sí puesto que, como seres emocionales que somos, el poder sentir y comprender las emociones de otra persona desencadenará un sincero deseo de ayudar y auxiliar de algún modo a la persona que está sufriendo.
- Ayuda a comprender mejor el comportamiento de las personas bajo determinadas circunstancias y condicionantes, lo que nos facilita disponer de una visión más objetiva y realista de la situación.

- Favorece la afinidad e identificación con el interlocutor, de modo que se genera una importante conexión o vinculo que favorecerá el desarrollo de la confianza.

III. ¿POR QUÉ ES IMPORTANTE LA EMPATÍA PARA EL ABOGADO?

La empatía es un rasgo esencial del buen abogado. Ello encuentra su fundamento principalmente en dos causas. La primera, cual es que en su actividad está en permanente contacto con otras personas como clientes, abogados, jueces, etc. con los que confluyen emociones de diverso signo. La otra, centrada precisamente en dichas emociones, radica en que en su campo de actividad está siempre presente la conflictividad de intereses que afecta a esferas vinculadas al honor, al patrimonio o a la libertad, lo que presupone un escenario en el que las emociones negativas van a campar a sus anchas.

El abogado empático, al disfrutar de un mayor conocimiento de los demás, sabrá empatizar no solo con los clientes, sino con otros operadores en los que, en principio, mantiene una distancia de seguridad, como son los abogados de la otra parte o los jueces. Comprender su función al interactuar con ellos favorecerá el entendimiento y comprensión de las disfunciones que en ocasiones puedan producirse.

IV. EL ABOGADO EMPÁTICO

El abogado empático:

- Es socialmente sensible.
- Domina la comunicación, especialmente las sutilezas del lenguaje no verbal, siendo capaz de comprender a través de los gestos, el tono, etc., los sentimientos y emociones de los demás.
- Es respetuoso con el prójimo, pues, aunque no apruebe su comportamiento, mantendrá una posición cortés y comedida.
- Domina la escucha activa con los beneficios que ello conlleva.
- Es un gran conversador y comunicador, lo que se ve favorecido por su capacidad de dar el denominado feedback social.
- Es un gran negociador, pues es capaz de alcanzar una mayor comprensión de los motivos y actitudes de sus oponentes.
- Genera confianza en las personas con las que interactúa.

V. EL ABOGADO CARENTE DE EMPATÍA

Un abogado carente de empatía se limitará a la aplicación al caso de sus conocimientos técnicos, perdiéndose el lado humano de la relación con el cliente y, con ello, la capacidad de comprender múltiples aspectos personales y emocionales vinculados al caso. En ocasiones será frio y poco cercano, lo que dificultará notablemente que se genere el necesario vínculo de confianza con su cliente. Igualmente, al interactuar con otros operadores jurídicos, no captará debidamente los mensajes que se produzcan durante un proceso de negociación o un juicio, precisamente por esa falta de comprensión del papel y de las emociones de los demás.

VI. EJEMPLOS PRÁCTICOS

Sintiendo y comprendiendo las emociones de sus clientes, el abogado podrá disponer de mayor objetividad en el ejercicio de su función, comprendiendo las razones del comportamiento de las personas involucradas en el conflicto. Pero no solo eso, sino que, a través de dicha habilidad, al estar mejor informado, su consejo será más realista y ajustado a las expectativas del cliente, defendiéndolo con un verdadero deseo de ayuda y comprensión, eso sí, sin involucrarse emocionalmente.

Igualmente, el abogado empático tiene más facilidad para crear y fortalecer el vínculo de confianza que debe presidir la relación abogado-cliente, y ello debido a que el cliente se sentirá escuchado y comprendido, lo que crea la afinidad ya apuntada. A su vez, esta confianza hace que los abogados empáticos se adapten mejor a las sutiles señales sociales que indican lo que otros necesitan o quieren, presten mucha atención a la satisfacción del cliente para garantizar que tengan todo lo que necesita y se muestren muy disponibles y con rápida capacidad de respuesta.

Otro factor de gran escala que aconseja la empatía en nuestra profesión es la importancia que esta supone para el trabajo en equipo. Al entender y comprender el punto de vista de todas las personas que intervienen en un equipo, el abogado (máxime si es el líder) será un gran inductor del consenso que requiere el éxito de la organización.

VII. ¿CÓMO SE ADQUIERE O MEJORA?

La empatía se mejora siguiendo tres conductas claves:

Escuchar: Hay que fomentar la escucha activa, técnica o método de escucha y respuesta a otra persona que incrementa la mutua comprensión de los interlocutores a través de un proceso de obtención de información que, respetando las emociones en juego, facilita enormemente la comunicación. Es un proceso que requiere escuchar con atención, empleando literalmente los cinco sentidos, concentrando toda nuestra energía en las palabras del interlocutor a fin de transmitirle no solo que lo estamos entendiendo, sino que estamos verdaderamente interesados en su mensaje.

Observar: Si disponemos de capacidad de observación sobre nuestros interlocutores, podremos reconocer cómo se sienten (pues, generalmente, no nos lo van a decir), lo que nos ayudará a actuar de forma empática.

Usar la imaginación: La manera más efectiva de cultivar más empatía consiste en plantearse algunas preguntas: "Si yo me encontrara en esa situación, ¿cómo me sentiría? ¿cuál sería mi reacción? ¿qué necesitaría?". De esta forma captamos la realidad del otro desde su perspectiva y no desde la propia.

VIII. ANÉCDOTA[1]

"El apóstol Pablo aprendió a tener en cuenta el sufrimiento y los sentimientos de los demás. «¿Quién es débil, y no soy débil yo? ¿A quién se hace tropezar, y no ardo yo de indignación?», preguntó (2 Corintios 11:29). Cuando un ángel liberó milagrosamente de sus cadenas a él y a Silas en una cárcel de Filipos, lo primero en lo que Pablo pensó fue en avisar al guardia de que nadie había escapado. Se puso en su lugar y llegó a la conclusión de que era probable que se suicidara, pues sabía que la costumbre romana era castigar con severidad al carcelero si se fugaba un prisionero, sobre todo si se le había mandado que lo vigilara bien (Hechos 16:24-28). Al carcelero le impresionó esta muestra de bondad, que le salvó la vida, y tanto él como su casa tomaron medidas para hacerse cristianos (Hechos 16:30-34)".

IX. PREGUNTAS PARA EL DEBATE

– ¿Es lo mismo ser simpático que empático?

– Cuando estás atento a tu interlocutor, ¿eres más empático?

– ¿Ves falta de empatía en tu día a día como abogado?

X. LECTURAS RECOMENDADAS

Hazte experto en inteligencia emocional. Cañizares Gil, O. y García de Leaniz, C. (2015). Desclée De Brouwer.

Inteligencia Emocional. Goleman, D. (2010). Kairós.

---

1. Anécdota referida y/o extraída de la siguiente fuente: *https://wol.jw.org/es/wol/d/r4/lp-s/2002285.*

XI. SABIDURÍA POPULAR

"Los líderes empáticos no se limitan a simpatizar con la gente que los rodea: utilizan sus conocimientos para que sus empresas mejoren de forma sutil pero determinante". David Goleman.

"Las tres cuartas partes de las miserias y malos entendidos en el mundo terminarían si las personas se pusieran en los zapatos de sus adversarios y entendieran su punto de vista". Gandhi.

38

Escucha activa

I. CONCEPTO

La escucha activa es una técnica o método de escucha y respuesta a otra persona que incrementa la mutua comprensión de los interlocutores a través de un proceso de obtención de información que, respetando las emociones en juego, facilita enormemente la comunicación. Es un proceso que requiere escuchar con atención, empleando literalmente los cinco sentidos, concentrando toda nuestra energía en las palabras del interlocutor, a fin de transmitirle no solo que lo estamos entendiendo, sino que estamos verdaderamente interesados en su mensaje.

El proceso de la escucha activa se rige por cuatro componentes o conductas de quien escucha que deben ser seguidas a rajatabla para que aquella sea efectiva. La finalidad de las mismas no es otra que facilitarnos a nosotros mismos la mayor atención sobre el mensaje, como demostrar a nuestro interlocutor que actuamos con una verdadera conciencia de colaboración. Veámoslas:

Clarificar, que consiste en solicitar aclaraciones al interlocutor con el fin de obtener más información sobre las ideas que nos acaban de ser expuestas.

Parafrasear, o realizar el correspondiente feedback repitiendo las palabras que conforman la idea recién transmitida en nuestros propios términos con el fin de demostrar/nos que hemos captado y entendido el mensaje y, además, demostraremos consideración y respeto a nuestro interlocutor.

Reflexionar, o preguntar (clarificando o subrayando) al interlocutor sobre las emociones y sentimientos que lleva aparejado el mensaje que nos está transmitiendo.

Resumir, o recapitular los puntos esenciales del mensaje.

II. CARACTERÍSTICAS

La escucha activa es una habilidad caracterizada por los siguientes elementos:

- Facilita la recepción de una información muy completa y relevante del interlocutor.

- Genera un clima de confianza muy positivo para la comunicación, la cual gana en eficacia.

- Incrementa la credibilidad, cooperación y sintonía, estrechando la relación con el interlocutor y facilitando el flujo constante de información.

- Ayuda a incrementar nuestra capacidad de captar e identificar la existencia de situaciones problemáticas que podemos ayudar a resolver.

- Hace que la otra persona se sienta valorada y apreciada.

- Nos ayuda a captar posibles clientes a través de la detección de oportunidades de negocio.

- En el proceso de negociación, percibiremos con más facilidad las necesidades del interlocutor.

- Al captar el sentido exacto del mensaje, ahorra tiempo y evita la comisión de errores al disponer de una información segura y contrastada.

- Estaremos propensos a adquirir nuevos conocimientos y experiencias.

III. ¿ES IMPORTANTE LA ESCUCHA ACTIVA PARA EL ABOGADO?

Contrariamente a lo que muchos piensan, el proceso de construcción de relaciones del abogado requiere un esfuerzo constante de escucha, y decimos contrariamente, ya que existe la creencia de que si los abogados no hablamos, nada estaremos consiguiendo, especialmente en aras de la captación y fidelización del cliente.

Sin embargo, hay que pasar página y concienciarse de que una de las herramientas más poderosas que tiene el abogado, dentro y fuera de una sala de vistas, es la capacidad de escuchar activamente, pues los abogados actuamos sobre la base de la información que nos suministran nuestros clientes, analizando meticulosamente las afirmaciones del letrado contrario y atendiendo al lenguaje verbal y no verbal del juez, por lo que será esencial adquirir dicha información a través de la escucha focalizada en dichas interacciones. Igualmente, como se ha avanzado es esencial para la captación y fidelización de los clientes.

Efectivamente, la habilidad de comunicarse de forma efectiva es trascendental para el desarrollo de nuestra profesión, máxime cuando trabajamos con materias complejas, habitualmente contenciosas y por ello cargadas del factor emocional: persuadir al Juez, tratar un asunto con el cliente, negociar con el abogado contrario, trabajar con los compañeros de equipo, liderar el despacho, etc., son simples ejemplos de situaciones en las que la comunicación es vital para los abogados.

IV. EL ABOGADO QUE SABE ESCUCHAR

Una vez asimilados estos componentes esenciales en el proceso de escucha activa, vamos a profundizar algo más, pasando a examinar algunas cualidades del abogado que escucha activamente:

1.º– **Se concentra en el interlocutor:** Durante el proceso de escucha hay que centrar nuestra atención en el interlocutor, evitando distracciones causadas por ruidos, luces, temperatura, lo que exigirá que el lugar de la reunión esté en perfectas condiciones para la entrevista. Igualmente, hay que evitar analizar durante la conversación las características físicas del interlocutor (rasgos, vestido, acento, etc...).

2.º– **Quietud verbal y mental:** Hay que mantenerse quieto, a la espera de que el interlocutor concluya su intervención, conducta no solo física, sino especialmente mental. Efectivamente, todos sabemos lo que es escuchar a alguien (bueno, mejor dicho oír) y estar pensando mientras tanto la respuesta. Hay por tanto que evitar formular una respuesta antes de que el interlocutor termine interrumpiendo o cortando su mensaje. Para ello hay que esperar, con paciencia, a que el interlocutor elabore su idea por completo ¿y cómo conseguimos esto? pues poniendo los cinco sentidos en lo que está diciendo.

3.º– **No juzga:** Uno de los peores enemigos de la escucha activa es hacer juicios sobre el interlocutor o sobre el mensaje del mismo. Hay que estar abierto a comprender a nuestro cliente dejando en la puerta de la habitación nuestros condicionantes, perjuicios, origen de todos los juicios. Si juzgamos, poca información vamos a recibir con la objetividad necesaria.

4.º– **Uso de un lenguaje empático:** Hemos de emplear un lenguaje verbal y no verbal que transmita a nuestro interlocutor que estamos atentos a su mensaje con nuestros cinco sentidos. Para ello podemos emplear un lenguaje sencillo que exprese interés como el uso de expresiones tales como ajá, mmm, efectivamente, claro, etc... Igualmente, podemos emplear un lenguaje no verbal que implique asentimiento, atención y simpatía (empleo del contacto ocular, sonreír, inclinarnos hacia el interlocutor, afirmar con la cabeza, etc...).

5.º– Tomar notas: Es muy recomendable acompañar nuestra atención con la toma puntual de notas que nos ayudará a ordenar las ideas, recapitular y secuenciar los puntos de mayor importancia, además de disponer de un registro que suplirá nuestros posibles fallos de memoria a posteriori. Es más, una toma de notas (no exagerada) genera en el interlocutor tranquilidad y seguridad de que está siendo atendido correctamente.

V. EL ABOGADO QUE NO ESCUCHA

El abogado que no escucha se caracteriza por:

– **No se esfuerzan en el proceso:** La escucha activa requiere de un gran esfuerzo por parte de quien escucha. Tan es así, que estudios recientes afirman que durante este proceso se incrementa la presión sanguínea, el pulso y la sudoración.

– **No se concentran:** La existencia de la ingente e inabarcable información que nos rodea hace que la concentración durante la escucha sea muy difícil, puesto que hemos de aprender a discriminar la información válida de aquella que no lo es.

– **No escuchan, elaboran su respuesta**: En ocasiones (yo diría que muy habitualmente) no sabemos escuchar, y durante el proceso de escucha estamos más pendientes de elaborar nuestra respuesta que concentrarnos en el interlocutor, llegando las más de las veces a interrumpirlo. Somos tan listos, que no nos hace falta escuchar lo que ya sabemos.

– **Piensan demasiado:** lo que supone que durante el proceso de escucha podemos recrearnos (y desgraciadamente solemos hacerlo) en pensar en la respuesta, en interpretar, juzgar o irnos literalmente por los cerros de Úbeda.

VI. EJEMPLOS PRÁCTICOS

La escucha activa será clave en situaciones como las que siguen:

– Ante la consulta en persona de un cliente.

– Hablando por teléfono con un cliente, un colega, etc...

– Durante un proceso de negociación.

– Durante el acto del juicio.

– En reuniones de despacho.

VII. ¿CÓMO SE ADQUIERE O MEJORA?

Hemos de dar los pasos necesarios para incorporar a nuestra actividad diaria las acciones que nos ayuden a comprender y entender a nuestro interlocutor racional y emocionalmente durante el proceso de comunicación. No perdamos la oportunidad de entrenarnos con nuestros familiares, amigos, compañeros de profesión para, finalmente, sorprender a nuestros clientes con una escucha de primera.

Ya disponemos de los elementos que componen la escucha activa y de algunas técnicas que nos ayudarán a llevar a cabo el proceso de forma fluida. Finalmente, vamos a destacar alguna de las expresiones más empleadas durante el mismo, expresiones que no solo facilitan nuestro proceso de escucha, sino que transmiten la atención, interés y respeto que nuestro interlocutor necesita para sentirse escuchado. Dichas expresiones deben ser integradas en nuestra práctica diaria con el fin de ser un mejor y más efectivo conversador:

- ¿Qué quieres decir con eso?
- O sea que, lo que ocurrió fue….
- ¿Por favor, podías repetirme esto último?
- ¿Puedes ser un poco más concreto?
- ¿Cómo te sientes al respecto?
- Lo entiendo, debió ser muy duro.
- Pero, ¿cómo es posible?
- Continúa, por favor…
- ¡Increíble!
- Vamos a ver, lo que quieres decir es que…
- Tranquilo, tenemos todo el tiempo del mundo.
- Etc…

VIII. ANÉCDOTA[1]

"Démades el orador, hablaba en una ocasión al pueblo en Atenas. Al no prestarle los atenienses demasiada atención, pidió que le permitieran contar una fábula de Esopo, aceptaron y empezó diciendo: «Deméter, la golondrina y la anguila hacían el mismo camino. Llegados a un río, la golondrina echó a volar y la anguila se sumergió»". Dicho esto, Démades calló, y le preguntaron "Bueno, ¿y qué hizo Deméter? El orador respondió:

---

1. *Fábulas.* Esopo. Biblioteca Clásica Gredos.

«Irritarse contra vosotros, que abandonáis los asuntos de Estado y preferís oír una fábula de Esopo»".

Esopo.

Comparar estas dos conversaciones y ubicar el proceso correcto de escucha activa.

Primer ejemplo:

- Don José, fue humillante, me dijo que me marchara y cuando regresé al puesto de trabajo todos mis objetos personales estaban en una caja de cartón y el ordenador estaba bloqueado.
- Ya… (el abogado responde con la mano izquierda sosteniendo la barbilla y con el codo apoyado en la mesa completamente quieto).
- Para colmo, cuando me comunicaron el despido, mi Jefe estaba acompañado de un directivo y un compañero de trabajo, que no sé lo que hacían allí.
- Si, debió ser duro (el abogado pronuncia estas palabras sin moverse y en un tono algo monocorde).
- No sé qué hacer, estoy desesperado… la verdad es que lo veo todo negro…
- Bueno, tranquilo, déjeme la documentación que le entregaron que vamos a estudiar primero el asunto….
- ¿Qué documentación? A mí no me han dado nada…

Segundo ejemplo:

- Don Rafael, fue humillante, me dijo que me marchara y cuando regresé al puesto de trabajo todos mis objetos personales estaban en una caja de cartón y el ordenador estaba bloqueado.
- Lo supongo (dice el abogado inclinando el torso hacia el cliente), es una experiencia muy difícil, ¿se lo dijo de palabra o le entregó una carta escrita?
- De palabra, de palabra… Para colmo, cuando me comunicaron el despido, mi Jefe estaba acompañado de un directivo y un compañero de trabajo, que no sé lo que hacían allí.
- Probablemente era para probar que se le ha comunicado el despido, pero ¿vd. nunca se negó a recibir la carta de despido, no?
- No, nunca hubo carta. No sé qué hacer, estoy desesperado… la verdad es que lo veo todo negro…
- Bueno, lo primero que debe hacer Vd. es calmarse ¿quiere un vaso de agua o un refresco?… Verá, Juan, no se preocupe, tenemos un caso de

despido en el que posiblemente se hayan incumplido por el empresario sus obligaciones legales, sin perjuicio de que no parece que exista causa alguna de despido. Ahora tiene que centrarse en explicarme con más tranquilidad que pasó en los últimos días de su relación laboral e, igualmente, explicarme con detalle nuevamente el proceso de despido. ¿Se encuentra mejor?

– Vale, don Rafael, verá…

IX. PREGUNTAS PARA EL DEBATE

– ¿Podrías indicarme la razón principal por las que en ocasiones no escuchas adecuadamente al cliente?
– ¿Percibes cuando no te están escuchando activamente?
– ¿Te gusta sentirte escuchado durante el desarrollo de tu profesión?

X. LECTURAS RECOMENDADAS

El arte de saber escuchar. Torralba, F. Editorial Milenio.

XI. SABIDURÍA POPULAR

"Cuando un amigo te pida un consejo, en realidad no quiere escucharte, sino desahogarse contándote su pena, escucharlo para él es como si dieras el mejor consejo". _(Anónimo)._

Implicación emocional

I. CONCEPTO

Podemos definir la moderación en la implicación emocional como aquella habilidad de no implicarse emocionalmente con el cliente en la defensa de sus intereses, guardando el debido distanciamiento emocional con el mismo.

II. CARACTERÍSTICAS

Entre las características de la moderación en la implicación emocional destacaremos las siguientes:

* Parte de la diferenciación de los intereses del abogado y del cliente.
* Requiere de comprensión y empatía de lo que le está sucediendo al cliente.
* Excluye la asociación emocional entre abogado y cliente.
* Requiere de inteligencia emocional y muy especialmente de autoconsciencia.
* Requiere de un punto medio, no ajeno a la administración de un cierto estrés y tensión profesional.
* Evita padecimientos tales como insomnio, úlceras, distracciones e incluso cierta agresividad que van a pasar factura tanto a nuestra vida personal como profesional.

III. ¿POR QUÉ ES IMPORTANTE LA MODERACIÓN EN LA IMPLICACIÓN EMOCIONAL PARA EL ABOGADO?

Decía don Manuel Cortina *"los pleitos hay que vivirlos como propios y sentirlos como ajenos"*, frase proverbial que recoge un principio esencial en la práctica profesional de todo abogado: no podemos implicarnos emocionalmente en la defensa de los intereses de nuestros clientes. Sin embargo, la realidad es que muchos abogados incumplen inconscientemente dicha regla, y, quizás sin saberlo, al implicarse demasiado pueden llegar a sufrir situaciones verdaderamente patológicas.

Efectivamente, en ocasiones el abogado se preocupa enormemente por los casos que está defendiendo, de tal modo que no puede dejar de pensar en los mismos y en su posible resolución. Esta situación, que podría considerarse positiva si se adopta con cierta prudencia, se vuelve patológica cuando la implicación es tal que comenzamos a sufrir como si del propio cliente se tratara. Así, nos desvelamos por la noche pensando en el caso, nos indignamos ante el mero pensamiento de la conducta del contrario, anhelamos una solución favorable y, literalmente, sufrimos pensando en un posible fracaso ante nuestro cliente. Las consecuencias de esta actitud no se hacen esperar; insomnio, úlceras, distracciones e incluso cierta agresividad que van a pasar factura tanto a nuestra vida personal como profesional.

IV. EL ABOGADO CON MODERACIÓN EN LA IMPLICACIÓN EMOCIONAL

De disponer de moderación de su implicación emocional, el abogado será empático, comprenderá la situación de su cliente, y hará todo lo profesionalmente posible por llevar el caso a buen término, pero preocupándose lo estrictamente necesario, pues es sabedor que implicarse emocionalmente con el cliente no trae nada bueno. Lógicamente, en ocasiones, vivirá emociones muy intensas, pero las más veces por su propia responsabilidad, más que por sentir lo que vive o vivirá su cliente. Es sabedor que con un cierto punto de pasión profesional no solo asesorará y defenderá a su cliente con más eficacia, sino que tendrá la oportunidad de disfrutar a conciencia del camino profesional que recorre a diario

Como diría Angel Ossorio, el abogado que sabe moderar sus emociones para con su cliente actúa siguiendo un sistema de prudente indiferencia con un constante recuerdo de *"quien da lo que tiene no está obligado a dar más"*.

Su lema es la frase de Cortina *"los casos se defienden como propios y se sienten como ajenos"*, por lo que la falta de una intensa implicación emocional no debe impedir que ponga el alma en la defensa.

V. EL ABOGADO QUE NO MODERA LA IMPLICACIÓN EMOCIONAL

El actuar involucrado e identificado con el interés del cliente nublará el conocimiento del defensor, pues su juicio no será sereno y discreto, sino que estará afectado por la pasión del propio cliente, lo que le hará perder criterio e independencia y, sobre todo, le hará vivir unas emociones que, con cada caso, se volverán frecuentes o muy intensas desde una perspectiva negativa (ira, tristeza, ansiedad, etc.).

VI. EJEMPLOS PRÁCTICOS

En todas nuestras funciones (asesoramiento, intermediación o defensa ante los tribunales) el abogado puede actuar movido constantemente por un exceso de emotividad, lo que finalmente destrozará su sistema nervioso.

Para completar este apartado, pasemos al apartado siguiente donde se dan trazas claras de los supuestos de involucración y la adecuada respuesta que hemos de dar.

VII. ¿CÓMO SE ADQUIERE O MEJORA?

Esta es una conducta muy propia del joven abogado cuando lleva sus primeros asuntos, si bien la experiencia y la práctica va reduciendo tal comportamiento hasta llegar un punto en el que su involucración se modera hasta lo estrictamente necesario; quienes no superan esta situación acaban abandonando la profesión o continúan en el ejercicio profesional padeciendo (y haciendo padecer a los demás, especialmente a su familia) un verdadero infierno.

Dicho esto, es preciso alertar a aquellos compañeros que al leer estas líneas puedan verse identificados de algún modo, a fin de que adopten las medidas necesarias para modificar dicha tendencia, pues como todos hemos podido comprobar por nuestra propia experiencia, la excesiva involucración llega un punto que nos resulta insoportable por afectarnos personal y profesionalmente, siendo conveniente una aproximación al cliente y a su asunto con cierta distancia y moderación. Naturalmente, lo dicho sobre la excesiva implicación es aplicable a la dejadez, desidia o pasotismo que conlleva la nula implicación en el caso (mucho menos frecuente, claro).

Pero, ¿cómo podemos alcanzar el punto medio de implicación entre ambos extremos?

Para ello vamos a establecer una serie de razones a modo de consejos que podrían ayudarnos a reflexionar sobre lo pernicioso de una excesiva implicación con nuestro cliente y su asunto:

1.º– Cuando el cliente se presenta en el despacho del abogado viene para que lo asesore y defienda y ¿sabes por qué?, porque él se ha metido o alguien lo ha metido en el problema en el que se encuentra. La causa última de que esté en el despacho deriva del propio cliente, quien lo que busca es ayuda en forma de asesoramiento. Si te vas a angustiar por lo que otro ha hecho, viviéndolo como si tú fueras el causante del problema, prepárate para sufrir. Por ello, cuando te veas implicándote más de la cuenta piensa en que la raíz del problema que estás solucionando es completamente ajena a ti, y te aseguro que te ayudará a ver las cosas desde otra perspectiva.

2.º– Aunque a veces los clientes piensan que si el abogado está emocionalmente implicado en el caso realizará una mejor defensa. Sin embargo, están completamente equivocados. Efectivamente, el abogado debe crear una distancia emocional con su cliente que le permita alejar la subjetividad que éste va a imprimir a todas sus acciones, pues siendo objetivo, es como podrá barajar todas las alternativas de defensa posibles, sea cual sea la incomodidad, malestar o incluso discrepancia de su cliente. El buen abogado debe ser empático y saber ponerse en el lugar del cliente para entender sus emociones, pero ello no significa que debamos identificarnos con él, puesto que, en tal caso, perderemos la objetividad que exige la aplicación de nuestros conocimientos técnicos y prácticos a la solución del caso.

3.º– ¿Ves a esos compañeros que cuando llegas a la puerta de la sala acompañando a su cliente y cuando los miras te vuelven la espalda o te responden con hostilidad? Pues esos compañeros están excesivamente implicados con sus clientes hasta el punto de que temen que éstos les recriminen que hablen o incluso saluden al "enemigo". La excesiva involucración conduce inevitablemente al incumplimiento de obligaciones deontológicas como la lealtad a los compañeros, que flaco favor le hacen a nuestra profesión. Si estás excesivamente involucrado, es probable que actúes de forma hostil frente al contrario y a su cliente, bien porque sientes que debes hacerlo, bien a modo de pantomima ante tu cliente, conducta que a larga se paga pues "los clientes y los casos pasan y los abogados quedan...".

4.º– ¿Tú no tienes tus propios problemas? Pues, ¿para qué quieres más problemas? Si te identificas con tu cliente asumes el suyo, esto te llevará a padecer en un grado muy aproximado a lo que sufre el cliente. Y digo yo, ¿para qué? ¿Para ignorar tus problemas y centrarte en los del cliente? Mal negocio...

5.º– Si te involucras más de la cuenta acabarás física y psíquicamente destrozado, no lo dudes. La razón de ello radica en que tú no llevas un solo caso, sino una o dos docenas, cada uno con su problema particular de fondo, de modo que si vives cada caso identificándote con el cliente y su problema (además de los tuyos) acabarás exhausto y no tendrás otra salida que dejar la profesión (posible síndrome burnout) y si aguantas, solo espero no encontrarme contigo en una sala de vistas.

VIII.   ANÉCDOTA[1]

"¿Puede un abogado ser frío de alma? No. ¿Puede un abogado ser emocionable? Tampoco.

El abogado actúa sobre las pasiones, las ansías, los apetitos en que se consume la humanidad. Si su corazón es ajeno a todo ello, ¿cómo lo entenderá su cerebro? La familia arruinada, el hombre a las puertas del presidio, el matrimonio disociado, a ingratitud del hijo, la lucha social en sus revelaciones más descarnadas, el fraude infame de un interés legítimo...... todo eso es nuestro campo de operaciones. Quien no sepa del dolor ni comprenda el entusiasmo, ni ambiciones, ni la felicidad ¿cómo acompañará a los combatientes? Únicamente los desalmados, en la más aborrecible aceptación del vocablo, pueden ver impasibles todo eso, que es el nervio de la vida, la razón de vivir diríase más bien.

Y, sin embargo, ¿es conveniente, es lícito siquiera que tomemos los bienes y males ajenos como si fueran propios y obremos como comanditarios del interés que defendemos? De ningún modo".

Ángel Ossorio y Gallardo.

IX.   PREGUNTAS PARA EL DEBATE

–   ¿Te implicas demasiado con tu cliente?

–   ¿Has interactuado con otros colegas que se implican demasiado con su cliente?

–   ¿Podrías actuar con absoluta indiferencia a las emociones de tu cliente?

X.   LECTURAS RECOMENDADAS

El alma de la toga. Ossorio y Gallardo, A (2007). Reus.

XI.   SABIDURÍA POPULAR

"Olvida. La abogacía es una lucha de pasiones. Si en cada batalla fueras llenando tu alma de rencor llegaría un día en que la vida sería imposible para ti. Concluido el combate, olvida tan pronto tu victoria como tu derrota". Couture.

---

1.   Anécdota referida y/o extraída de la siguiente fuente: *El alma de la toga.* Ossorio y Gallardo, Á *(2008).* Reus.

"Los casos los había defendido como propios y los había sentido como ajenos". Manuel Cortina.

"La dificultad es ardua de veras. Hay que preparar la batalla con pasión y recibir impertérrito la noticia del resultado, tener ardor y no tener amor propio, amar y no preocuparse por el destino del objeto amado". Ángel Ossorio y Gallardo.

Tolerancia a la frustración

I.   CONCEPTO

La tolerancia a la frustración es la capacidad para tolerar o hacer frente a las situaciones que no se ajustan a nuestros deseos y necesidades. De este modo, ante los problemas, si bien la persona puede sentir contrariedad o malestar, ello no le impide continuar con la búsqueda de sus objetivos.

En el polo opuesto se encuentra la baja tolerancia a la frustración, que puede definirse como una creencia irracional que se define como una incapacidad para aceptar las situaciones y a las personas como son, y ello al considerarse a través de esta creencia que las cosas deben ser de una determinada manera, poco realista y objetiva, es decir, incongruente con la realidad. Esta creencia se enunció por el Dr. Albert Ellis en los siguientes términos: *"Es tremendo y catastrófico el hecho de que las cosas no vayan por el camino que a uno le gustaría que fuesen"*. Consecuencia de dicha creencia, para estas personas los eventos que suceden y no se ajustan a sus deseos les provocan un desequilibrio emocional caracterizado por interpretar lo sucedido como terrible, trágico e insoportable.

II. CARACTERÍSTICAS

La tolerancia a la frustración viene caracterizada por los siguientes elementos:

- Desarrolla un grado de comprensión de la realidad.
- Facilita la autonomía e independencia de la persona ante los factores externos.
- Favorece la proactividad del sujeto.
- Se minimizan los eventos desagradables.
- Se facilita la recuperación anímica ante un evento desfavorable.

III. ¿POR QUÉ ES IMPORTANTE LA TOLERANCIA A LA FRUSTRACIÓN PARA EL ABOGADO?

Una realidad que constituye denominador común de nuestra práctica profesional son los malos momentos que vivimos ante los diferentes escenarios que se nos presentan y que, debido al efecto acumulativo, pueden tornarse insoportables a causa de nuestra respuesta emocional.

Estas situaciones generan lo que se viene denominando frustración (sentimiento de insatisfacción o de fracaso experimentado por la persona que no alcanza sus aspiraciones), que dependiendo de diversos condicionantes personales y profesionales de quien la sufre, podrá ser baja, normal o alta; en todo caso, la más perniciosa para el profesional será la denominada baja tolerancia a la frustración.

Por lo tanto, es clave que nuestra personalidad esté gobernada por parámetros de alta tolerancia a la frustración, pues es evidente que en el quehacer diario de los abogados se producen situaciones que van a requerir dicha fortaleza.

IV. EL ABOGADO TOLERANTE A LA FRUSTRACIÓN

El abogado tolerante a la frustración es consciente de sus emociones y sentimientos ante las situaciones difíciles derivadas de los deseos no cumplidos, que si bien le producen el lógico malestar e incomodidad, rápidamente se recupera y continúa perseverando en la búsqueda de su propósito. Esto le permitirá ser emocionalmente más equilibrado y, por tanto, sus energías no se gastarán en los esfuerzos por superar las numerosas frustraciones frente a las que tendrá que actuar en su práctica profesional.

En definitiva, el abogado con tolerancia a la frustración es realista e independiente.

V. EL ABOGADO INTOLERANTE A LA FRUSTRACIÓN

El abogado con baja tolerancia a la frustración no será capaz de tolerar molestias, exigencias, contratiempos, entre otras situaciones, ya que éstos serán percibidos como obstáculos para satisfacer sus deseos por alcanzar un objetivo o meta laboral. Esta actitud le llevará a estar exageradamente angustiado, deprimido u hostil cuando no quede satisfecho, soportando así un constante estado de estrés e inconformidad con su desempeño.

Un abogado con baja tolerancia a la frustración tendrá inevitablemente que cesar en el ejercicio profesional so pena de sufrir en su salud las consecuencias de la misma.

VI. EJEMPLOS PRÁCTICOS

La tolerancia a la frustración debe manifestarse ante las diversas situaciones que se nos plantean en el curso de nuestra actividad. Algunos ejemplos serían el recibir una resolución judicial desfavorable (especialmente inesperada), la ruptura de una negociación extensa en el último momento, la pérdida de un cliente, el impago de nuestros honorarios, la incomprensión y exigencias de un mal cliente, y así un largo etcétera de situaciones en las que las cosas diarias se complican.

VII. ¿CÓMO SE ADQUIERE O MEJORA?

Como remedios para aumentar nuestra tolerancia a la frustración podríamos destacar los siguientes:

1.º– Siendo conscientes de nuestras emociones y sentimientos en lo relativo a nuestra tolerancia a la frustración.

2.º– Analizando si cuando reaccionamos mal estamos ante deseos o necesidades orgánicas. Como señala Ana Muñoz, si reaccionas de forma demasiado intensa ante las frustraciones, piensa que estás reaccionando como si tus deseos fuesen necesidades orgánicas que necesitan satisfacción y alivio inmediato, lo cual es erróneo y exagerado. Todo el mundo desea que las cosas les salgan bien, no cometer errores, tener una vida fácil, ser felices, ser correspondido por quienes aman, etc. Si ves todo esto como simples deseos que pueden cumplirse o no, sabrás manejar mejor las inevitables situaciones en las que eso no suceda. En cambio, si los consideras como necesidades que debes y exiges satisfacer o que se te satisfagan de inmediato, puedes tener muchos problemas. Imagina, por ejemplo, cómo reaccionarán dos abogados con alta y baja tolerancia a la frustración ante una situación de crisis económica grave.

3.º– Empleando la lógica, y comprobando si existe evidencia sobre si estas actitudes son útiles a través del control de los impulsos.

4.º– Alejarse voluntaria y deliberadamente de la zona de confort en la que nos encontramos cómodos.

5.º– Afrontar situaciones temidas a través de la exposición o la terapia de exposición gradual.

Como conclusión, podemos afirmar que el abogado debe disfrutar de una capacidad de alta tolerancia a la frustración, pues quien no sepa controlar la respuesta emocional a las situaciones está literalmente perdido en este mundo, disponiendo de dos opciones, cambiar para crecer o abandonar....

VIII.   ANÉCDOTA[1]

El cuento de la lechera

"Había una vez una niña, hija de un granjero, que ayudaba a sus padres en las tareas de casa y en el cuidado de los animales de la granja.

Una mañana, tras recoger la leche de las vacas, la madre de la niña se sintió mal y no se encontraba bien para salir de casa. Entonces, pidió a su hija que llevara la leche al mercado para venderla. La niña, muy responsable, le contestó muy contenta que sí. Y más contenta se quedó cuando su madre le prometió que todo el dinero que ella ganase con la venta de la leche, sería para ella.

La niña cogió el cántaro lleno de leche y salió de la granja en dirección al pueblo. Por el camino, ella empezó a hacer planes futuros con lo que ganaría:

– Cuando yo venda esta leche, compraré trescientos huevos. Los huevos, descartando los que no nazcan, me darán al menos doscientos pollos. Los pollos estarán listos para mercadearlos cuando los precios de ellos estén en lo más alto, de modo que para fin de año tendré suficiente dinero para comprarme el mejor vestido para asistir a las fiestas.

Y seguía ensimismada en sus pensamientos:

– Cuando esté en el baile todos los muchachos me pretenderán, y yo los valoraré uno a uno.

Pero en ese momento la niña se despistó y no se dio cuenta de que había una piedra en el medio del camino y acabó tropezando en la piedra y cayendo en el suelo. El cántaro voló por el aire y se rompió derramando toda la leche al suelo.

La niña, decepcionada y herida, se levantó y lamentó:

---

1.   Anécdota referida y/o extraída de la siguiente fuente: *https://www.guiainfantil. com/1383/fabulas-para-ninos-la-lechera.html#header0.*

– _¡Qué desgracia! Ya no tengo nada que vender, no tendré huevos, ni pollitos, ni vestido… eso me pasa por querer demasiado._

Y fue así como la niña, frustrada, se levantó, volvió a la granja y reflexionó sobre la oportunidad que tuvo y que la derramó por el suelo.

Moraleja:

No seas ambiciosa de mejor y más próspera fortuna, que vivirás ansiosa sin que pueda saciarte cosa alguna.

No anheles impaciente el bien futuro, mira que ni el presente está seguro".

IX. PREGUNTAS PARA EL DEBATE

– ¿Te has sentido frustrado en tu ejercicio profesional?

– ¿Con qué grado de intensidad lo has vivido?

– ¿Qué haces para superar tus frustraciones?

X. LECTURAS RECOMENDADAS

El Libro de los Valores. Villapalos, G y López Quintas, A (1997). Planeta Testimonio.

Inteligencia emocional. Goleman. D. Kairos.

XI. SABIDURÍA POPULAR

"Se te caes siete veces, levántate ocho". Proverbio Chino

"Quien piensa a lo grande tiene que equivocarse a lo grande". M artin Heidegger

"Es un profundo consuelo para el frustrado ser testigo de la caída del afortunado y de la desgracia del honesto". Eric Hoffer

41

Visualización

I. CONCEPTO

Habilidad que consiste en emplear nuestra mente para imaginarnos que conseguimos el objetivo propuesto en una situación que se producirá en el futuro.

La visualización a la que venimos refiriéndonos es conocida como visualización creativa, cuya finalidad es situar nuestra mente al servicio de nuestros proyectos futuros.

II. CARACTERÍSTICAS

Esta herramienta, cuya sola mención puede sorprender a profesionales tan racionales y analísticos como los abogados, constituye una destreza muy poderosa que se viene empleando con éxito en campos tan dispares como el deporte, la empresa, la psicología o la medicina.

Como expone el psicólogo Bernabé Tierno en su libro «Poderosa Mente» los numerosos estudios sobre el cerebro han concluido que cada hemisferio del mismo cumple una diferente función. El hemisferio izquierdo es el más lógico y analítico, mientras que el derecho es más creativo e intuitivo. Si bien todos empleamos los dos hemisferios cerebrales, unas personas emplean uno más que el otro (personas analíticas o intuitivas).

Ello nos lleva a afirmar, de acuerdo con los más recientes estudios, que si usamos adecuadamente el hemisferio derecho podremos:

- Incrementar nuestras opciones de sintetizar
- Ver con más perspectiva
- Imaginar y, en definitiva, visualizar nuestros objetivos para lograrlos

III. ¿POR QUÉ ES IMPORTANTE LA VISUALIZACIÓN PARA EL ABOGADO?

El trabajo del abogado está integrado por acciones muy diferentes aunque siempre relacionadas entre sí. Comparecemos en audiencias previas y vistas, asistimos a detenidos y a imputados, participamos junto a nuestros clientes con otras partes en reuniones cuyo objeto es alcanzar la solución de algún conflicto o negociar las líneas maestras de un proyecto de negocio. Y así, podríamos seguir con sucesivas subdivisiones citando una serie de actividades que a buen seguro nos sorprenderían por su elevado número.

Cuando estamos focalizados en estas diligencias, lo que más nos preocupa antes de su ejecución es encontrarnos lo mejor preparados para solventar con éxito nuestro compromiso profesional. Para ello, cada abogado emplea los recursos y habilidades que ha ido aprendiendo a lo largo de los años, y que podrían resumirse en una planificación adecuada, la obtención de la información legal necesaria y finalmente, el estudio de la materia controvertida. Una vez preparados, pasamos a la acción.

Ciertamente, el abogado trata de hacerlo lo mejor posible, y para ello emplea los recursos y herramientas más adecuadas para cumplir con su objetivo. No obstante, en nuestra profesión se da una tendencia a limitar nuestras técnicas de trabajo a sistemas muy primarios que, en principio, vienen funcionando con relativo éxito, si bien, al no existir sistemas o grados de comparación con el trabajo de otro abogado que en similares circunstancias utilice técnicas diferentes, no sabemos realmente si nuestra forma de trabajar es o no la óptima. En cualquier caso, es un hecho constatado que los abogados van empleando progresivamente técnicas importadas del mundo empresarial para alcanzar un mayor grado de eficacia en el desarrollo de su actividad profesional.

No cabe duda de que la visualización es una técnica cuyo uso es extrapolable a nuestra práctica profesional. El éxito es un factor esencial para nosotros, lo que significa que el uso de todas las técnicas que nos acerquen a nuestro objetivo deben ser bienvenidas e incorporadas a los recursos que empleamos en nuestro día a día profesional. De hecho, el trabajo del abogado se prepara en el despacho, pero se lleva a cabo en el exterior, siempre en presencia de terceros (jueces, fiscales, otros abogados, etc.), de manera que nuestros objetivos se cristalizan en escenarios perfectamente delimitados y habitualmente conocidos (salas de vistas, dependencias judiciales, administrativas, despachos, etc.) en los que se desarrollará la acción. Guión, personajes, escenarios... y acción, constituyen los elementos que conforman los cimientos de nuestra puesta en escena, y que van a condicionar el resultado de nuestra actuación. Si esto es así, ¿no sería de gran ayuda anticiparnos mentalmente a dicha escena con el fin de ser testigos de cómo conseguimos los resultados a los que aspiramos?

IV. EL ABOGADO QUE EMPLEA LA VISUALIZACIÓN

Empleando la visualización, el abogado disfrutará de una herramienta que le ayudará a enfrentarse a los desafíos que se presentan a diario, tales como vistas de juicios orales o reuniones complicadas. Vivir mentalmente dichos acontecimientos le ayudará a actuar posteriormente con más confianza y convencimiento de que puede conseguir lo que se proponga, por muy difíciles que sean las circunstancias a las que se enfrente.

V. EL ABOGADO QUE NO EMPLEA LA VISUALIZACIÓN

Sencillamente, el abogado que prescinde de esta herramienta, perderá una oportunidad para alcanzar los beneficios citados en el apartado precedente.

VI. EJEMPLOS PRÁCTICOS

Antes de leer este apartado, recomiendo leer el apartado 7.

Una vez expuesta la esencia de la visualización, puedo afirmar rotundamente que la visualización es una técnica excelente para el ejercicio de la abogacía, pues la he experimentado en numerosas ocasiones y me ha ayudado a enfrentarme a los desafíos que se presentan a diario, tales como vistas de juicios orales o reuniones complicadas. Lógicamente, el hacer un buen trabajo de visualización no supone que vayas a ganar el juicio o que el resultado de la negociación va a ser favorable al cien por cien para tu cliente. Sin embargo, vivir mentalmente dichos acontecimientos me ha ayudado a actuar posteriormente con más confianza y convencimiento de que puedo conseguir lo que me he propuesto, por muy difíciles que sean las circunstancias a las que me enfrentaré. De hecho, cuando entro en sala, ya he presenciado dicha situación anteriormente (naturalmente con matices), y estoy más preparado para reaccionar a las situaciones que no sólo he previsto, sino que ya he superado con éxito mentalmente. A ello debemos añadir un efecto sorprendente: la visión de un futuro deseado se instala en nuestro subconsciente, lo que permite mejorar nuestro enfoque intelectual de forma inmediata y con ello identificamos los métodos a seguir para la consecución del objetivo mejorando nuestro rendimiento de forma inmediata.

Incidiendo en el acto de la vista de un juicio (quizás el ejemplo más práctico para los abogados), la visualización debe focalizarse en la sala de vistas con la presencia del juez, y de los abogados, procuradores y partes. Si conocemos la sala en la que se va a desarrollar el juicio, mucho mejor. A continuación, y siempre en un clima de logro, nos veremos actuando en las distintas fases del juicio (interrogatorios, intervenciones ante el Juez y en el informe final) con confianza y convicción, superando dificultades como la resistencia de la otra parte o un testigo durante el interrogatorio; las llamadas de atención del Juez o la repentina concesión de un tiempo limitado para informar sobre nuestras conclusiones. A esto podemos añadir la sal o pimienta que queramos, ya que, literalmente, estamos creando nuestro sueño, y podemos permitirnos imaginar cómo será el escenario de nuestro éxito.

Respecto al momento en que debemos realizar la visualización para una vista, me inclino por hacerlo el mismo día del juicio, muy temprano, cuando estamos descansados y relajados y dominamos la materia objeto del litigio, lo que no obsta para que en días anteriores hayamos ido trazando el armazón de nuestra visualización final a través de ejercicios puntuales (mientras preparamos el interrogatorio o repasamos el informe).

En definitiva, a pesar de que los abogados somos muy analíticos y racionales, es conveniente que desarrollemos nuestro hemisferio derecho para convertirnos en personas más intuitivas, lo que a la postre supondrá un beneficio añadido para nuestra práctica profesional.

VII. ¿CÓMO SE ADQUIERE O MEJORA?

La técnica de la visualización puede realizarse de diversas formas, no existiendo un procedimiento estándar para realizarla. Sistemas de visualización hay muchos, desde los más técnicos y complejos hasta los más simples y sencillos, pero, en mayor o menor medida, todos visualizamos a diario sobre cuestiones personales y profesionales aunque no seamos conscientes de ello. La visualización, en todos los casos, se caracteriza porque está revestida de la impronta personal de quien lo experimenta.

Ahora bien, todos estos sistemas tienen algunos puntos en común, de los que podríamos destacar los siguientes:

1.º Hay que tener muy claro el objetivo que pretendemos alcanzar y cuya consecución vamos a visualizar. Para ello hay que partir de la premisa de que lo que podemos imaginar, podemos vivirlo.

2.º La intención de representar ese objetivo conseguido debe ser constante, antes y durante el proceso de visualización.

3.º Debemos rodearnos de las condiciones adecuadas para que el ejercicio se realice con la máxima tranquilidad: tiempo suficiente para el ejercicio y un lugar tranquilo y en el que nos encontremos física y mentalmente cómodos.

4.º Alcanzar cierto estado de relajación en el que la respiración es muy importante y en el que debe prevalecer la atención y concentración en nuestro objetivo.

5.º Una vez comenzado el proceso, nos formamos una idea clara y precisa del objetivo que queremos alcanzar.

6.º Acto seguido visualizaremos el «marco» en el que se producen los hechos vinculados a la consecución de nuestros objetivos: representamos mentalmente el lugar, los personajes y cualquier otro detalle que dé fidelidad a la escena.

7.º Proyectamos mentalmente la situación deseada en la que actuamos de forma que conseguimos nuestro objetivo con absoluta convicción. Para ello nos serviremos de todos nuestros sentidos; olemos, percibimos colores, escuchamos y nos comunicamos.

8.º Durante el proceso de visualización, hay que sentir la alegría y satisfacción por las expectativas de éxito, y una vez alcanzado mentalmente, por el logro de nuestro objetivo. Cuanto más experimentemos el logro conseguido, más probabilidades de eficacia alcanzaremos.

9.º Finalmente, de forma progresiva iremos concluyendo el proceso, regresando a nuestras actividades habituales.

Una vez terminado el ejercicio hay que trabajar para conseguir el objetivo visualizado. No obstante, ese trabajo será más sencillo porque conoceremos el camino, las dificultades y la sensación del logro conseguido.

En relación con este proceso, volvemos a insistir que las líneas citadas no son más que los aspectos que consideramos esenciales del proceso, ya que cada cual podrá realizarlo de la forma que le resulte más satisfactorio, bien sea de forma más simple, o siguiendo los innumerables consejos que existen en la literatura técnica. El simple hecho de sentarse tranquilamente a proyectar aspectos de nuestro futuro en una hoja de papel, puede considerarse un proceso de visualización en toda regla.

VIII. ANÉCDOTA

En la película Carros de Fuego, dirigida en 1981 por Hugh Huson tenemos un ejemplo paradigmático del empleo de la visión. En este caso, el atleta

Harold Abrahams lleva a cabo la visión de su carrera momentos antes la lucha por el oro en los 100 metros de las Olimpiadas de 1924, metal que finalmente consiguió.

IX. PREGUNTAS PARA EL DEBATE

–   ¿Te animas a emplear la visualización?

–   ¿Antes de empezar, con lo que has leído, crees que funciona?

–   ¿Has visualizado alguna vez sin saber en qué consistía?

X. LECTURAS RECOMENDADAS

Poderosa Mente. Tierno, B (2009). Edit. Ediciones Temas de Hoy.

XI. SABIDURÍA POPULAR

"La visualización es soñar despierto con un propósito". Bo Bennett.

"Eres más productivo haciendo quince minutos de visualización que de dieciséis horas de trabajo duro". Abraham Hicks.

"Para traer algo a tu vida, imagina que ya está allí". Richard Bach.

"Los perdedores visualizan las penalidades del fracaso. Los ganadores visualizan las recompensas del éxito ". Anónimo.

"Visualice su éxito y luego tome medidas". Anónimo.

"La visualización nunca compensará el trabajo no realizado. No puedes visualizar mentiras. Todas las estrategias que utilizo para responder las preguntas simples y ganar el juego mental solo son efectivas porque me puse a trabajar. Es mucho más que mente sobre la materia. Se necesita una implacable autodisciplina para programar el sufrimiento en tu día, todos los días, pero si lo haces, encontrarás que en el otro extremo de ese sufrimiento hay una vida completamente diferente esperándote ". David Goggins.

Habilidades empresariales

42

Adaptación

I. CONCEPTO

Es la capacidad para adaptarse y amoldarse de forma flexible a los cambios derivados de un nuevo escenario complejo, y ello a través de la modificación de nuestra conducta con la finalidad de lograr un objetivo.

II. CARACTERÍSTICAS

Como características de la capacidad de adaptación destacamos las siguientes:

- Está vinculada al cambio.
- Afecta a las respuestas y tácticas a aplicar ante las circunstancias cambiantes.
- Requiere mucha flexibilidad.
- Está íntimamente asociada a la competitividad del profesional o empresa.

III. ¿POR QUÉ ES IMPORTANTE LA CAPACIDAD DE ADAPTACIÓN PARA EL ABOGADO?

Para ello hemos de partir de una realidad, cual es que la abogacía, como actividad profesional está en permanente transformación, situación que es inherente tanto a los despachos en tanto entidades que interactúan en un entorno muy competitivo, como respecto a los profesionales que los integran, pues en tal contexto, los abogados también nos vemos imbuidos en un proceso de transformación personal, a veces, imperceptible, pero implacable. Por ello, es fundamental que los abogados seamos conscientes de que nuestro universo profesional está condicionado por el cambio y que tenemos necesariamente que estar alerta y preparados para gestionarlo adecuadamente.

Esta exigencia es clave, máxime cuando los abogados, como todos los seres humanos, no somos amigos del cambio, siendo resistentes y renuentes a asumir el costo de admitir y aceptar la contradicción que supone ver cómo nuevas creencias, valores, conductas y normas, que no resultan coherentes con los que venimos admitiendo, se quieren instalar en nuestra vida a costa de una buena dosis de esfuerzo e incomodidad, y ello cuestionando los presupuestos, perspectivas, estrategias e identidad tanto del despacho como del profesional, lo cual es muy complejo, especialmente por el apego emocional por todo aquello que hemos construido a lo largo de los años.

IV. EL ABOGADO CON CAPACIDAD DE ADAPTACIÓN

Los abogados que destacan en esta competencia disfrutan con los cambios y saben extraer provecho de la innovación. Son profesionales que permanecen abiertos a los nuevos datos y que pueden renunciar a sus antiguas creencias y adaptarse a los nuevos tiempos. No les molesta la incertidumbre que suele provocar lo nuevo o lo desconocido y se hallan siempre dispuestos a arriesgarse y buscar nuevas formas de hacer las cosas. La adaptabilidad requiere la flexibilidad necesaria para considerar una determinada situación desde perspectivas muy diferentes, pero también exige la fortaleza emocional que les permita estar cómodos con la inseguridad.

V. EL ABOGADO SIN CAPACIDAD DE ADAPTACIÓN

El abogado sin capacidad de adaptación se verá asaltado por el miedo, la ansiedad y un profundo malestar personal ante las circunstancias cambiantes. Incluso a veces ni siquiera querrá ver las nuevas circunstancias aferrándose a su zona de confort.

VI. EJEMPLOS PRÁCTICOS

Como ejemplos prácticos encontramos situaciones vinculadas al cambio tecnológico y la creación de nuevos modelos de negocio como, a modo de ejemplo, el nacimiento de las Start ups en el mundo del derecho.

Por ello, los abogados hemos de permanecer abiertos a las ideas y los enfoques nuevos y ser lo suficientemente flexibles como para responder rápidamente a los cambios que nos demanda el entorno cambiante empleando una adecuada adaptabilidad. Y ojo, por cambio puede entenderse desde la necesidad de modificar o dar flexibilidad a nuestro horario de trabajo hasta el incorporar nuevas habilidades a nuestro acervo profesional, pasando por una completa reestructuración de nuestro despacho.

VII. ¿CÓMO SE ADQUIERE O MEJORA?

Conscientes de dicha resistencia, y por supuesto, de la existencia de un contexto cambiante, es fundamental asumir la posibilidad de tener que gestionar el cambio, para lo cual podemos partir de los siguientes consejos ofrecidos por el psicólogo Walter Riso siguiendo a Albert Ellis:

1.º– Hay que estar comprometido con el proceso de cambio y desearlo desde lo más profundo. Por tanto, hablamos de disciplina y motivación, o lo que es lo mismo, determinación.

2.º– Sentir que el cambio es necesario y te será útil, es decir, saber por qué y cómo cambiar.

3.º– Ser consciente que la situación resultante del cambio constituirá una mejora en nuestra vida profesional y, acto seguido, pasar a la acción.

4.º– Para cambiar hay que tener fuerza de voluntad, es decir, persistencia.

VIII. ANÉCDOTA

Ilustra la idea de la resistencia al cambio la anécdota en la que, a principios del siglo pasado, el presidente de un banco le dijo al abogado de H. Ford lo siguiente: _"El caballo está aquí para quedarse, pero el automóvil es sólo una novedad, una moda pasajera"_... ¿Resistencia al cambio?

IX. PREGUNTAS PARA EL DEBATE

- Cuando se requiere el cambio, ¿te retraes queriendo permanecer en tu zona de control?
- ¿Te consideras con capacidad de adaptación?
- ¿Recuerdas alguna ocasión en la que has empleado la capacidad de adaptación?

X. LECTURAS RECOMENDADAS

La práctica de la inteligencia emocional. Goleman, D. Kairos.

XI. SABIDURÍA POPULAR

"En un mundo en el que todo cambia, la inmutabilidad sería imposible o mortí-fera. Un despacho solo puede conservarse con la condición de una adaptación perma-nente. Un abogado no puede seguir siendo el mismo si no evoluciona, aunque sea a regañadientes lo mínimo posible. Vivir es crecer o envejecer, dos maneras de cambiar". Comte-Sponville.

Autoevaluación

I. CONCEPTO

Hábito, denominado control de resultados o autoevaluación, que consiste en realizar uno mismo una valoración periódica de nuestra actividad a fin de conocer los avances y las desviaciones respecto de los objetivos que nos hemos propuesto, y así comprobar cómo nos acercamos o alejamos de los mismos, facilitando con ello la adopción de medidas necesarias para coadyuvar a su logro.

II. CARACTERÍSTICAS

Destacamos como características de la autoevaluación las siguientes:

- Se realiza por uno mismo, lo que si bien puede motivar una posible falta de objetividad en el proceso, no impide que una evaluación realizada honestamente constituya una valiosa información.

- Debe llevarse a cabo de forma periódica (diaria, semanal, mensual, etc.) pues obviamente, entre la decisión de mejora y la confirmación de la misma transcurre un periodo de tiempo indispensable para evaluar los cambios deseados.

- Nos permite conocer los avances y las desviaciones respecto de los objetivos que nos hemos propuesto, objetivos que pueden identificarse con una determinada capacidad para tal o cual tarea o actividad, con la calidad del trabajo que se lleva a cabo o con la consecución de determinados resultados.

- Facilita un conocimiento exacto del cumplimiento del objetivo propuesto, lo que permite adoptar las medidas necesarias para continuar con las actitudes positivas y adoptar medidas de fortalecimiento o supresión de actitudes que nos alejen del objetivo.

III. ¿POR QUÉ ES IMPORTANTE LA AUTOEVALUACIÓN PARA EL ABOGADO?

Los abogados desarrollamos una actividad que nos exige un continuo crecimiento profesional al amparo de una práctica que nos va enseñando, sin prisa pero sin pausa, las reglas y usos que nos permitirán actuar cada vez con mayor eficacia en las labores de asesoramiento, mediación y defensa que tenemos encomendadas. Debido a esa necesidad de mejora continua el abogado se encuentra inexcusablemente vinculado a la fijación y cumplimiento de tiempos y resultados, o lo que es lo mismo, de objetivos que se enmarcarán en su estrategia profesional.

IV. EL ABOGADO QUE SE AUTOEVALÚA

El abogado que emplea la técnica de la autoevaluación optimiza sus habilidades, ya que el examen sosegado de la forma en la que intervenimos en nuestras diversas actividades profesionales le permitirá contemplar sus debilidades y fortalezas para mejorar unas y mantener las otras.

La autoevaluación es una magnífica oportunidad para crecer y, con ello, llegar a ser mejores abogados.

V. EL ABOGADO QUE NO SE AUTOEVALÚA

Si no se emplea la técnica de la autoevaluación, simplemente se pierde la oportunidad de ser más eficaz en el proceso de mejora y crecimiento.

VI. EJEMPLOS PRÁCTICOS

Desde el temor e inseguridad que caracteriza nuestras primeras intervenciones en juicio, el paso de los años nos ayudará a ir adquiriendo confianza y adoptando medidas que nos ayuden a corregir los defectos que hayamos ido observando. Por ello, las experiencias que tenemos a través de la escuela del foro deben aprovecharse al máximo, realizando autoevaluaciones continúas que nos permitan ir avanzando en ese proceso de mejora.

Para ello, el abogado, joven o veterano (pues siempre se está creciendo en esta profesión), deberá analizar objetiva y honestamente su pasado a la hora de intervenir en sala y realizar un diagnóstico de sus fortalezas y debilidades para, finalmente, establecer aquellos campos que requieren un esfuerzo de mejora (interrogatorios, alegaciones, reglas procesales, informe oral, etc.).

Fijado el objetivo, nuestra estrategia no será otra que trabajar los métodos para poder mejorarlos en nuestras intervenciones en juicio, sabiendo que tendremos que efectuar el control tras las vistas en las que intervengamos. Para la evaluación, bastarán simples criterios que vayan desde una actuación deficiente a muy buena.

Con esta idea en mente, ya podremos emplear una herramienta que nos permita llevar a cabo las evaluaciones, y qué mejor que un simple cuadrante en el que hagamos constar nuestras habilidades de mejora relativas a todas las fases de intervención en juicio.

Una vez celebrado el juicio, lo primero que tenemos que hacer cuando lleguemos al despacho es realizar un control exhaustivo de nuestra actuación y, acto seguido, analizar aquellos aspectos en los que mejoramos y aquellos en los que todavía hemos de mejorar, lo que nos ayudará a que, antes de la próxima intervención, tomemos medidas para perfeccionar nuestras conductas, hábitos o actitudes, y así sucesivamente.

Ni que decir tiene que este proceso es plenamente aplicable a cualquier proyecto relacionado con nuestra actividad que queramos desarrollar de cara al futuro.

VII. ¿CÓMO SE ADQUIERE O MEJORA?

El fundamento de la autoevaluación radica en que para nuestro crecimiento, representado por la consecución constante de resultados, es necesario que se produzcan tres situaciones: una primera, en la que nos marcamos los objetivos, fase puramente intelectual o teórica; en segundo lugar, actuaremos realizando las acciones que nos acerquen a los mismos; finalmente, actuaremos nuevamente, pero de forma sistemática y controlada, pues solo así detectaremos los progresos y las deficiencias en el desarrollo de nuestra efectividad personal para, de esta forma, optar por la línea de actuación más apropiada.

Básicamente, siguiendo a Bernabé Tierno en *Elegir el éxito: triunfa sin traicionar tus principios,* una correcta evaluación deberá disponer al menos de las siguientes fases:

1.º– Comprender y valorar el pasado, lo que nos permitirá establecer un plan de trabajo de cara al futuro.

2.º– Establecer un diagnóstico de nuestra realidad actual.

3.º– Fijar nuestro objetivo.

4.°– Establecer una estrategia en la que el tiempo y su distribución en fases será esencial para alcanzar el objetivo.

5.°– Establecer unos criterios de evaluación.

6.°– Comenzar la evaluación.

7.°– Reelaborar, en su caso, el plan.

VIII. ANÉCDOTA

Un amigo me citó recientemente una frase de Lord Kelvin que decía *"Lo que no es medir, es opinar"*. Pues bien, esta idea es plenamente trasladable a la autoevaluación, ya que si no nos medimos y autoevaluamos, lo que vamos a tener es una simple opinión de nosotros mismos, pero careceremos de la información necesaria para disponer de una realidad, cual es nuestra capacidad en un momento concreto.

IX. PREGUNTAS PARA EL DEBATE

– ¿Sueles autoevaluarte o prefieres evaluar a los demás?

– ¿En qué actividad del abogado es más práctico autoevaluarse?

– ¿Eres capaz de elaborar tu propio cuestionario de autoevaluación?

X. LECTURAS RECOMENDADAS

Elegir el éxito: triunfa sin traicionar tus principios. Tierno, B. (1995). Temas de hoy.

XI. SABIDURÍA POPULAR

"Combatirse a sí mismo es la guerra más difícil; vencerse a sí mismo es la victoria más bella".

"No voy a dejar de hablarle sólo porque no me esté escuchando. Me gusta escucharme a mí mismo. Es uno de mis mayores placeres. A menudo mantengo largas conversaciones conmigo mismo, y soy tan inteligente que a veces no entiendo ni una palabra de lo que digo". Oscar Wilde.

"El hombre no ha sabido organizar un mundo para sí mismo y es un extraño en el mundo que él mismo ha creado". Alexis Carrel.

"Desciende a las profundidades de ti mismo, y logra ver tu alma buena. La felicidad la hace solamente uno mismo con la buena conducta". Sócrates.

"_Quien conoce a los hombres es inteligente. Quien se conoce a sí mismo es sabio. Quien vence a los otros es fuerte. Quien se vence a sí mismo es aún más fuerte. Quien se conforma con lo que tiene es rico. Morir y no perecer es la verdadera longevidad_". Lao-Tsé.

"_La retroalimentación es el desayuno de los campeones_". Rick Tat.

Capacidad Empresarial

I. CONCEPTO

Los abogados, dedicados principalmente a actividades estrictamente profesionales, no son muy proclives a dedicar tiempo a los asuntos de gestión, no solo porque no les queda tiempo para dedicarse a tales menesteres, sino que no perciben los temas de gestión como fundamentales para la organización, lo que nos lleva a la secular falta de formación y preparación en estos temas.

Sentado el principio de que todo despacho va a requerir que alguno de sus profesionales se encargue total o parcialmente de llevar a cabo las funciones directivas, podemos definir al directivo como la persona responsable del adecuado uso de los recursos con los que cuenta la organización, o dicho de otra forma, quien se ocupa de que la organización funcione adecuadamente de cara a la consecución de sus objetivos, lo que se consigue solo de una forma: dirigiendo. Y para dirigir, el abogado tendrá que desarrollar una serie de funciones esenciales en su organización mediante el empleo de una serie de capacidades y habilidades empresariales.

Por lo tanto, capacidad empresarial será el conjunto de habilidades enfocadas y dirigidas al liderazgo, gestión, organización y control de la actividad profesional de un despacho de abogados.

II. CARACTERÍSTICAS

En cuanto a las características, a continuación destacamos cuatro que consideramos universales, pues son imprescindibles en la dirección de toda organización:

1.º– Planificar: Consiste en formular la estrategia del despacho a través del establecimiento de los objetivos a alcanzar, decidiendo las acciones o medidas necesarias para alcanzarlos.

2.º– Organizar: Supone coordinar los recursos del despacho (humanos y materiales) a fin de alcanzar los objetivos de la empresa.

3.º– Liderar: Dirigir, motivar y comunicarse con los integrantes del despacho para que desempeñen su actividad con altos niveles de rendimiento.

4.º– Controlar: Consiste en revisar el cumplimiento de las acciones y medidas necesarias para alcanzar los objetivos, adoptando las medidas necesarias para corregir las disfunciones que pudieran observarse.

III. ¿POR QUÉ ES IMPORTANTE LA CAPACIDAD EMPRESARIAL PARA EL ABOGADO?

Tradicionalmente los despachos de abogados se han considerado organizaciones avejentadas y obsoletas en las que, desde una perspectiva empresarial, constituían punto y aparte. Los abogados eran simplemente profesionales, y todo lo que excediera de la actividad estrictamente profesional, quedaba, si no olvidado, relegado a un segundo plano. Con este escenario no tan lejano, la organización y gestión de los despachos, los recursos humanos, el marketing, la atención al cliente, la estrategia financiera y un largo etcétera eran consideradas *rara avis* en la inmensa mayoría de los despachos, salvo algunas excepciones que empezaban a insinuarse a mediados de los ochenta gracias a la entrada de las firmas anglosajonas en nuestro país[1] y la adaptación de dicho modelo por los grandes despachos.

No obstante, esta concepción ya se encuentra superada, pudiendo constatarse que el modelo de los despachos profesionales, unipersonales o colectivos, se ajusta completamente a los estándares empresariales, por lo que para dotarlos de la necesaria eficiencia, los abogados se han visto obligados a implantar diversas técnicas y herramientas que han sido importadas, con las debidas adaptaciones, del campo empresarial. Ello nos lleva a poder afirmar que el despacho, como organización empresarial, debe ser gestionado en aspectos tales como recursos humanos, financieros, de marketing y atención al

---

1. Esta reflexión parte de la base de la experiencia en España.

cliente, comunicación, organización, formación, etc…, con el fin de alcanzar la eficiencia, productividad y por ende la competitividad del negocio, lo que requerirá que esté dotado de una dirección para conseguir efectiva y eficientemente los objetivos de la misma.

De lo anterior podemos concluir que los despachos de abogados necesitan de directivos, cuestión ésta que lleva aparejada una serie de consideraciones de notable interés, puesto que la labor directiva tiene, en principio, difícil encaje práctico en los despachos, pues si bien es una necesidad que nadie discute, lo cierto es que éstos, especialmente los pequeños y medianos, son de difícil gobierno.

IV. EL ABOGADO CON CAPACIDAD EMPRESARIAL

Para desempeñar estas actividades, el abogado tendrá que disponer de una serie de capacidades imprescindibles para llevar a cabo sus labores de dirección. Veamos a continuación las que consideramos más importantes:

1.º– Conocimientos jurídicos y práctica profesional: Todo director de un despacho de abogados debe tener un conocimiento jurídico que a su vez haya sido puesto en práctica a través del ejercicio profesional, pues de otro modo difícilmente podría comprender la organización que dirige.

2.º– Compromiso: Debe estar comprometido con la visión, misión y los valores de su despacho, siendo en todo momento un ejemplo para los integrantes del despacho.

3.º– Inteligencia emocional: El abogado directivo deberá disponer de habilidades que le permitan reconocer, comprender, emplear y gestionar las emociones tanto para resolver problemas como para regular su comportamiento. Esto incluye capacidades como la autoconciencia, la autogestión, la empatía, capacidad de escucha, y las capacidades sociales de relación, que abarcarían innumerables habilidades como la asertividad, alta resistencia a la de frustración, comunicación, motivación, inductor de consenso, negociación, trabajo en equipo, etc.

4.º– Proactividad: Entendida como la capacidad del directivo de liderar su propia vida como consecuencia del potencial que dispone para mejorarse a sí mismo, su situación y a su entorno mediante la toma de las iniciativas necesarias para crear cambios en su vida. Ello incluye habilidades como la orientación al cambio y a los resultados, la anticipación y prevención de problemas, el carácter emprendedor, la persistencia y la búsqueda de oportunidades.

5.º– Conocedor de las tecnologías de la información: El incesante desarrollo de las tecnologías de la información le obligan al dominio en el manejo de la misma a fin de disponer de la información relevante para la toma de decisiones ágiles.

6.°– Capacidad de diseñar y ejecutar estrategias con iniciativa e innovación: El abogado directivo, deberá estar capacitado para tomar la iniciativa y, al amparo de la innovación, establecer las estrategias oportunas y llevarlas a cabo con perseverancia y disciplina.

V. EL ABOGADO CON ESCASAS HABILIDADES EMPRESARIALES

El abogado no preocupado por la capacidad empresarial:

- Se centrará exclusivamente en su actividad profesional como abogado.
- Desconocerá la situación económica y financiera del despacho.
- No se preocupará por el destino del despacho y se centrará en el día a día.
- Su compromiso con el despacho se limitará a su trabajo profesional.
- Tendrá muchas dificultades en crear su propio despacho.

VI. EJEMPLOS PRÁCTICOS

Como ejemplos prácticos mencionamos las diversas situaciones en las que el abogado empresario vendrá obligado a desplegar sus capacidades:

- Liderar un despacho
- Gestionar un despacho.
- Establecer una visión, misión y estrategia del despacho.
- Gestionar los recursos financieros del despacho.

VII. ¿CÓMO SE ADQUIERE O MEJORA?

Para adquirir y mejorar estas habilidades hemos de formarnos y autoformarnos a través de los siguientes procedimientos:

- Lecturas de manuales al uso.
- Asistencia a seminarios y cursos.
- Practicando.
- Consultando con expertos en la materia (economistas, expertos en comunicación, etc.).
- Coger el toro por los cuernos de la gestión del despacho.

VIII. ANÉCDOTA

Otra cuestión de interés que se suscita al tratar esta materia reside en la dicotomía líder o manager que encierra todo cargo directivo de un despacho de abogados. Efectivamente, la cuestión no es superflua, puesto que ambas concepciones difieren notablemente. Stephen R. Covey ilustra esta división conceptual de forma magistral.

Para Covey, la administración responde a la pregunta ¿cómo puedo hacer mejor ciertas cosas? Por el contrario, el liderazgo responde a ¿cuáles son las cosas que quiero realizar? En definitiva, concluye Covey que si administrar es hacer las cosas bien y liderar es hacer las cosas correctas "la administración busca la eficiencia en el ascenso por la escalera del éxito; el liderazgo determina si la escalera está o no apoyada en el lugar correcto" ¡Sencillamente genial!

Por lo tanto, el abogado manager será aquel que gestione la empresa poniendo en práctica las técnicas correspondientes de planificación, organización y control, actividad muy apropiada para las fases de estabilidad del despacho, mientras que el líder será quien, conociendo y comprendiendo las necesidades de su equipo, los estimule para la consecución de la visión, misión y valores del despacho, labor ésta muy apreciada para las situaciones vinculadas a la fundación de la firma o de cambio, en el que la creatividad, el riesgo y la innovación son fundamentales.

Obviamente, un pequeño o mediano despacho difícilmente podrá permitirse disponer de ambas figuras, pero es muy importante que se recuerde esta división funcional, pues lo importante es que el abogado directivo haga un esfuerzo por formarse en estas materias, sabiendo adaptar su cometido a las necesidades de su despacho, gestionando y administrando su empresa y emergiendo como líder cuando la situación lo requiera.

Concluir por tanto señalando que es necesario que todos los despachos, especialmente los pequeños, se conciencien de la necesidad de aceptar esta realidad y adquieran los conocimientos empresariales mínimos para mejorar en la gestión y organización de aquellos, y así, poco a poco, vayan implantando la figura del abogado director hasta su total profesionalización.

IX. PREGUNTAS PARA EL DEBATE

– ¿Eres el líder, el gerente o ambas cosas de tu despacho?
– ¿Cuál de las funciones de la gestión del despacho te cuesta más?
– ¿Crees que es posible compatibilizar el trabajo de abogado con la gestión del despacho?

X. LECTURAS RECOMENDADAS

Abogados Gestión y Servicios. Fernández León, Ó. (2012). Aranzadi.

Finanzas para abogados. López Lozano, MA. Aranzadi.

XI. SABIDURÍA POPULAR

"Si uno quiere ser mañana una gran empresa, debe empezar a actuar hoy mismo como si lo fuera". Thomas J. Watson.

Delegación

I. CONCEPTO

La delegación es la asignación de tareas a individuos adecuados a los que se otorga la libertad suficiente para realizar las mismas del modo más eficaz y productivo.

II. CARACTERÍSTICAS

Como características de la delegación destacaremos las siguientes:

- La delegación la emplea quien tiene mayor jerarquía profesional que la persona a quien se delega.
- Ayuda a gestionar y a aprovechar mejor nuestro tiempo.
- Se gestionan mejor nuestros recursos humanos.
- Fomenta el desarrollo de las capacidades de las personas o equipos en los que delegamos.
- Constituye una herramienta de motivación.
- Mejora las habilidades de liderazgo de quien delega.

III. ¿POR QUÉ ES IMPORTANTE SABER DELEGAR PARA EL ABOGADO?

La delegación constituye una herramienta perfectamente aplicable al trabajo de los abogados, máxime cuando muchos despachos están dotados de una organización empresarial y jerarquizados en categorías profesionales (socios, asociados, juniors, etc...) que facilitan el uso de la delegación.

No obstante, es comprensible que exista cierta resistencia a practicar la delegación entre abogados, ya que por cuestiones relacionadas con la tradición de nuestra profesión, existe un sentido de responsabilidad derivado de una idea de la atención plena y directa al cliente por el abogado titular del despacho o del que aporta el cliente por razones de amistad o recomendación. Ello, en cierta medida, es lógico, pero la evolución del sector, inherente a la organización empresarial de los despachos, hace que la delegación de tareas sea altamente recomendable en aquellos niveles jerárquicos en los que pueda encajar o en los que se produzca la concurrencia de compañeros con dominio de varias especialidades jurídicas.

Dicho esto, el fundamento de la delegación reside en la dificultad que todo directivo (entiéndase por directivo gerente, jefe, abogado, etc.) encuentra en resolver todas las cuestiones que se producen en su actividad diaria, y que, de no solventarse, puede desembocar en situaciones de falta de eficacia y, con ello, de falta de aprovechamiento del tiempo, bajo rendimiento y productividad, estrés, etc. No obstante, a pesar de esto, es frecuente que encontremos a directivos que se resisten a delegar, sobrecargándose de tareas. Así, tenemos al desconfiado: *"yo soy el único que puede hacer bien este trabajo y no voy a correr riesgos";* al temeroso: *"el cliente solo confía en mí y si ve a otro haciendo el trabajo puede disgustarse";* el insolidario: *"¿y si éste lo hace mejor que yo y me perjudica ante mis superiores?";* o el desorganizado: *"¡pero como voy a delegar, si no tengo tiempo ni para afilar el lápiz!".* Y así podríamos seguir con una larga lista de personajes de lo más pintorescos en cuanto a la percepción de la delegación de tareas.

Sin embargo, en nuestra opinión, es fundamental ejercitar la habilidad de la delegación debido a los beneficios que la misma reporta y que hemos anticipado en el apartado 2.

IV.   EL ABOGADO QUE SABE DELEGAR

Siempre que la dimensión de su despacho lo permita, el abogado que sepa delegar será más eficaz, aprovechará mejor su tiempo, y su rendimiento y productividad aumentarán, reduciéndose el estrés. Por otro lado, favorecerá el crecimiento profesional de las personas de su entorno.

V.   EL ABOGADO QUE NO SABE DELEGAR

El abogado que no delega tendrá problemas de organización, de gestión del tiempo y, por supuesto, de eficacia, con lo que su rendimiento y productividad descenderán. Igualmente, será más vulnerable a las situaciones de estrés.

VI. EJEMPLOS PRÁCTICOS

En cuanto a los principios de la delegación, está debe de llevarse a cabo de forma que quien delega no pierda ni autoridad ni responsabilidad, puesto que se mantiene como garante del éxito de la acción delegada. Dicho de otra forma "delegar no es abdicar", lo que supone que toda delegación debe realizarse mediante la supervisión y el auxilio a la persona delegada, lo cual es imprescindible.

Igualmente, hemos de elegir a las personas más aptas para el desempeño de la tarea objeto de delegación, bien sea por cuestiones de mérito o habilidad como por la necesidad de que evolucione en su formación.

Finalmente, la claridad en la tarea encomendada es esencial. Hay que establecer los objetivos, propósitos y fines de la delegación, con sus límites.

En cuanto a las actividades a delegar, serán innumerables las opciones dada la cantidad de tareas que lleva aparejada cualquier asunto de los que se tramitan por un abogado.

VII. ¿CÓMO SE ADQUIERE O MEJORA?

En este apartado vamos a examinar las etapas de la delegación eficaz, plenamente extrapolables a nuestra actividad profesional, en las que un expediente judicial o extrajudicial siempre es susceptible de dividirse en distintas tareas que pueden ser ejecutadas por otros compañeros a través de la delegación. Practicando esta técnica, dispondremos de más tiempo para realizar lo esencial de nuestro trabajo y podremos organizarnos mejor.

Entrando en materia, el proceso de delegación puede desarrollarse, si bien de forma simplificada, a través de los siguientes pasos:

– **Identificación y análisis del asunto objeto de delegación**: Lo primero es lo primero. Antes de delegar debo conocer el trabajo completo que tengo que realizar y el resultado que espero del mismo. De esta forma, no sólo dispondré de una visión global del asunto, sino que conoceré el ámbito donde se integra el trabajo que pretendo delegar y las necesidades de impulso del mismo.

– **Establecimiento de las tareas objeto de delegación:** Una vez disponga de este conocimiento, procederé a identificar el trabajo a delegar, los objetivos que pretendo conseguir con su ejecución y obtener toda la información y los recursos necesarios para la más eficaz ejecución de la delegación. En este caso (si bien dependerá de muchas circunstancias), deben delegarse las tareas rutinarias y menores; las tareas que otros compañeros puedan hacer debido a sus capacidades y, finalmente, aquellas tareas que pueden contribuir al desarrollo y formación de sus habilidades.

– **Elección de la persona a quien delego el trabajo:** Una vez conocida la tarea a delegar, es preciso que tengamos en cuenta la habilidad y experiencia del abogado para ejecutar la tarea, su grado de motivación y si dispone de tiempo para llevarla a cabo. El nivel mayor o menor que la persona disponga de cada uno de los factores anteriores estará íntimamente relacionado con el grado de supervisión que haya que emplearse en la delegación y, en definitiva, si esta será o no eficaz, lo que irá en relación con los beneficios que pretendemos obtener al delegar.

– **Delegación efectiva de la tarea:** Una vez decidida la persona, hay que poner en práctica la decisión. Para ello, hay que reunirse con ella e informar con la máxima precisión de los objetivos del trabajo encomendado; ofrecer la información y recursos de apoyo necesario para desarrollar la tarea; establecer los plazos de ejecución; fijar el grado de disponibilidad de la persona que delega para resolver las dudas y cuestiones que surjan y, en su caso, establecer etapas de control y supervisión de la tarea que se va realizando. En esta primera reunión deberá quedar clara la responsabilidad delegada (lo que puede o no hacer sin consultar con la persona que delega).

– **Seguimiento del proceso de delegación:** Durante la ejecución del trabajo delegado, hemos de estar en disposición de aconsejar y ayudar a la persona que ejecuta el mismo. Dependiendo del grado de complejidad de la tarea, pueden establecerse fases o etapas de supervisión en las que se comentará sobre la evolución del trabajo. Es conveniente apoyar mediante muestras de refuerzo y ánimo si se está haciendo un buen trabajo o expresar, con respeto y moderación, opiniones negativas con una finalidad de mejora.

– **Recepción de los trabajos delegados y revisión del trabajo objeto de delegación:** Una vez concluido el trabajo, examinaremos el grado de cumplimiento de las tareas delegadas (lo que ha ido bien o mal) y, de ser necesario, llevaremos a cabo un feedback con nuestro colaborador, con el fin de establecer pautas futuras de mejora.

Para concluir, señalar que el proceso de delegación puede completarse con el auxilio de la elaboración de listas, cuadrantes y fichas que nos permitan controlar el desarrollo de la tarea encomendada y la mejora de las habilidades de la persona a la que hemos delegado nuestro trabajo.

VIII. ANÉCDOTA[1]

"Cuando Bramante terminó los planos de la Basílica de San Pedro, se los entregó al Papa Julio II a través de un hijo de siete años.

El Papa los observó con detalle y largueza. Lleno de satisfacción, miró al maestro y como signo de aprobación, alargó hacia el pequeño una caja de caudales llena de monedas de oro.

– Mete la mano y toma las que quieras...

El niño, apurado, replicó...

– Yo no, Santidad... tómelas usted y déselas a mi padre, que usted tiene las manos más grandes..."

IX. PREGUNTAS PARA EL DEBATE

–   ¿Delegas o abdicas?
–   Cuando delegas, ¿te inmiscuyes demasiado en la tarea?
–   ¿Te cuesta trabajo delegar? ¿Por qué?

X. LECTURAS RECOMENDADAS

Cómo delegar responsabilidades. Smith, J. (2001). The Sunday Times. Gedisa.

XI. SABIDURÍA POPULAR

"El mejor administrador es aquel que tiene la prudencia suficiente para escoger hombres que efectúen lo que él tiene proyectado y suficiente dominio sobre sí mismo para no inmiscuirse cuando lo estén llevando a cabo". Teodoro Roosevelt.

"Aquí yace un hombre que supo reclutar para sus servicios a hombres mejores que él". Andrew Carnegie.

"Delega o muere". Jay Van Andel.

---

1.   Anécdota referida y/o extraída de la siguiente fuente: _https://www.anecdonet.com/02/18/ fortaleza-para-actuar-y–no-delegar/_.

Gestión del tiempo

I. CONCEPTO

Es una habilidad consistente en el adecuado reparto de este recurso para desarrollar tareas y proyectos que se tienen que acometer.

II. CARACTERÍSTICAS

Entre las características de la gestión del tiempo vamos a destacar las siguientes:

- Los problemas con la gestión y administración del tiempo se producen porque sucumbimos a nuestra desidia. Dicho de otra forma: los principales y verdaderos causantes de la pérdida del tiempo somos nosotros mismos.

- Todo sistema de gestión y aprovechamiento del tiempo es de compleja y difícil aplicación ya que, en esencia, un sistema basado en la disciplina siempre constituye un proceso de lucha contra uno mismo. No obstante, una vez superadas las dificultades iniciales, los beneficios de su implementación son innumerables.

- Los sistemas de gestión del tiempo deben ser fáciles y simples de aplicar; intuitivos y útiles para el usuario; y, quizás, lo más importante: no deben de quitar tiempo, sino permitir hacer las cosas con tiempo, aumentando con ello nuestra productividad.

- Los denominados "ladrones del tiempo" podrían identificarse con el desorden, las reuniones innecesarias, visitas inesperadas, el teléfono, la postergación de tareas importantes por otras más agradables; los correos electrónicos; internet y la actuación en modo "multitareas".

- Los "ladrones del tiempo" no atacan a todo el mundo con la misma eficacia, sino sólo cuando se producen las condiciones adecuadas, es decir, cuando hay desorganización permanente, a primera hora del día, cuando nos despistamos y distraemos, si estamos implicados en exceso en un asunto, cuando lidiamos con tareas complicadas, etc.

- Cada ladrón del tiempo tiene su antídoto, pero si tuviéramos que resumir los remedios más importantes, apostamos por la siguiente receta: planificación; fijar prioridades, comenzar siempre por la tarea más importante, saber dividir y estructurar el tiempo en dichas tareas, ser realista en la fijación de tiempos de trabajo, concentrarse y focalizarse en la tarea que se está desarrollando en cada momento, no hacer más de una tarea a la vez, conocer nuestros ritmos biológicos y, para evitar las interrupciones (que por cierto, deben preverse al menos de forma estimativa), aprender a decir no.

- La falta de tiempo produce estrés. De hecho, el 80 % del estrés se debe a la falta de tiempo para cumplir con nuestras tareas. El efecto principal del estrés en el trabajo es la reducción de la productividad y de la calidad del mismo.

- Si bien el rendimiento de cada persona depende de numerosos factores, entre ellos los ritmos biológicos, se considera como regla general que un periodo de tiempo de entre 25 y 35 minutos (y si es a primera hora del día mejor) es el ideal para trabajar con máxima concentración en la tarea.

- Favorece el rendimiento el compaginar el trabajo (especialmente en los descansos o entre trabajos exigentes) con actividades que nos sean agradables y nos gratifiquen.

III. ¿POR QUÉ ES IMPORTANTE LA GESTIÓN DEL TIEMPO PARA EL ABOGADO?

Este apartado no tiene necesidad de una extensa respuesta, pues quienes somos abogados sabemos, sin ningún género de dudas, que el tiempo es uno de los recursos más escasos de los que disponemos debido a la complejidad, diversidad y duración de nuestras tareas. Efectivamente, solemos llevar muchos asuntos de variada naturaleza, algunos muy complejos que nos exigen una extensa dedicación, de forma que, salvo que no organicemos bien nuestro tiempo de trabajo, no podremos desarrollar un ejercicio eficaz de nuestra profesión.

IV. EL ABOGADO QUE NO SABE GESTIONAR SU TIEMPO

El abogado que no gestiona su tiempo perderá en eficacia y productividad, tendrá problemas de organización y grandes dificultades en conciliar su vida profesional con su vida familiar por lo que sufrirá más estrés. Finalmente, el riesgo de que se genere responsabilidad debido a falta de diligencia aumentará debido al riesgo de incumplimiento de sus obligaciones deontológicas y profesionales.

V. EJEMPLOS PRÁCTICOS

La gestión del tiempo debe materializarse en, al menos, los siguientes escenarios:

- Agenda (señalamientos, citas, reuniones, asistencias, etc.).
- Planificación de la preparación de asuntos.
- Cumplimiento de plazos.
- Planificación de objetivos.
- Estudio de asuntos (programación y ejecución).

VI. ¿CÓMO SE ADQUIERE O MEJORA?

A continuación, daremos algunas recomendaciones a través de la exposición de diversas herramientas que podremos emplear para adquirir y mejorar en la gestión del tiempo.

1.º– Ordenar la mesa de trabajo: Si bien la organización tiene múltiples aspectos, quizás el más relacionado con el aprovechamiento del tiempo es disponer la mesa de trabajo lo más despejada y organizada posible. Para ello, al final de la jornada de trabajo dejamos la mesa completamente libre de documentos y objetos y, de esta forma, al comienzo de la jornada no tenemos que ocuparnos de realizar la limpieza, y así podremos comenzar nuestro trabajo de forma inmediata y con mayor productividad. De hecho, una mesa ordenada es reflejo de una mente ordenada. Por otro lado, no olvidemos que cuando se empieza la tarea debemos disponer de toda la información necesaria para trabajar evitando con ello seguras interrupciones.

2.º– Usar agendas: Para la eficaz gestión del tiempo el abogado debe disponer de un registro preciso de señalamientos, vencimientos y citas. En el despacho solemos usar tanto agendas manuales como agendas de programas informáticos. Lo importante de su gestión es mantenerlas siempre a la vista, tomarse el tiempo de apuntar los compromisos en el momento en que se produzcan, y examinarla regularmente para recordarlos, a ser posible una vez por semana.

3.º– Hacer listas de tareas: La planificación anticipada de las tareas a realizar a corto, medio o largo plazo es fundamental para disponer de un itinerario de actividades para el aprovechamiento del tiempo. En tal sentido, y centrados en el corto plazo, en nuestro despacho utilizamos diariamente una lista de tareas en las que se recogen los trabajos a realizar durante la jornada. Esta lista, cuyo formato hemos confeccionado para todos los compañeros, nos permite apuntar todas las tareas que vamos a realizar durante la jornada, tachar las que vayamos haciendo y, en su caso, agregar las tareas que vayan generándose y aquellas que nos conviene recordar para listar en días siguientes. La elaboración de la lista de tareas es conveniente realizarla al concluir la jornada o como primera acción de la mañana.

4.º– Establecer prioridades: Una vez conocidas las tareas a realizar, es fundamental proceder a priorizar entre las mismas estableciendo un orden o jerarquía en su ejecución y asignando un tiempo aproximado para cada una de ellas, sin olvidar que el tiempo que dediquemos a priorizar las tareas nunca se malgasta, ya que a la larga será un ahorro. En el despacho consideramos que, a modo de principio fundamental, debemos comenzar siempre por las tareas de más alta prioridad, si bien es conveniente intercalar estos bloques de concentración intensa con periodos dedicados a tareas más sencillas.

5.º– Ajustarse a los ritmos de trabajo: Todos disponemos de una energía para realizar nuestro trabajo, energía que fluctúa hasta alcanzar un nivel máximo para después descender progresivamente. No obstante, cada persona tiene su ritmo personal. Para el mejor aprovechamiento del tiempo, todos debemos conocer nuestros ritmos físicos y mentales con el fin de extraer el mejor partido de los periodos de tiempo en los que nuestros rendimientos son más elevados o, por el contrario, menores. En el primer caso se realizarán las tareas más complejas y en el segundo las más sencillas.

6.º– Saber asignar tiempos: A la hora de asignar espacios de tiempo a las tareas, partimos de la base de los siguientes principios:

a) Las primeras horas de la jornada suelen ser las horas en las que se dispone de mayor concentración.

b) Un periodo de tiempo de entre 25 y 35 minutos es el ideal para trabajar con máxima concentración en la tarea.

c) A las tareas secundarias y auxiliares (organización de documentos, examen de la bandeja de entrada, etc...) conviene asignar espacios de tiempo en los que la concentración es menor (últimas horas de la jornada, bien sea de mañana como de tarde).

d) Contar siempre con un plan de contingencias o plan B para el caso de que se produzca algún imprevisto que pueda alterar nuestra organización.

7.º– Dividir las tareas: Las tareas se consiguen mejor progresando desde un nivel de logros hasta el siguiente mediante pequeños pasos que contienen un elemento concreto del trabajo al que hay que asignar un tiempo de ejecución. Por lo tanto, frente a una tarea compleja, es conveniente dividir la misma en varias fases de trabajo asignándole a cada una de ellas un periodo de tiempo determinado, bien durante la misma jornada o en jornadas sucesivas. Esto es muy práctico a la hora de preparar un juicio o una audiencia previa.

8.º– Evitar interrupciones: Las interrupciones son incompatibles con una eficaz gestión del tiempo. Si estamos decididos a gestionar adecuadamente el tiempo, debemos adoptar medidas para su evitación, tanto en lo que atañe a nuestra conducta (distracciones, dedicarse momentáneamente a otras tareas, etc.) como a las de terceros (compañeros, llamadas telefónicas, visitas inesperadas, etc.). En el despacho, cerramos el correo electrónico, filtramos las llamadas a través de las secretarias/os o avisamos a nuestros compañeros al respecto (en ocasiones, alguno coloca un cartel en la puerta de su oficina bastante ilustrativo...).

9.º– Descansar: Es obvio que aprovechar el tiempo al máximo no significa que pasemos la jornada trabajando sin solución de continuidad, sino todo lo contrario. Por ello, es conveniente establecer una serie de descansos entre tareas con actividades que nos sean agradables y nos gratifiquen: tomar un café; pasear durante unos minutos; charlar con algún compañero (ojo, que también esté descansando); estirar las piernas, etc. Se recomiendan 5 minutos de descanso cada 25 a 35 minutos, y entre 15 y 30 minutos cada 2 horas.

10.º– Respetar a los demás: Al hablar de gestión del tiempo siempre pensamos en nuestro tiempo pero, ¿qué pasa con el tiempo de los demás? Debemos aprender a respetar las necesidades de los demás y procurar no interrumpirlos ya que si tú no respetas el tiempo de los demás, probablemente los demás no respetarán el tuyo. Una buena comunicación interna y un conocimiento general de estas prácticas en el despacho facilitan el bienestar de todos.

Si bien hemos empleado la forma de decálogo, existen muchas otras herramientas para la gestión del tiempo tan interesantes como las anteriores. Saber delegar; cómo actuar en las reuniones; organizar el flujo de documentos; tratar las llamadas; la programación del tiempo libre y un largo etc.

VII. ANÉCDOTA[1]

"Imagínese que tiene un florero, guijarros, chinas y arena. Si llena el florero primero de guijarros, cabrán aún chinas y arena en los espacios huecos. Pero si por el contrario empieza a rellenar el florero primero de chinas y arena, cabrán en él muchos menos guijarros que en el anterior ejemplo. De ello podemos deducir que tareas pequeñas se pueden introducir fácilmente en cualquier sitio, donde haya un hueco, pero que las tareas grandes, sin embargo, necesitan sus espacios propios".

VIII. PREGUNTAS PARA EL DEBATE

- ¿Te has preguntado alguna vez si lo que estás haciendo es lo correcto?
- ¿Te ha pasado factura alguna vez el no haber sabido gestionar tu tiempo?
- ¿Qué herramienta de la gestión del tiempo de las examinadas en el apartado 7 empleas más habitualmente?

IX. LECTURAS RECOMENDADAS

Cómo organizar mejor su tiempo. Gaedemann, C. (1993). Elfos

Administre su tiempo eficazmente. Hocheiser, R.M. (1996). Plaza y Janes.

X. SABIDURÍA POPULAR

"No tengo tiempo para tener prisa". John Wesley.

"El tiempo de reflexión es una economía de tiempo". Publio Siro.

"Saber escoger el tiempo es ahorrar tiempo". Francis Bacon.

"Aprovechar el tiempo que vuela tan aprisa; el orden os enseñará a ganar tiempo". Johann W. Goethe.

"Los que emplean mal su tiempo son los primeros en quejarse de su brevedad". Jean de la Bruyère.

"Nunca hay suficiente tiempo para hacerlo todo, pero siempre hay suficiente tiempo para hacer lo más importante". Brian Tracy.

"¿Amas la vida? Pues si amas la vida no malgastes el tiempo, porque el tiempo es el bien del que está hecha la vida". Benjamín Franklin.

---

1. Anécdota referida y/o extraída de la siguiente fuente: *http://www.legaltoday.com/ gestion-del-despacho/rrhh/articulos/consejos-practicos-para-la-gestion-del-tiempo-de-un-abogado.*

Innovación

I. CONCEPTO

La capacidad de innovación es aquella referida a crear algo nuevo o cambiar las cosas de siempre introduciendo alguna novedad.

II. CARACTERÍSTICAS

Dada su íntima vinculación con la capacidad de adaptación, entre las características de la innovación volvemos a incluir las de aquélla:

- Se encuentra vinculada al cambio.
- Afecta a las respuestas y tácticas a aplicar ante las circunstancias cambiantes.
- Requiere mucha flexibilidad.
- Está íntimamente asociada a la competitividad del profesional o de la empresa.
- Conlleva la implementación de novedades.
- La innovación conlleva una importante dosis de valentía.

III. ¿POR QUÉ ES IMPORTANTE LA INNOVACIÓN PARA EL ABOGADO?

Reiterando lo expuesto en el mismo apartado dedicado a la adaptación, los abogados vivimos en un entorno muy competitivo y en constante transformación, por lo que para mantenerse y sobrevivir será necesaria un importante componente de innovación.

IV. EL ABOGADO INNOVADOR

El abogado innovador es creativo, lo que les permite aplicar nuevas ideas cuando es necesario. Es capaz de identificar rápidamente las cuestiones claves que afectan a su actividad y de simplificar los problemas al máximo. Sobre todo, lo que más destaca en ellos es que son capaces de descubrir pautas nuevas donde otros no ven nada. Buscan ideas y emplean la originalidad para solucionar los problemas, arriesgándose en lo que fuere necesario.

V. EL ABOGADO NO INNOVADOR

El abogado que carece de la capacidad de innovación tiene dificultades a la hora de abordar los problemas, quedándose en lo general y global, encontrando dificultades en los detalles, lo que conduce a una capacidad de reacción muy lenta ante situaciones cambiantes. No les gusta asumir riesgos, lo que los hace muy críticos e inclusos sarcásticos ante las nuevas situaciones y las medidas novedosas. En definitiva, no ven la necesidad de cambiar.

VI. EJEMPLOS PRÁCTICOS

La innovación para el abogado nace en el mismo terreno que habita la adaptación, es decir, en situaciones vinculadas al cambio tecnológico y la creación de nuevos modelos de negocio; el nacimiento de las Start ups en el mundo del derecho o en situaciones de crisis económica que afectan al desarrollo de su actividad.

En todos estos casos los abogados hemos de implementar nuevos enfoques que se adapten a la situación cambiante.

VII. ¿CÓMO SE ADQUIERE O MEJORA?

Como señala David Muro[1], "*para poder crear algo nuevo o cambiar las cosas que se vienen haciendo de determinada forma en un despacho de abogados, la innovación primero ha de pasar por uno mismo. Es decir, primero hay que creerse que los cambios pueden traer consigo mejoras y buenos resultados, que la adaptación a los nuevos tiempos que vivimos es necesaria y que quizás sea bueno salir de la zona de confort en la que nos encontramos. Lo primero es renovarse, que no es otra cosa que llevar a cabo la innovación, pero en primera persona*".

Una vez concienciados de la necesidad del cambio, hay que proceder a innovar comenzando por medidas sencillas y creando hábitos que nos permitan

---

1. Fuente: *https://www.abogacia.es/publicaciones/blogs/blog-comunicacion-y—marketing-juridicos/ que-es-eso-de-la-innovacion-en-los-despachos-de-abogados/*.

visualizar los beneficios del cambio, y ello deberá llevarse a cabo con el compromiso y apoyo de la organización que deberá estar plenamente implicada.

VIII. ANÉCDOTA[2]

"En cierta ocasión, Levi Strauss, el importante fabricante de ropa, tuvo que resolver un problema que implicaba a dos talleres de costura de Bangladesh que empleaban a niños menores de edad. Los activistas de los derechos humanos le habían presionado para que prohibieran el uso de mano infantil, pero los asesores enviados por la empresa descubrieron que si los niños dejaban de trabajar corrían el peligro de caer en la miseria y acabar prostituyéndose, ¿cuál era, en tal caso, la decisión más adecuada, adoptar una medida ejemplar contra la explotación infantil y despedirlos o mantenerlos en su puesto, librándoles así de un destino mucho peor?

La imaginativa solución que se dio a este dilema fue ¡ninguna! Porque Levi Strauss decidió mantener a los pequeños en nómina, pero obligándoseles a ir a la escuela hasta cumplir los catorce años –la mayoría de edad legal propia de ese país– y luego volver a contratarlos".

IX. PREGUNTAS PARA EL DEBATE

- ¿Crees que la abogacía está viviendo en un entorno cambiante?
- ¿Eres innovador?
- ¿Eres consciente del riesgo que entraña no ser innovador?

X. LECTURAS RECOMENDADAS

La práctica de la inteligencia emocional. D. Goleman. Kairós.

XI. SABIDURÍA POPULAR

"Grandes descubrimientos y mejoras implican invariablemente la cooperación de muchas mentes". Alexander Graham Bell.

"Bueno, pero aparte del alcantarillado, la sanidad, la enseñanza, el vino, el orden público, la irrigación, las carreteras y los baños públicos, ¿qué han hecho los romanos por nosotros?" De la película: La vida de Brian.

"Yo prefiero equivocarme yendo en busca de novedad, a conseguir aciertos fáciles, que muchas veces no son más que simples repeticiones de triunfos anteriores". Vicente Blasco Ibáñez.

---

2.   Anécdota referida o extraída de la siguiente fuente: _La práctica de la inteligencia emocional._ Goleman, D. Kairós.

"Dado que su objetivo es crear clientes, una empresa comercial tiene dos funciones básicas, y sólo dos: la mercadotecnia y la innovación. La mercadotecnia y la innovación producen beneficios, lo demás son costos". Peter Drucker.

"La innovación constante es la única forma de mantenerse competitivo, porque ninguna ventaja es sostenible en el largo plazo". Jorge González Moore.

"¿Qué sería de la vida, si no tuviéramos el valor de intentar algo nuevo?". Vincent Van Gogh.

48

Organización

I. CONCEPTO

Organizar consiste en ordenar y coordinar los recursos humanos, financieros, físicos y otros que son necesarios para alcanzar los objetivos profesionales creando las condiciones para que las personas y las cosas trabajen de forma armoniosa y orientada a alcanzar los mejores resultados posibles.

La organización se sirve de la planificación y de la gestión del tiempo para la consecución de sus objetivos.

II. CARACTERÍSTICAS

Las características de la habilidad de la organización son las siguientes:

- Acción voluntaria.
- Orientada a un resultado profesional.
- Coordinando y ordenando los recursos personales y materiales.
- De forma armónica.
- Para ser más eficaz (hacer las cosas) y eficiente (de la mejor forma posible).

III. ¿POR QUÉ ES IMPORTANTE LA ORGANIZACIÓN PARA EL ABOGADO?

Toda la actividad vinculada al ejercicio de la abogacía requiere del factor organizacional.

Esta conclusión, que puede resultar muy elemental, debe hacernos reflexionar sobre el papel que juega la organización en nuestra actividad y muy especialmente como habilidad personal del profesional, sin olvidar lo difícil que es mantener una estabilidad y disciplina en una conducta verdaderamente organizada.

En cuanto al primer punto, ser organizado va a afectar directamente a áreas como la gestión del tiempo, la adecuada planificación, la organización de archivos, todos los aspectos relativos a la preparación de actos judiciales (audiencias, juicios, declaraciones, etc...), las finanzas, y, cómo no, a nuestra productividad, pues si entre los frutos de ser organizado destaca alguno, este es la mayor eficacia y productividad de nuestra actuación. Efectivamente, ¿podemos imaginar a un abogado que no sepa gestionar y organizar su tiempo? ¿Y a un abogado que no planifique sus visitas, reuniones o, en general, agenda diaria de trabajo? ¿Existirá algún abogado que no repase puntualmente las providencias y resoluciones que acaban diariamente en su mesa? ¿Cómo podrá trabajar un abogado que no sigue ningún criterio de organización para preparar los juicios? ¿Y qué decir de los presupuestos y minutas? ¡Pobre abogado el que se relaje en la minutación y cobro de sus honorarios! Sinceramente, creo que, a través de estas preguntas, y sin necesidad de mostrar respuesta alguna, queda clarificada la importancia de la organización en nuestra vida profesional.

IV. EL ABOGADO ORGANIZADO

El abogado organizado será:

- Imaginativo.
- Productivo.
- Centrado en lo importante.
- Dispone de más tiempo para él y para su familia.
- Asume nuevas responsabilidades y retos.
- Feliz y satisfecho.

V. EL ABOGADO DESORGANIZADO

No hay otra opción, el abogado tiene que ser organizado. En la medida en que vaya perdiendo esa cualidad o no acceda a la misma, será menos abogado.

VI.   EJEMPLOS PRÁCTICOS

Ser organizado resulta fundamental, entre otras, a la hora de:

- Planificar.

- Estudiar.

- Trabajar con documentación.

- Programar y preparar las reuniones de trabajo.

- Gestionar el despacho.

- Preparar un juicio o una audiencia previa.

- Diseñar la estrategia del despacho.

VII.   ¿CÓMO SE ADQUIERE O MEJORA?

A veces por circunstancias muy diversas (problemas personales, complejidad de algún asunto que estamos llevando, falta de adopción de medidas organizativas, o incluso una fase de desánimo puntual) nuestra conducta de organización se relaja y vemos como, poco a poco, sin prisa, pero sin pausa, todo se empieza a complicar convirtiéndonos en víctimas de nuestra propia falta de atención.

Es precisamente en este punto, que he experimentado en más de una ocasión, donde hay que parar, templar y centrar nuestra atención, sea cual sea el estado en el que nos encontremos, con el fin de reflexionar y poner coto inmediatamente a la falta de concentración, creatividad y productividad que se produce en estos momentos.

Por tanto, el abogado no puede permitir dejarse llevar por el caos al que conduce la desorganización, de consecuencias a veces fatales para nuestra profesión; el abogado tiene que superarse, sean las circunstancias que sean, y arbitrar las medidas necesarias para que la organización se mantenga. No hay que complicarse mucho la vida, bastará con delegar, organizar nuestra mesa, repasar algunos documentos, contestar el correo, revisar la agenda o incluso cambiar el mobiliario de sitio; de lo que se trata en estos casos es recuperar la ilusión y la energía sabiendo que todo está de nuevo bajo nuestro control...

Es más, pienso que, aunque podamos considerarnos algo desorganizados, poco disciplinados y escasamente autoexigentes en otros aspectos de la vida, el abogado debe hacer todo lo posible por autoformarse en competencias y habilidades relacionadas con la organización.

VIII. ANÉCDOTA

Quizás la situación en la que la falta de organización me paso factura con más claridad fue cuando un cliente importante del despacho estaba reunido conmigo y, de pronto, me pidió unos documentos de otro expediente. Yo en aquellos años no disponía de una buena organización, lo que supuso que, a pesar de su incesante búsqueda por la secretaria, el expediente no apareciera. Finalmente, el cliente, algo contrariado, se marchó del despacho. Al cabo de un par de días localicé el mismo, pero ya era demasiado tarde...

IX. PREGUNTAS PARA EL DEBATE

- ¿Te consideras organizado como abogado?
- ¿Has tenido alguna vez que tomar medidas para mejorar la organización de tu despacho?
- ¿Cuáles son las actividades del abogado que, según tu criterio, tienen más relación con la organización?
- ¿Conoces algún abogado desorganizado? Explícanos el caso.
- ¿Puedes darnos algún ejemplo de tus técnicas de organización más destacadas?

X. LECTURAS RECOMENDADAS

Organízate con eficacia. Allen, D. (2006). Empresa activa.

XI. SABIDURÍA POPULAR

Alguien se ufanó ante Unamuno: "Yo duermo menos que usted". Sí, replicó Don Miguel, pero yo, cuando estoy despierto, estoy más despierto que usted".

"Lo posible ya lo hice. Lo imposible lo estoy logrando. Para milagros me estoy organizando". Anónimo.

Proactividad

I. CONCEPTO

La proactividad o la conducta proactiva es un concepto relativamente reciente. Concretamente, se atribuye al neurólogo y psiquiatra austriaco Víctor Frankl, que narró su experiencia como prisionero de un campo de concentración nazi en el libro *"El hombre en busca de sentido"*, donde define la proactividad como *"la libertad de elegir nuestra actitud frente a las circunstancias de nuestra propia vida"*. En el cruel contexto que le tocó vivir, Frankl afirma que nadie pudo arrebatarle su libertad interior: el decidir de qué modo le afectaría lo que le estaba pasando. Posteriormente, el término y concepto de proactividad se ha incluido en numerosos tratados de psicología, estando considerado como un elemento esencial de la conducta de los empresarios, profesionales y deportistas.

Si bien hay numerosas definiciones de proactividad, no todas coincidentes, lo cierto es que existen puntos en común que pueden facilitarnos una idea bastante clara de la misma. Así, la proactividad puede definirse como la capacidad del ser humano de liderar su propia vida como consecuencia del potencial que dispone para mejorarse a sí mismo, su situación y a su entorno mediante la toma de las iniciativas necesarias para crear cambios en su vida (extraído de las definiciones de Steven Covey, Ralf Schwarzer y Bateman y Crant).

II. CARACTERÍSTICAS

La proactividad es, por tanto, una habilidad caracterizada por los siguientes elementos:

- Vinculada al autoliderazgo personal y profesional.
- Aprovechamiento del potencial.
- Asociada al crecimiento, desarrollo y mejora personal y del entorno.
- Acción orientada a resultados.

Numerosos estudios realizados concluyen que el comportamiento proactivo es un elemento determinante para el éxito de las personas y de las organizaciones en un entorno tan competitivo como el actual. En la medida en que las personas practiquen este comportamiento, el impacto sobre sus organizaciones será positivo, ya que estas necesitan personas flexibles que se adapten a la incertidumbre y al cambio.

Algunos trabajos destacan la relación entre el comportamiento proactivo y la capacidad del profesional o empleado para convertirse en un líder de su organización, así como la mayor facilidad que tienen para conseguir logros de carrera por su capacidad para influir sobre las decisiones que afectan a sus intereses y promocionarse dentro de la misma.

En cuanto a las personas emprendedoras y debido a su necesidad de autogestión, a través de comportamientos proactivos tendrán más posibilidades de liderar sus negocios con éxito y, con ello, obtener los resultados deseados.

Ser proactivo siempre se cotiza al alza.

III. ¿POR QUÉ ES IMPORTANTE LA PROACTIVIDAD PARA EL ABOGADO?

El comportamiento proactivo, si bien no es un concepto tradicionalmente asociado a la abogacía, constituye una cualidad esencial en el comportamiento del abogado, y ello debido a que la actividad que desarrollamos exige una forma de actuar basada en la anticipación y en la acción orientada a los resultados, elementos esenciales en el comportamiento proactivo. Por tanto, aunque el uso de este término no sea muy habitual, lo cierto es que un abogado que carezca de proactividad tendrá muchas dificultades en desarrollar su trabajo en todos y cada uno de los ámbitos en los que interviene (clientes, organización interna, preparación de juicios, negociaciones, etc.), mientras que el abogado proactivo será, sencillamente, un mejor abogado.

IV. EL ABOGADO PROACTIVO

Conforme a los resultados de los trabajos de investigación llevados a cabo por Bateman y Crant, podemos señalar como características esenciales de las personas proactivas las siguientes:

- Están buscando continuamente nuevas oportunidades.
- Se marcan objetivos efectivos orientados al cambio.
- Anticipan y previenen problemas.
- Hacen cosas diferentes, o actúan de forma diferente.
- Emprenden la acción y se aventuran, a pesar de la incertidumbre.
- Perseveran y persisten en sus esfuerzos.
- Consiguen resultados tangibles, puesto que están orientadas a resultados.

Como puede colegirse, el comportamiento proactivo está íntimamente vinculado a la idea de responsabilidad, acción y cambio. En la medida en que los problemas nos afectan, somos nosotros los responsables de optar por elegir la respuesta adecuada a los mismos decidiendo qué hacer en cada momento, y actuando con iniciativa en busca de los cambios necesarios para hacerles frente. Igualmente, ante la previsión de problemas, la persona proactiva se anticipa con determinación y constancia a los mismos generando nuevas oportunidades. En ambos casos, su comportamiento está orientado a los resultados asumiendo la responsabilidad de que las cosas sucedan.

El comportamiento proactivo también está muy relacionado con la forma de afrontar el cambio. Las personas proactivas no rechazan el cambio, todo lo contrario, están dispuestas a aceptarlo con la necesaria flexibilidad y a integrarse en el mismo. También están dispuestas, si es necesario, a impulsarlo para acabar con situaciones de incertidumbre o perjudiciales.

Resumiendo: las personas proactivas toman la iniciativa, pasan a la acción, corren riesgos y obtienen resultados.

V. EL ABOGADO POCO PROACTIVO

El perfil opuesto al de las personas proactivas es el de las personas reactivas, que se caracterizan por centrarse en problemas y circunstancias sobre las que no tienen ningún control, por lo que no tienen libertad y capacidad de elegir sus acciones, cayendo en actitudes pasivas y conformistas. Por el contrario, las personas proactivas centran sus esfuerzos en aquellas áreas en las que pueden influir y generar cambios.

VI. EJEMPLOS PRÁCTICOS

A continuación citamos algunas de las situaciones en las que será clave actuar de forma proactiva:

- Ante una crisis económica, política o de recursos humanos del despacho.
- A la hora de examinar las perspectivas del asunto y dar consejo legal.

- Ante el cliente, aportando soluciones imaginativas
- A la hora de plantear el caso ante los juzgados.
- A la hora de formular la estrategia del despacho.
- Ante las dificultades planteadas durante el desarrollo del juicio
- Asistiendo a cursos que le permitan autoformarse como abogado.

VII. ¿CÓMO SE ADQUIERE O MEJORA?

No obstante, es posible la transformación de una persona reactiva en proactiva. Para ello es necesario identificar las áreas en las que se puede mejorar y comenzar a actuar de forma diferente importando las características propias de la persona proactiva.

En todo caso hemos de evitar confundir un comportamiento proactivo con el de aquellas personas hiperactivas que se encuentran en permanente estado de alerta y que actúan de forma caótica y desorganizada, con agresividad, arrogancia o insensibilidad.

VIII. ANÉCDOTA[1]

Cuenta un relato de tradición oriental que un gran Emperador estaba buscando una persona competente y sabia en la que delegar buena parte de sus responsabilidades. El Emperador acumulaba ya un largo reinado y la edad había hecho mella en su capacidad para resolver adecuadamente muchos de los aspectos relativos a la gestión de su Imperio.

Reunió a los mejores candidatos de su Corte y también contrató a cazatalentos que recorrieron pueblos y aldeas publicitando el propósito del Emperador.

Tras unos meses, todos los posibles candidatos se reunieron en el más amplio jardín del palacio, presidido por un púlpito elevado desde el que les habló el Emperador:

"Habéis sido cuidadosamente seleccionados ya que tengo un problema y quiero saber quién de vosotros tiene los recursos necesarios para resolverlo. Lo que veis a mis espaldas es la puerta más grande, maciza y pesada de todo mi Imperio. ¿Quién de vosotros es capaz de abrirla sin ningún tipo de ayuda?"

Al contemplar la superlativa majestuosidad de aquella puerta, muchos de los candidatos se limitaron a sacudir la cabeza y marcharse. Parecía tratarse de un problema demasiado grande. Algunos otros examinaron el problema concienzudamente. Discutieron aspectos relacionados con la ley de la palanca, con el momento de la fuerza, recordando posibles teorías de solución a problemas que habían aprendido durante su

---

1.   Anécdota referida o extraída de la siguiente fuente: *http://www.eclosioncoaching.com/ blog/2012/09/coaching-%E2%80%93-metafora-7-sobre-la-proactividad/.*

formación en la escuela. Finalmente admitieron que ningún hombre en solitario podría cumplir la imposible tarea.

Después de que los más sabios y respetados hubieran aceptado que aquello que demandaba el Emperador era inviable, los restantes se dieron igualmente por vencidos.

Solo uno de los candidatos se acercó a la puerta y la examinó a fondo y muy de cerca. La tanteó golpeando suavemente aquí y allá, estimó su grosor, comprobó la naturaleza y fabricación de los goznes. La examinó minuciosamente con sus propios ojos y manos. Presionó aquí, hurgó allá. Finalmente, pareció haber tomado una decisión. Respiró hondo, se concentró y empujó suavemente de la puerta.

La puerta se abrió fácilmente y sin ningún esfuerzo. Los demás habían dado por sentado que la puerta estaría atascada o cerrada herméticamente y que sus dimensiones harían imposible poder llevar a cabo la apertura de sus dos piezas. No obstante, la carpintería y el diseño eran tan artesanos y cuidados que un simple toque bastaba para entornarla.

El Emperador felicitó al candidato. Ya tenía la persona en la que delegar con total confianza.

Desde mi punto de vista, el éxito y la correcta resolución de muchos problemas (tanto en términos de Inteligencia Emocional como de otros más técnicos o lógicos) depende de ciertos aspectos clave y esta metáfora ejemplifica muchos de ellos.

1.º Confiar en nuestros propios sentidos e intuición para comprender de manera plena, y lo más certeramente posible, todo lo que sucede a nuestro alrededor.

2.º No aventurar falsas suposiciones.

3.º Tener coraje para valorar opciones, asumir nuestra responsabilidad y tomar decisiones difíciles o arriesgadas.

4.º Actuar, con energía y resolución.

5.º Dirigir todos nuestros recursos y capacidades hacia un objetivo con sentido, sin tener miedo y aprendiendo de los errores.

IX. PREGUNTAS PARA EL DEBATE

– ¿Puedes exponernos alguna situación en la que como abogado te hayas sentido proactivo?

– ¿Y alguna situación en la que lamentaste haber sido poco proactivo?

– ¿En qué áreas consideras que podrías aplicar la proactividad en tu despacho?

X. LECTURAS RECOMENDADAS

El hombre en busca de sentido. Frankl, V. (2015). Herder Editorial.

Los siete hábitos de la gente altamente efectiva. Covey, S. (2011). Paidos Ibérica.

XI. SABIDURÍA POPULAR

"La proactividad forma parte de la naturaleza humana, y, aunque los músculos proactivos puedan quedarse adormecidos, sin duda están en su lugar". Sephen Covey.

"¿Cuándo fue la última vez que hiciste algo por primera vez?" Anónimo.

Trabajo en equipo

I. CONCEPTO

Podemos definir el trabajo en equipo como la ejecución coordinada de un proyecto que lleva a cabo un conjunto de personas dentro de una organización (equipo) con el fin de alcanzar un determinado objetivo.

II. CARACTERÍSTICAS

Las características esenciales de un equipo de trabajo son la coordinación en la ejecución del trabajo y la complementariedad entre los miembros del equipo debido a sus diferentes habilidades y la responsabilidad del equipo en el resultado final. No obstante, la mejor forma de conocer más a fondo estas características es dar un repaso a los beneficios que reporta el trabajo en equipo:

1.º– Complementariedad: Esta se produce cuando las habilidades únicas se combinan y emplean de forma efectiva, ya que las personas que integran un equipo disponen de diferentes habilidades tanto personales como profesionales. El empleo de dichas habilidades conjuntamente nos permite aprovechar lo mejor de cada uno para el desarrollo del proyecto, lo que garantiza excelentes resultados.

2.º– Coordinación: El equipo de trabajo es todo lo contrario a una suma de aportaciones individuales sin criterio ni control. Un equipo tiene que estar coordinado y organizado para la obtención del objetivo común.

3.º– Creatividad: Partiendo de lo expuesto anteriormente, un mayor número de habilidades hace que el equipo sea más creativo, puesto que generará ideas y planteamientos novedosos, lo que influirá en la obtención de nuevas perspectivas de trabajo y, con ello, de mejores resultados.

4.º– Motivación: El trabajar en común para lograr un concreto objetivo genera un entusiasmo y energía que influye directamente en la satisfacción del equipo y en su motivación para alcanzar el éxito.

5.º– Eficiencia y mayor capacidad de respuesta: El trabajo en equipo facilita la conclusión de los encargos en un menor espacio de tiempo, ya que la posibilidad de coordinar las actividades que integran el proyecto dividiendo las tareas, permitirá una rapidez de respuesta que difícilmente encontraremos en el supuesto de trabajar aisladamente.

6.º– Confianza: Los equipos facilitan las relaciones y contribuyen a crear la unidad del grupo. Una vez superadas las primeras diferencias, y alcanzada la necesaria coordinación, los equipos suelen generar un alto grado de camaradería debido a que todos confían en el buen hacer de sus compañeros, y buscarán lo mejor de sí mismos para la consecución de los objetivos del grupo. Si el equipo está bien coordinado, nacerán buenas relaciones, lo que a su vez desarrollará un alto sentido de responsabilidad de sus miembros.

III. ¿POR QUÉ ES IMPORTANTE EL TRABAJO EN EQUIPO PARA EL ABOGADO?

Los estudios, encuestas y estadísticas demuestran que los abogados somos muy independientes en todo lo referente a nuestro trabajo. Acostumbrados a trabajar aislados, somos proclives al trabajo individual ("esto puedo hacerlo solo") y a rechazar las objeciones y sugerencias que puedan plantearse sobre nuestro trabajo, máxime cuando prevalece el modelo de despacho individual y, en todo caso, se interactúa en un contexto judicial claramente jerarquizado.

Sin embargo, esto no es cierto. Esta idea se opone a dos realidades. La primera reside en que hoy en día la complejidad caracteriza la mayor parte de los encargos que reciben los despachos de abogados, dado que la interconexión entre materias es más frecuente que antaño y cada asunto requiere la participación de diversos especialistas para garantizar un trabajo de calidad. En segundo lugar, es un hecho constatado que el aislamiento en el trabajo reduce la eficiencia, motivación y productividad.

Por lo tanto, sea cual sea el tamaño del despacho o la jerarquía establecida (por ejemplo, una *"prima Donna"* y otros abogados), lo cierto es que debemos empezar por reconocer que el trabajo en equipo es fundamental para alcanzar el éxito en nuestra profesión.

IV. EL ABOGADO QUE TRABAJA EN EQUIPO

El abogado que sabe trabajar en equipo es consciente de la necesidad de aunar esfuerzos para alcanzar los objetivos de nuestra profesión; es cooperativo, social, creativo, empático y se motiva fácilmente.

V. EL ABOGADO QUE NO SABE O NO QUIERE TRABAJAR EN EQUIPO

El abogado que no sabe trabajar en equipo tendrá un alcance muy limitado en sus logros profesionales, puesto que hay tareas cuya dimensión exige el trabajo en equipo. Se adaptará difícilmente a formas de trabajo distintas a las que emplea habitualmente y carecerá de habilidades relacionadas con la cooperación, empatía y motivación.

VI. EJEMPLOS PRÁCTICOS

Los abogados pueden y deben trabajar en equipo. De hecho, considero que todos venimos haciéndolo en mayor o menor medida, si bien sin una coordinación y organización adecuada. Así, tradicionalmente, el abogado titular del despacho y un abogado auxiliar han formado un equipo de trabajo muy simple, en el que la jerarquía y la formación han prevalecido sobre la esencia del trabajo en equipo. Siguiendo ese modelo, pero algo más evolucionado, un abogado con experiencia o el titular del despacho coordina a más de un abogado para llevar determinado asunto. En estos casos, nos encontramos ante simples delegaciones de trabajo, en mayor o menor medida controladas por el abogado más experto. Finalmente, ante asuntos especialmente complejos, los abogados (generalmente en los grandes despachos) vienen formando equipos de trabajo de varios profesionales, cada uno especializado en determinada materia, coordinados por uno de ellos, cuya función es asignar las tareas y organizar todo lo referente a la información, actualizaciones, reuniones de coordinación, etc. Esta forma de trabajar supone la aportación por sus integrantes de sus conocimientos y experiencias en un marco coherente y organizado.

De esta forma, pueden alcanzarse los siguientes objetivos, todos ellos beneficiosos y positivos para nuestro crecimiento:

1.º– La resolución del asunto encuentra su aval en la puesta en activo de diversos planteamientos y una perspectiva más amplia (creatividad).

2.º– La calidad y calado del servicio prestado es mayor, pues el resultado trae su causa en la solvencia de los conocimientos jurídicos de los distintos especialistas (complementariedad).

3.º– El cliente se sentirá mejor atendido ante un grupo de trabajo que se dedique especialmente a su asunto (atención al cliente).

4.º– Los abogados del equipo disfrutarán de un intercambio de experiencias y conocimientos que incrementará sus habilidades (conocimientos).

5.º– Será un auténtico catalizador del buen ambiente en el despacho (confianza).

Por lo tanto, el trabajo en equipo es el camino que deben seguir todos los despachos, sea cual sea el tamaño, si queremos beneficiarnos de las ventajas que este sistema nos ofrece tanto desde una perspectiva personal como profesional.

VII. ¿CÓMO SE ADQUIERE O MEJORA?

El trabajo en equipo se adquiere a través de la práctica mediante un cambio paulatino de métodos de trabajo, práctica en la que la coordinación y complementariedad que aquel conlleva permita la mejora continua del sujeto.

VIII. ANÉCDOTA[1]

Durante la Edad de Hielo, muchos animales murieron a causa del frío.

Los erizos dándose cuenta de la situación, decidieron unirse en grupos y trabajar en equipo. De esa manera se abrigarían y protegerían entre sí, pero las espinas de cada uno herían a los compañeros más cercanos, los que justo ofrecían más calor. Por lo tanto, decidieron alejarse unos de otros, dejando de lado el trabajar en equipo y empezaron a morir congelados.

Así que tuvieron que hacer una elección, o aceptaban las espinas de sus compañeros o desaparecían de la Tierra. Con sabiduría, decidieron volver a estar juntos buscando trabajar en equipo. De esa forma aprendieron a convivir con las pequeñas heridas que la relación con una persona muy cercana puede ocasionar, ya que lo más importante es el calor del otro. De esa forma pudieron sobrevivir.

---

1.   Anécdota referida o extraída de la siguiente fuente: *http://xn—alejandrofaria-2nb.com/ fabulas-y-moralejas-trabajar-en-equipo/*.

IX. PREGUNTAS PARA EL DEBATE

– ¿Trabajas en equipo en el despacho?

– ¿Qué ves positivo de trabajar en equipo?

– ¿Qué problemas puede producir trabajar en equipo?

X. LECTURAS RECOMENDADAS

Aprender a trabajar en equipo. Martínez, M. y Salvador, M. (2005). Paidos Ibérica.

Al éxito en 5 movimientos. Carratalá, J.L. (2007). Empresa activa.

Cómo crear equipos efectivos: Una guía para directivos ocupados. AA.VV. (2007. Deusto.

Cómo trabajar en equipo. Borrell, F. (2007).Gestión 2000.

XI. SABIDURÍA POPULAR

"Michael, si no puedes pasar la pelota, no puedes jugar". Dean Smith (coach de Michael Jordan en sus primeros años en UNC).

"No basta que cada abogado sea bueno, es preciso que juntos, todos los abogados, seamos algo". Ángel Ossorio y Gallardo.

"El talento gana partidos, pero el trabajo en equipo y la inteligencia ganan campeonatos". Michael Jordan.

"Yo hago lo que tú no puedes, y tú haces lo que yo no puedo. Juntos podemos hacer grandes cosas". Madre Teresa de Calcuta.

"Trabajar en equipo divide el trabajo y multiplica los resultados". Anónimo.

"Son tres las cosas que le diría a un equipo para ayudarlo a mantenerse unido: Cuando algo resulta mal: yo lo hice. Cuando algo resulta más o menos bien: nosotros lo hicimos. Cuando algo resulta realmente bien: ustedes lo hicieron". Paul "Bear" Bryant.

"Los individuos marcan goles, pero los equipos ganan partidos". Zig Ziglar.

"Las fortalezas están en nuestras diferencias, no en nuestras similitudes". Stephen Covey.

"Llegar juntos es el principio. Mantenerse juntos, es el progreso. Trabajar juntos es el éxito". Henry Ford.

Transformación digital

I.   CONCEPTO

La transformación digital es el proceso a través del cual el abogado identifica las herramientas tecnológicas adecuadas y las utiliza para mejorar la gestión interna, la experiencia del cliente y el conocimiento de su mercado.

Parejo a la transformación digital se encuentra el Legal tech Legal que no es más que cuando se aplica la tecnología a la prestación o a la comercialización de servicios legales con una orientación decidida, a lo que ayuda no solo a la mejora de dicha actividad, sino que también ayuda al cliente para acceder al abogado, por ejemplo, a sus servicios o para calificarlo. Esta orientación al consumidor, a la experiencia, a la inmediatez es lo que la diferencia de los servicios tradicionales.

II.   CARACTERÍSTICAS

Como características de la transformación digital señalamos las siguientes:

- Nos permite explorar nuevos modelos de negocio, o reinventar el actual con una base tecnológica, ofreciendo nuevas propuestas de valor al cliente.

- Ofrece una completa transformación en la organización y la cultura de las compañías para adaptarse a las nuevas demandas del cliente.

- Nos permite reflexionar sobre cómo ser más eficientes por medio del uso de la tecnología aplicada al ahorro de costes, aumento del valor añadido para el cliente y la creación de nuevas oportunidades de negocio.

- Supone actitudes dispuestas al cambio y a la adaptación constante que implica salir de una zona de confort para buscar nuevas oportunidades

III. ¿POR QUÉ ES IMPORTANTE PARA EL ABOGADO ABRAZAR LA TRANSFORMACIÓN DIGITAL?

En los tiempos en los que nos ha tocado vivir, el abogado no tiene más remedio que adoptar y abrazar las herramientas que la transformación tecnológica le está proporcionando, y ello no solo por cuestiones de eficiencia, sino porque el propio mercado va a demandar su actualización tecnológica. Tan es así, que entre los beneficios de la transformación digital para el abogado podemos destacar los siguientes:

- Genera nuevas experiencias al cliente y lo fideliza.
- Mejora la eficiencia de los procesos y ahorra costes.
- Produce nuevas fuentes de ingresos.
- Nos permite responder más rápidamente al mercado.
- Crea una ventaja competitiva para la organización.
- Impulsa la cultura de la innovación.
- Mejora la colaboración interna.
- Profundiza el análisis de datos (Big Data).
- Garantiza la viabilidad del negocio en un entorno más competitivo y ajustado en costes.

A la vista de sus ventajas, entiendo que la respuesta a la pregunta es, sin ningún género de dudas, afirmativa, máxime cuando a la vista del contexto de incertidumbre creciente y cambios rápidos en el que intervienen los despachos de abogados, es vital iniciar y/o continuar con el proceso de transformación. Ahora bien, como decía Peter Drucker, la supervivencia no es un mandato. Tú decides[1].

---

1. Estalella, J. *Brevísima guía para la transformación digital del despacho.* En *https:// www.abogacia.es/publicaciones/blogs/blog-de-innovacion-legal/brevisima-guia-para-la- transformacion-digital-del-despacho/.*

IV. EL ABOGADO DIGITAL

El abogado digital, imbuido en proceso de transformación digital, se adapta y beneficia de las ventajas del proceso antes indicadas, y, sobre todo, evitará los riesgos de su falta de implementación.

V. EL ABOGADO QUE NO LLEVA A CABO LA TRANSFORMACIÓN DIGITAL

El abogado que no se transforma digitalmente, inconsciente de la necesidad de abordar una innovación, mantiene un funcionamiento que da la espalda a las innumerables ventajas de las mismas.

VI. EJEMPLOS PRÁCTICOS

Para afrontar los retos del mercado a través de la transformación digital, hemos de actuar en tres frentes:

1. Aumentar la eficiencia y rentabilidad.
2. Captar más clientes.
3. Satisfacer a los clientes desde lo digital.

1.°– Aumentar la eficiencia y rentabilidad

Adoptar medidas tecnológicas que favorezcan la gestión de:

*   Los expedientes.
*   Los procesos.
*   El conocimiento.
*   La economía del despacho.
*   El tiempo.
*   Accesibilidad y movilidad.
*   La relación con el cliente.

Para ello emplearemos el software de gestión que nos permitirá:

*   Gestionar y controlar todos los expedientes. Simplifica procesos. Facilita la digitalización (búsqueda de clientes, expedientes, estado expediente, etc.).
*   Ofrecer información al cliente respecto de su expediente.
*   Avisar de la finalización de plazos, señalamientos, vencimientos...

- Alertar sobre cualquier cambio legislativo que pueda resultar de interés o afectar a tu trabajo.

- Gestionar íntegramente la economía del despacho (sistema minutación y facturas).

Otras Herramientas que podríamos emplear:

– Google Calendar.

– Wunderlist.

– Disco duro en red (NAS).

– Fax virtual.

– Centralitas virtuales.

– SKYPE.

– Mail en formato IMAP (sincronización equipos).

– EXCEL en nube (GOOGLE DRIVE). Multiusuario en tiempo real.

– Pantalla doble / Pantalla panorámica.

– Oficina móvil: Router 4G.

2.º– Captar más clientes

Para ello podríamos emplear el denominado marketing inbound, metodología que combina técnicas de marketing y publicidad dirigiéndose al usuario de una forma no intrusiva y aportándole valor (sin valor, la presencia en las redes no sirve de nada).

Otras medidas serían las siguientes:

- Aplicar técnicas SEO (Search Engine Optimization): Técnicas para posicionar páginas web y contenidos en buscadores de internet como Google.

- SEM (Search Engine Marketing): Acciones de publicidad en buscadores de internet para atraer tráfico, un mayor número de clics, al menor precio.

- SMO (Social Media Optimization): Desarrollo de estrategias para facilitar que el contenido se comparta

- Tener un sitio web con contenido de valor: Aplicar técnicas para la generación de contenido de valor que atraiga clientes para tu negocio. El blog como herramienta fundamental de la comunicación en las redes sociales.

Finalmente, una medida excelente es crear un Plan de Social Media adaptado a la Estrategia de comunicación del despacho y al equipo del que se dispone, plan para cuya elaboración tendríamos que seguir los siguientes pasos:

1. Análisis previo y recogida de información.
2. Estudio de la reputación online del despacho.
3. Fijación de objetivos.
4. Definición del público objetivo.
5. Elección de canales.
6. Definición de la estrategia.

Dentro de dicho plan tendríamos que considerar las siguientes herramientas:

- Creación de servicios específicos: Para los diferentes públicos objetivos y sus necesidades para promocionar en nuestras redes.
- Newsletter / E-mailing.
- Motores de búsqueda y directorios.
- Monitorización y medición de las acciones: Para poder ir corrigiendo nuestras acciones y dirigirnos siempre a las más que obtengan más éxito.

3.º– Satisfacer a los clientes desde lo digital

Para conseguir la satisfacción de los clientes, pueden adoptarse diversas medidas:

- Invitando a los clientes a formar parte de tu comunidad.
- Creando propuestas exclusivas.
- Satisfaciendo las nuevas necesidades que les puedan ir surgiendo a lo largo de su relación con el despacho.
- Acciones de reputación: Formaciones, charlas, contenidos específico para seguidores, vídeos, etc.
- Generando contenidos de calidad que sean útiles para tus clientes.
- Resolución de sus dudas e inquietudes a través de:
  - ♦ Servicios de mensajería instantánea.
  - ♦ Chats a tiempo real.

VII. ¿CÓMO SE ADQUIERE O MEJORA?

Siguiendo a Jordi Estalella[2], las fases recomendables para implementar un proceso de transformación digital sería el siguiente:

1. Analizar la cadena de valor.
2. Establecer la necesidad y alcance de la trasformación.

---

2. Obra citada. _Vid._ nota al pie número 70 en el capítulo 51.

3. Identificar la tecnología adecuada.

4. Planificar una implantación paulatina.

1.°– Analizar la cadena de valor (actividades para generar valor a los clientes)

– Diseño del servicio: Concepción de la solución jurídica adecuada al problema de un cliente.

– Producción del servicio: Se modela el conocimiento o solución jurídica que acaba materializándose en un contrato, informe, juicio o una declaración de impuestos.

– Prestación del servicio: La suma de interacciones o puntos de conexión entre el cliente y el despacho.

– Contratación de nuevos encargos: Generando valor a la comunidad de clientes.

2.°– Establecer la necesidad y alcance de la trasformación

Aplicación de las tecnologías SMAC (social, móvil, analítica y cloud) a la cadena de valor.

1. SOCIAL: Tecnologías que facilitan la comunicación entre el despacho y su comunidad de clientes, actuales o potenciales, básicamente las redes sociales.

2. MOVIL: Aparatos como los Smartphone y tablets, cada vez más utilizados para buscar información y contratar servicios.

3. ANÁLISIS: El análisis de los datos originados en el despacho constituye una fuente de información primordial para la toma de decisiones estratégicas y operativas.

4. CLOUD: La tecnología cloud posibilita contratar servidores de almacenamiento, plataformas de bases de datos y software de gestión, colaboración y comunicación a bajo coste. Precisamente, los precios asequibles de esos sistemas en la nube están permitiendo a los despachos pequeños igualar la capacidad tecnológica de los despachos más grandes.

Si examinas la cadena de valor a la luz del conjunto de tecnologías SMAC:

– La actividad de diseño quizás sería más eficiente y el servicio más innovador con una herramienta de colaboración.

– La automatización de algunos procesos aumentaría la rentabilidad.

– Una aplicación móvil albergada en una plataforma cloud ayudaría a los clientes a obtener respuestas inmediatas a sus consultas.

– La presencia y actividad planificada en redes sociales aumentaría el tráfico a tu web y, con ello, las oportunidades de venta.

3.º– Identifica la tecnología adecuada

En esta fase se contratan las herramientas tecnológicas adecuadas siguiendo dos pautas:

– Optar por la tecnología con mayor adopción en el mercado.

– Elegir la herramienta más especializada para la función requerida.

4.º– Planificar una implantación paulatina

Para implementar la transformación nos encontraríamos con los siguientes obstáculos:

a) La dificultad de dedicar tiempo a tareas que no estén directamente relacionadas con el trabajo técnico y la facturación de los encargos en curso.

b) La infrautilización de la tecnología.

c) La falta de un sentido de urgencia hacia el cambio.

Para resolver los obstáculos a) y b): Plantearse un objetivo cada año y dividir su ejecución en tareas mensuales, de las más sencillas a las más complejas. El hecho de ver cumplida una tarea sencilla motivará la consecución de las siguientes.

Para resolver el obstáculo c): Crear un sentimiento de urgencia, salvo que quieras vivir en un entorno de incertidumbre creciente.

VIII.   ANÉCDOTA

Más que una anécdota, aprovecho para hacer una reflexión dirigida especialmente a los abogados veteranos: ¿recordáis cuando trabajábamos con máquina de escribir y papel de calco, teléfono convencional y con pesados libros de legislación y jurisprudencia?

Más de uno habrá sonreído...

Pues lo bueno de todo, es que, aun así, hacíamos nuestro trabajo perfectamente, sin esas prisas que son tan enemigas de nuestra profesión.

IX.   PREGUNTAS PARA EL DEBATE

– ¿Eres un abogado tecnológico?

– ¿Te cuesta trabajo adaptarte a lo digital?

– ¿Piensas que lo digital es sólo para los más jóvenes?

X. LECTURAS RECOMENDADAS

Barrio Andrés, M. (2019) *Legal Tech: la transformación digital de la abogacía.* Wolters Kluwer.

XI. SABIDURÍA POPULAR

"La actualización digital basada en la inversión en software". Sara Molina.

"Las nuevas tecnologías que irrumpen sirven de base para un sinfín de usos, casi tantos como la mente del abogado pueda imaginar". Eva Bruch.

"Conjunto de software y otras herramientas para automatizar tareas y facilitar el trabajo jurídico". Manuel González-Meneses.

"La supervivencia no es un mandato". Peter Drucker.

Thomson Reuters Proview
Guía de uso

¡ENHORABUENA!

ACABAS DE ADQUIRIR UNA OBRA QUE **INCLUYE LA VERSIÓN ELECTRÓNICA.**
APROVÉCHATE DE TODAS LAS FUNCIONALIDADES.

ACCESO INTERACTIVO A LOS MEJORES LIBROS JURÍDICOS
DESDE IPHONE, IPAD, ANDROID Y
DESDE EL NAVEGADOR DE INTERNET

FUNCIONALIDADES DE UN LIBRO ELECTRÓNICO EN **PROVIEW**

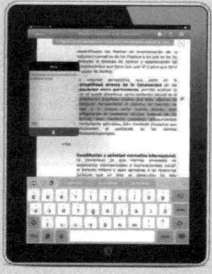

SELECCIONA Y DESTACA TEXTOS
Haces anotaciones y escoges los colores para organizar tus notas y subrayados.

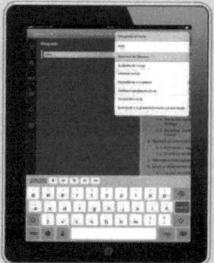

USA EL TESAURO PARA ENCONTRAR INFORMACIÓN
Al comenzar a escribir un término, aparecerán las distintas coincidencias del índice del Tesauro relacionadas con el término buscado.

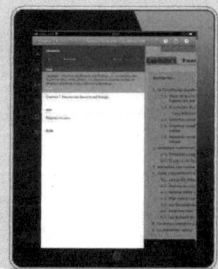

HISTÓRICO DE NAVEGACIÓN
Vuelve a las páginas por las que ya has navegado.

ORDENAR
Ordena tu biblioteca por:
Título (orden alfabético), tipo (libros y revistas), editorial, jurisdicción o área del Derecho.

CONFIGURACIÓN Y PREFERENCIAS
Escoge la apariencia de tus libros y revistas en ProView cambiando la fuente del texto, el tamaño de los caracteres, el espaciado entre líneas o la relación de colores.

MARCADORES DE PÁGINA
Crea un marcador de página en el libro tocando en el icono de Marcador de página situado en el extremo superior derecho de la página.

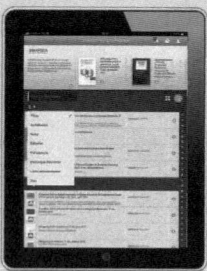

BÚSQUEDA EN LA BIBLIOTECA
Busca en todos tus libros y obtén resultados con los libros y revistas donde los términos fueron encontrados y las veces que aparecen en cada obra.

IMPORTACIÓN DE ANOTACIONES A UNA NUEVA EDICIÓN
Transfiere todas sus anotaciones y marcadores de manera automática a través de esta funcionalidad.

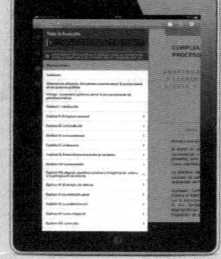

SUMARIO NAVEGABLE
Sumario con accesos directos al contenido.

INFORMACIÓN IMPORTANTE: Si has recibido previamente un correo electrónico con el asunto **"Proview – Confirmación de Acceso",** para acceder a Thomson Reuters Proview™ deberás seguir los pasos que en él se detallan.

Estimado/a cliente/a,

Para acceder a la versión electrónica de este libro, por favor, accede a **http://onepass.aranzadi.es**

Tras acceder a la página citada, introduce tu dirección de correo electrónico (*) y el código que encontrarás en el interior de la cubierta del libro. A continuación pulsa enviar.

Si te has registrado anteriormente en **"One Pass"** (**), en la siguiente pantalla se te pedirá que introduzcas el NIF asociado al correo electrónico. Finalmente, te aparecerá un mensaje de confirmación y recibirás un correo electrónico confirmando la disponibilidad de la obra en tu biblioteca.

Si es la primera vez que te registras en **"One Pass"** (**), deberás cumplimentar los datos que aparecen en la siguiente imagen para completar el registro y poder acceder a tu libro electrónico.

- Los campos **"Nombre de usuario"** y **"Contraseña"** son los datos que utilizarás para acceder a las obras que tienes disponibles en **Thomson Reuters Proview™** una vez descargada la aplicación, explicado al final de esta hoja.

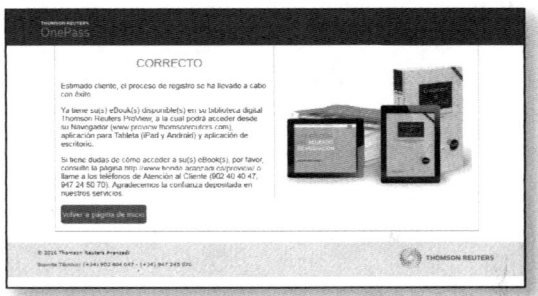

Cómo acceder a **Thomson Reuters Proview™:**
- **iPhone e iPad:** Accede a AppStore y busca la aplicación **"ProView"** y descárgatela en tu dispositivo.
- **Android:** accede a Google Play y busca la aplicación **"ProView"** y descárgatela en tu dispositivo.
- **Navegador:** accede a **www.proview.thomsonreuters.com**

Servicio de Atención al Cliente
Ante cualquier incidencia en el proceso de registro de la obra no dudes en ponerte en contacto con nuestro Servicio de Atención al Cliente. Para ello accede a nuestro Portal Corporativo en la siguiente dirección **www.thomsonreuters.es** y una vez allí en el apartado del **Centro de Atención al Cliente** selecciona la opción de **Acceso** a Soporte para no Suscriptores (compra de Publicaciones).

(*) Si ya te has registrado en **Proview™** o cualquier otro producto de Thomson Reuters (a través de One Pass), deberás introducir el mismo correo electrónico que utilizaste la primera vez.

(**) **One Pass:** Sistema de clave común para acceder a Thomson Reuters Proview™ o cualquier otro producto de Thomson Reuters.

 **THOMSON REUTERS®**